Teach Yourself Romanian!

ROMANIAN FOR THE ENGLISH SPEAKING WORLD

Titlul: **Teach Yourself Romanian!**
Romanian for the English Speaking World

Pentru informații generale despre Editura Teora –
cărți, librării, distribuitori, oferte speciale, promoții,
adrese de e-mail etc. – vă invităm să vizitați www.teora.ro.

Librăria „Teora - Cartea prin poștă":
Telverde: 0-800-800-803
Tel. mobil: 0724.821.361
Website: www.teora.ro
CP 79-30, cod 024380, București, Romania
Tel.: 021 - 252.14.31

Editura Teora SRL,
Calea Moșilor nr. 211, sector 2, cod 020863,
București, Romania
Tel.: 021 - 619.30.04,
Fax: 021 - 210.38.28
Președinte: Teodor Răducanu

NOT 8178 LST LIMBA ROMANA PTR. ENGLEZI
ISBN 10: 973-20-0374-X
ISBN 13: 978-973-20-0374-9

Printed in Romania

Înregistrarea CD-ului a fost efectuată în studioul Acustic Multimedia.
Voci: Dana Bartzer, Răzvan Vasilescu, Ileana Drăghici, Dan Creimerman.

Teach Yourself
Romanian!

ROMANIAN
FOR THE ENGLISH SPEAKING WORLD

Eugenia Tănăsescu

Teora

Contents / Cuprins

Contents / Cuprins

* L: listening; W: writing; R: reading; D: dictation.

Introduction

'Romanian for the English Speaking World' is a practical survival course, for the beginners. It is ideal for business professionals who want to study in their own time, and can be used flexibly to fit a busy schedule. From unit five the vocabulary can be studied unit by unit or selectively, in terms of the learners' urgent needs and their area of activity. The course also provides a rich source of material for the classroom teachers.

'Romanian for the English Speaking World' allows the students to work at their own pace, so that learning should suit their professional needs. Here are some of the realistic topics which are set in many everyday life situations, with a special focus on office and business related issues:

- Introducing and greeting people, speaking about jobs or positions in a company;
- Speaking about the meals of the day, the days of the week, the daily programme;
- Asking the time and expressing time;
- Vocabulary used in basic mathematics operations;
- Speaking about a businessman's agenda;
- Asking one's way and giving directions, the use of various techniques of asking questions;
- Speaking about countries and peoples;
- Speaking about native country, family and relatives;
- Expressing near future plans;
- Vocabulary specific to the house management (furniture, rooms, facilities);
- Business vocabulary, notes and coins, Romanian bank notes;
- Speaking about means of transport;
- Speaking about food, ordering meals; expressing eating habits; expressing likes and dislikes;
- The language of telephoning;
- Naming the objects and consumables in the office;
- Expressing needs and orders; drafting a purchase requisition; describing objects;
- Shopping and shops, the language used in estimating quantities;
- Speaking about special celebrations; expressing good wishes and congratulations;
- Asking for help, speaking about medical emergencies; calling for an ambulance; advising people; describing someone's health condition; basic vocabulary on diseases;
- Vocabulary specific to financial matters; foreign currencies; expressing a sequence of past events;
- Making inquiries; describing outfits;
- Sports and games; speaking about hobbies.

The dialogues are designed to develop vocabulary and practise grammar, to speak and write tasks, to build confidence in discussing various topics. The formal business vocabulary, as well as informal idiomatic Romanian are presented in appropriate contexts.

The explanations of the Romanian language structures and functions used in the units avoid 'philosophical' or confusing details as the 'target students' are real beginners with no previous linguistic or grammar experience.

'Romanian for the English Speaking World' is a course easy to work through. It can be used in a class, in one-to-one teaching or self-study. The course explains everything along the way and gives a lot of opportunities to practise structures and vocabulary by solving the multitude of follow up exercises.

Let's get started!

The Romanian Alphabet
(Alfabetul românesc)

TASK 1   Listen to the CD and repeat.
(Ascultaţi CD-ul şi repetaţi.)

Letter	Phonetic Symbol	The Corresponding Sound in English	Examples	(Translation)
A	A; a	come	alb	(white)
Ă	ə	fur	ăsta	(this)
Â[1]	î	-	român	(Romanian)
B	b	bar	barcă	(boat)
C	k	call	cal	(horse)
D	d	dean	duş	(shower)
E	e	red	est	(east)
F	f	flower	fată	(girl)
G	g	girl	gară	(railway station)
H	h	hall	han	(inn)
I	i	in	imun	(immune)
Î[2]	î	–	înger	(angel)
J	ʒ	garage	joc	(game)
K	k	kilogram	kilogram	(kilogram)
L	l	leaf	limbă	(language)
M	m	mirror	munte	(mountain)
N	n	narration	nor	(cloud)
O	o	ball	ocazie	(occasion)
P	p	penny	parc	(park)
R	r	raft	roşu	(red)
S	s	sun	secară	(rye)
Ş	ʃ	shower	şanţ	(ditch)
T	t	trim	tren	(train)
Ţ	ts	rats	ţară	(country)
U	u	hook	unealtă	(tool)
V	v	vest	viteză	(speed)
W	v	veal	watt	(watt)
W	w	week	week-end	(weekend)
X	cs	box	xilofon	(xylophone)
Y	i	yard	yard	(yard)
Z	z	jazz	zi	(day)

---

[1] It is never used at the beginning of the words. Its correspondent is 'î', which is used both at the beginning and at the end of the words and inside the compound words (*e.g.* bineînţeles – of course) and the words with prefixes (*e.g.* neînţeles – not understood). This letter was dropped and transformed in 'î' in 1953 and reintroduced in 1993.

[1,2] They resemble to the sound uttered between 's' and 'n' when pronouncing 'St. Peter'.

Special Romanian Sounds
(Sunete specifice limbii române)

Diphthongs and Triphthongs (Diftongi și triftongi)

Letters	The Corresponding Sound in English	Examples	(Translation)
a + i	– sigh	rai	(heaven)
a + u	– vow; voucher	august	(August)
e + a	—	lalea	(tulip)
e + i	– ray	tei	(lime)
e + o	—	deodată	(suddenly)
e + a + u	—	vreau	(I want)
e + o + a	—	pleoapă	(lid)
i + a	– yah	iarbă	(grass)
i + a + u	– yowl	iau	(I take)
i + e	– yes	caiet	(copy-book)
i + o	– Yorkshire	iobag	(yeoman)
i + o + a	—	creioane	(pencils)
i + u	– yoo-hoo	fotoliu	(arm-chair)
î + i / â + i	—	câine	(dog)
î + u / â + u	—	râu	(river)
o + a	—	soare	(sun)
o + i	– oyster	doi	(two)
o + u	– sow	bou	(ox)
u + a	– white	canapeaua	(the sofa)
u + ă	– influence	rouă	(dew)
u + i	– ruined	cui	(nail)

Vowels (Vocale)

The letter **'e'**, when used at the beginning of the ancient words, has a different pronunciation – [ie]:

eu	[ieu]	– I		el	[iel]	– he
ei	[iei]	– they (masc.)		ea	[ia]	– she
ele	[iele]	– they (fem.)		eram	[ieram]	– I was / we were
eşti	[ieʃti]	– you are (sing.)		este	[ieste]	– he / she is

With neologisms, the letter **'e'** demands the pronunciation [e]:

e.g.	elev	[elev]	– pupil / student
	exerciţii	[egzertʃitsii]	– exercises
	extrem	[ekstrem]	– extremely

Consonants (Consoane)

The letter **'c'** when followed by the vowels **'a'; 'ă'; 'â'; 'o'; 'u'** has the value of **'k'**:

'c'	casă	[kasə]	– house
	călimară	[kəlimarə]	– ink-pot
	câine	[kîine]	– dog
	coloană	[koloanə]	– pillar; column
	culoare	[kuloare]	– colour

Yet, when followed by **'i'** and **'e'**, it has a similar pronunciation to **'ch'** in **'chin'** or **'check'**.

'ce', 'ci'	cineva	[tʃineva]	– somebody
	ceva	[tʃeva]	– something
	ce	[tʃe]	– what
	cine	[tʃine]	– who
	cinci	[tʃintʃi]	– five
	aici	[aitʃi]	– here
	cer	[tʃer]	– sky

'G' when followed by the vowels **'a'; 'ă'; 'â'; 'o'; 'u'** is pronounced like **'g'** in **'garlic'**, **'garden'** or **'Gore'**:

'g'	galben	[galben]	– yellow
	găină	[gəinə]	– hen
	gât	[gît]	– neck; throat
	goană	[goanə]	– rush
	gură	[gurə]	– mouth

However, when placed before **'e'** and **'i'** it is pronounced like **'g'** in **'general'** and **'j'** in **'jest'** or **'jig'**:

'ge', 'gi'	rege	[redʒe]	– king
	frigider	[fridʒider]	– refrigerator
	rigid	[ridʒid]	– rigid
	ajunge	[aʒundʒe]	– (he/she) arrives
	pagină	[padʒinə]	– page
	fugi	[fudʒi]	– (you) run
	mergi	[merdʒi]	– (you) go
	Germania	[dʒermania]	– Germany

The vowels '**i**' and '**e**' are the only ones that can follow '**ch**' and '**gh**'.

'**Che**' is pronounced like '**k**' in '**k**erosene':

chemare	– calling
chenar	– frame

'**Chi**' has a pronunciation like '**k**' in '**k**ick' or '**k**id':

chilipir	– good bargain
chirurg	– surgeon

'**Ghe**' resembles '**g**' in '**g**ander' or '**Gh**andy':

gheață	– ice
gheată	– boot
Gheorghe; **Gh**erman (proper names)	

'**Ghi**' is like '**g**' in '**g**ift' or '**g**iddy':

ghinion	– ill-luck
ghimpe	– thorn

The consonant '**x**' is usually pronounced [ks] as 'e**x**tra', 'ta**x**' or 'ta**x**i':

e**x**cepție	– exception
e**x**traordinar	– extraordinary

Consonants '**k**', '**q**', '**w**' and '**y**' are used in neologisms and proper names:

kilogram, **k**elvin, **k**aki, **k**urd, etc.;

Quintus, **Y**aquimenko, etc.;

watt, **w**on (Korea's monetary unit), **w**eek-end, etc.;

yen, **y**oga, **y**uan, **y**ancheu, etc.

Note: In Romanian every written letter is uttered.

 **TASK 2** Listen to the CD and translate into Romanian the words provided. Press 'pause' in order to take the necessary time.
(Ascultați CD-ul și traduceți cuvintele în limba română. Apăsați pe 'pause' pentru a avea timpul necesar.)

Lesson One / Lecția unu

TASK 1 Listen to the CD and then repeat.
(Ascultați CD-ul și apoi repetați.)

A: – Bună ziua.
B: – Cine sunteți dumneavoastră?
A: – Sunt un angajat al fabricii „Carpați". Sunt contabil.
B: – Îmi pare bine. Eu sunt din Norvegia și sunt director economic.
A: – Ce este aici?
B: – Un birou. Este secretariatul. Intrați, vă rog. Luați loc.
A: – Mulțumesc.
B: – În cameră mai sunt: un inginer din Norvegia, un maistru din Canada, un muncitor din Australia și un director din Anglia. Domnul Sava este contabil. El este român.

Vocabulary / Vocabular

acesta, aceasta	– this (masc., fem.)
aici	– here
angajat / salariat	– employee
birou	– office
bun *(masc.)*; **bună** *(fem.)*	– good
bună ziua	– hello / good afternoon / good day
cameră	– room
ce	– what
cine	– who
contabil	– accountant
din	– from
doamna	– Mrs. (*e.g.* Doamna Andrei)
domnul	– Mr. (*e.g.* Domnul Andrei)
domnule	– Sir! ; Mr. (specifically used when approaching the person; *e.g.* Domnule Andrei, intrați, vă rog!)
dumneavostră	– you (pronoun of politeness)
fabrică	– factory
inginer	– engineer
Îmi pare bine	– I am happy / delighted
în	– in
Intrați!	– Come in!
Luați loc!	– Sit down! / Take a seat!
lucrez	– I work
mai	– (here) also
maistru	– foreman
mulțumesc	– thank you
muncitor	– worker
secretariatul	– the secretariat
un *(masc.)*; **o** *(fem.)*	– a / an (indefinite article)
vă rog	– please

Grammar Session (Gramatică)

Personal Pronoun in Nominative
(Pronumele personal în nominativ)

Forms:	eu	– I	noi	– we
	tu	– you	voi	– you
	el	– he	ei	– they (masc.)
	ea	– she	ele	– they (fem.)

A noun or pronoun in **Nominative Case** answers the concept question **'Who?'** and stands for the subject of that sentence.

A pronoun is a word that stands for a noun.

If Ion has a daughter named Ana, and says to his daughter *'You are absent-minded!'*, the pronoun **'you'** is a subject pronoun that stands for 'Ana'.

Let's study the sentence:

'**El este** foarte ocupat, totuşi **practică** jogging-ul în fiecare dimineaţă'.

('**He is** very busy; however, **he goes** jogging every morning.')

Here, one can see/observe that the verb **'practică'** is not accompanied by the personal pronoun **'el' ('he')**, as it had been mentioned before.

Moreover, the pronoun **'el'** could have been deleted even in the main clause:

'**Este foarte ocupat**, totuşi **practică** jogging-ul în fiecare dimineaţă'.

This is due to the fact that, in Romanian, each person has a specific verb form; accordingly, the use of the personal pronoun is optional. That is why the personal pronouns in the conjugations below are written in brackets.

It is to be noticed that the form correspondent to the pronoun **'it' is missing**; *in Romanian we use 'el' or 'ea' when referring to an animal, a plant, or any item.*

The Verbs in Romanian I
(Verbele din limba română I)

Verbs are conjugated in English in a much easier way than in Romanian. The verb forms are only slightly modified when turning from one person to another (*e.g. 'I work'; 'she works'*). Unlike from English, in Romanian the verb has a different form for each person, in relation to endings specific to each category of verbs; however, there are cases when slight differences exist even when dealing with the same category of verbs.

For the beginning, we shall manage the verb **'a fi'**, the Romanian correspondent to the English **'to be'**.

Affirmative form (*Forma afirmativă*)		Interrogative form (*Forma interogativă*)		Negative form (*Forma negativă*)	
Romanian	English	Romanian	English	Romanian	English
(eu) sunt	*I am*	sunt (eu)?	*am I?*	(eu) nu sunt	*I am not*
(tu) eşti	*you are*	eşti (tu)?	*are you?*	(tu) nu eşti	*you are not*
(el/ea) este	*he/she is*	este (el/ea)?	*is she/he?*	(el/ea) nu este	*he/she is not*
(noi) suntem	*we are*	suntem (noi)?	*are we?*	(noi) nu suntem	*we are not*
(voi) sunteţi	*you are*	sunteţi (voi)?	*are you?*	(voi) nu sunteţi	*you are not*
(ei/ele) sunt	*they are*	sunt (ei/ele)?	*are they?*	(ei/ele) nu sunt	*they are not*

12

Now, let's practise it with the phrase **'to be busy now'**!
Să-l conjugăm acum în expresia **'a fi ocupat acum'**!

Task 2	Listen to the CD and repeat. *(Ascultați CD-ul și repetați.)*

Affirmative form *(forma afirmativă)*

Sunt ocupat[1] / ocupată acum.	I'm busy now.
Ești ocupat / ocupată acum.	You're busy now.
Este ocupat / ocupată acum.	He's busy now. / She's busy now.
Suntem ocupați / ocupate acum.	We're busy now.
Sunteți ocupați / ocupate acum.	You're busy now.
Sunt ocupați / ocupate acum.	They're busy now.

Interrogative form *(forma interogativă)*

Sunt ocupat / ocupată acum?	Am I busy now?
Ești ocupat / ocupată acum?	Are you busy now?
Este ocupat / ocupată acum?	Is he/she busy now?
Suntem ocupați / ocupate acum?	Are we busy now?
Sunteți ocupați / ocupate acum?	Are you busy now?
Sunt ocupați / ocupate acum?	Are they busy now?

Negative form *(forma negativă)*

Nu sunt ocupat / ocupată acum.	I'm not busy now.
Nu ești ocupat / ocupată acum.	You're not busy now.
Nu este ocupat / ocupată acum.	He's not busy now. / She's not busy now.
Nu suntem ocupați / ocupate acum.	We're not busy now.
Nu sunteți ocupați / ocupate acum.	You're not busy now.
Nu sunt ocupați / ocupate acum.	They're not busy now.

Task 3	Listen to the CD and translate into Romanian the short sentences provided. Press 'pause' in order to take the necessary time. *(Ascultați CD-ul și traduceți propozițiile date în limba română.* *Apăsați pe „pause" pentru a avea timpul necesar).*

Note: In the negative, the third person in the singular has a contracted form, usually
employed in informal Romanian: ***nu este = nu-i***

*Nu este **ocupat/ocupată acum**.* = *Nu-i **ocupat/ocupată acum**.*

Similarly, in the plural: ***nu sunt = nu-s***

*Nu sunt **ocupați/ocupate acum**.* = *Nu-s **ocupați/ocupate acum**.*

---

[1] The adjectives ending in a consonant are masculine, while those ending in a vowel are feminine.

TASK 4 Replace the adjective **'busy'** with the ones in the table below, and observe the transformations that occur in terms of number and gender. *(Înlocuiţi adjectivul „ocupat" cu adjectivele prezentate mai jos şi studiaţi transformările ce au loc în funcţie de număr şi gen.)*

	Masculine		Feminine	
	Singular	*Plural*	*Singular*	*Plural*
tired	obosit	obosiţi	obosită	obosite
delighted	încântat	încântaţi	încântată	încântate
upset/angry	supărat	supăraţi	supărată	supărate
hurried/in a hurry	grăbit	grăbiţi	grăbită	grăbite
confused	contrariat	contrariaţi	contrariată	contrariate
ill/sick	bolnav	bolnavi	bolnavă	bolnave

> **e.g.** **El este supărat.** *(He is upset.)*
> **Ele sunt grăbite.** *(They are in a hurry.)*

1. ....
2. ....
3. ....
4. ....
5. ....
6. ....
7. ....
8. ....
9. ....
10. ....

Frequency Adverbs
(Adverbe de frecvenţă)

întotdeauna	– always	**câteodată**	– sometimes
de obicei	– usually	**rareori / rar**	– seldom
în general	– generally	**foarte rar**	– occasionally
adesea / adeseori	– often	**niciodată**	– never
destul de des	– quite often	**aproape niciodată**	– hardly ever

The location of the 'frequency adverbs' in Romanian is different from the one in English. In Romanian, they are generally used **at the beginning** of the sentence; however, they may appear **at the end** of the sentence, too.

> **e.g.** **Adesea** sunt foarte ocupat. *or,* Sunt foarte ocupat **adesea**. *I'm often very busy.*
> **Niciodată** nu sunt ocupat. *or,* Nu sunt ocupat **niciodată**. *I'm never busy.*

> *It should be noticed that **the double negation is often used in Romanian**. In the example above there are two words with a negative meaning: **'niciodată'** (never) and **'nu'** (not). Word by word, the sentence "Niciodată nu sunt ocupat" would have the following translation: **'I'm __not never busy__'** which, obviously, is meaningless in English.*

On the other hand, the form *'Niciodată sunt ocupat'* (with only one negation, according to the English grammar rules) would be meaningless in Romanian. That is why, for the start, in order to avoid the double negation which could be a trouble-making problem for the beginners, it is advisable that you should avoid using the adverbs with a *negative meaning* or you should use the negative *'nu'* alone. For instance, we may avoid the adverb 'niciodată' using only 'nu', ***e.g.*** 'Nu sunt ocupat' – 'I'm not busy'.

Task 5	Greet, introduce yourself and say what you are:
Group work	*(Salutaţi, prezentaţi-vă şi spuneţi cu ce vă ocupaţi:)*

e.g. Bună dimineaţa. / Bună ziua. / Bună seara.
Mă numesc Ioana Popescu. Sunt profesoară.

Good morning. / Good afternoon. / Good evening.
My name is Ioana Popescu. I am a teacher.

The Nouns' Gender I
(Genul substantivelor I)

a) Singular form. In Romanian, masculine nouns generally end in a consonant or in *'e'*, while feminine ones end in *'-ă'* or *'-e'*. The nouns with the stem ending in *'-or'* insert the vowel *'a'* between *'o'* and *'r'*, in order to form the feminine gender (o*a*r+e):

Gender	Ending		Examples
Masculine	*Consonant*		elev; student; profesor; muncitor
Feminine	*Vowels*	'-ă'	elevă; studentă; profeso*a*ră
		'-e'	muncito*a*re; directo*a*re; vânzăto*a*re

	Masculine *(masculin)*	Feminine *(feminin)*	
e.g.	secretar	secretară	*secretary*
	director	directoare	*director/manager*
	contabil	contabilă	*accountant*
	vânzător	vânzătoare	*shop-assistant*
	asistent	asistentă	*assistant*
	bibliotecar	bibliotecară	*librarian*
	inginer	ingineră	*engineer*
	economist	economistă	*economist*
	profesor	profesoară	*teacher*
	chimist	chimistă	*chemist*
	dentist	dentistă	*dentist*
	expert	expertă	*expert*
	fizician	fiziciană	*phisicist*

preşedinte   preşedintă   *president*

b) **Plural form.** Generally, masculine nouns end in vowel '*i*' and feminine ones end in '*e*'.

Gender	Ending	Examples
Masculine	*Consonant* + '**i**'	elev**i**; director**i**; profesor**i**
	'**st**' → '**şti**'	economi**şti**; chimi**şti**; denti**şti**
	'**t**' → '**ţi**'	studen**ţi**
	'**d**' → '**zi**'	noma**zi**; camara**zi**
Feminine	*Vowels* ('**ă**'; '**e**') → '**e**'	elev**e**; student**e**; profes**oare**
		muncit**oare**; direct**oare**; vânzăt**oare**

The masculine nouns ending in '**-st**', turn '**s**' into '**ş**' and then add the suffix '**-i**' (**-şti**) while all the others ending in '**-t**' turn '**t**' into '**ţ**' and then add '**-i**' (**-ţi**):

economi**st** – economi**şti**   studen**t** – studen**ţi**

denti**st** – denti**şti**   exper**t** – exper**ţi**

chimi**st** – chimi**şti**   angaja**t** – angaja**ţi**

Masculine nouns ending in '**-d**', transform '**d**' into '**z**' and then add '**-i**' (**-zi**)[1]:

noma**d** (*nomad*)   – noma**zi**

camara**d** (*comrade; schoolmate*) – camara**zi**

c) The third gender in Romanian, called '**Neuter**', is used mostly for objects or concepts and has a masculin form in the singular and a feminine form in the plural.

    e.g.   scaun *(chair)* – scaun**e** *(chairs)*

T_{ASK} 6	Give the plural form to the following nouns. *(Treceţi următoarele substantive la plural.)*

Director	....	Directoare	....
Contabil	....	Contabilă	....
Vânzător	....	Vânzătoare	....
Asistent	....	Asistentă	....
Bibliotecar	....	Bibliotecară	....
Inginer	....	Ingineră	....
Economist	....	Economistă	....
Profesor	....	Profesoară	....

T_{ASK} 7	Listen to the CD and repeat. *(Ascultaţi CD-ul şi repetaţi.)*

However, there are certain jobs/positions (especially neologisms) which do not have a specific form for each gender:

Masculine	Feminine	
arheolog	arheolog	*archaeologist*
astronom	astronom	*astronomer*
chirurg	chirurg	*surgeon*

---

[1] An irregular plural for feminine undergoes a similar transformation: 'stradă'–'străzi' (street/streets).

consilier	consilier	*counsellor*
detectiv	detectiv	*detective*
medic	medic	*physician/doctor*
optician	optician	*optician*
pilot	pilot	*pilot*
portar	portar	*goal keeper*
strungar	strungar	*turner*

TASK 8 — **Listen to the CD and repeat.**
(Ascultaţi CD-ul şi repetaţi.)

TASK 9 — **Listen to the CD and translate into Romanian the words provided. Press 'pause' in order to take the necessary time.**
(Ascultaţi CD-ul şi traduceţi cuvintele în limba română. Apăsaţi pe 'pause' pentru a avea timpul necesar.)

The Article in Romanian I
(Articolul în limba română I)

In Romanian a noun can be used ***without any articles*** (that is why we call it 'substantiv nearticulat'), with the ***indefinite article*** ('articol nehotărât' with the forms 'un' / 'o', in terms of the gender) or with the ***definite article*** ('articol hotărât' formed by using certain suffixes).

In this grammar session we shall manage the ***indefinite article (in Nominative or Accusative)***.

Singular form (*forma de singular*)

un inginer – an engineer / a male- engineer (*masculine*)
o ingineră – an engineer / a female-engineer (*feminine*)
un birou – an office (*neuter*)

Nouns preceded by the article **'o'** are always **feminine** while those preceded by the article **'un'** are either **masculine** or **neuter**.

Plural form (*forma de plural*)

nişte ingineri – some he-engineers
nişte inginere – some she-engineers
nişte birouri – some offices

TASK 10 — **Fill in the blanks with 'un', 'o' or 'nişte', according to the meaning:**
(Completaţi spaţiile libere cu „un", „o" sau „nişte", în funcţie de sens:)

1. .... strungar
2. .... muncitoare
3. .... director
4. .... vânzătoare
5. .... bibliotecară
6. .... contabil
7. .... ingineri
8. .... directori

The Pronoun of Politeness
(Pronumele de politeţe)

It is a pronoun specific to Romanian, being in a way the correspondent to modal verbs *should, would or could* which are largely used in formal circumstances in English. It is used in business relations as well as by younger people in relation to older ones. Romanians make use of it, even with people of the same age. Official meetings, discussions or even business relations require that the pronoun of politeness should be used.

Forms:

Dumneavoastră – **you** (it goes with the verb at the 2-nd person, pl.: 'sunteţi')
   e.g. **Dumneavoastră** *sunteţi* directorul? – Are **you** the manager?

Dumneaei – **she** (it goes with the verb at the 3-rd person, sing.: 'este')
   * I.R. 'dânsa'
   e.g. **Dumneaei** *este* doamna Andrei. – **She** / **This** is Mrs. Andrei.

Dumnealui – **he** (it goes with the verb at the 3-rd person, sing.: 'este')
   * I.R. 'dânsul'
   e.g. **Dumnealui** *este* directorul. – **He** is the manager.

Dumnealor – **they** (it goes with the verb at the 3-rd person, pl.: 'sunt')
   * I.R. 'dânşii' (masc.); 'dânsele' (fem.)
   e.g. **Dumnealor** *sunt* în birou. – **They** are in the office.

Topics for Conversation
(Subiecte de conversaţie)

Introducing People
(Formule de prezentare)

	Listen to the CD and then repeat.
Task 11	*(Ascultaţi CD-ul şi apoi repetaţi.)*

A: Permiteţi-mi să mă prezint! Mă numesc Anton Şerban şi sunt analist la compania „Astra".

B: Îmi pare bine. Eu mă numesc Maria Ionescu şi sunt director de marketing la compania „Star". Permiteţi-mi să vă prezint domnului director. Domnule director, vi-l prezint pe domnul Anton Şerban, analist la compania „Astra".

C: Îmi pare bine să vă cunosc!

B: Vi-l prezint pe domnul director Dan Stănescu.

A: Îmi pare bine să vă cunosc!

---

* I.R. = Informal Romanian

Vocabulary / Vocabular

Mă numesc ...	– My name is ...
Îmi pare bine să vă cunosc!	– Glad to meet you!
Permiteţi-mi să vă prezint ...	– Allow me to /let me introduce you to ...
Vi-l prezint pe ...	– This is ...

TASK 12 Make up sentences using the following words:
(Alcătuiţi propoziţii utilizând cuvintele următoare:)

a) sunteţi / cine / dumneavoastră? .... ?

b) este / bibliotecară / Maria. ....

c) numesc / Ionescu / mă. ....

d) bine / pare / îmi. ....

e) numiţi / vă / dumneavoastră / cum ? .... ?

f) ea / este / vânzătoare. ....

g) director / este / cine? .... ?

TASK 13 Fill in the blanks with the appropriate personal pronouns.
(Completaţi spaţiile libere cu pronumele personale corespunzătoare.)

a) .... este analist.

b) .... nu sunt preşedinte.

c) .... este o bună secretară.

d) .... este contabil sau inginer?

e) .... sunt vânzătoare.

f) .... este asistentă?

TASK 14 Study the following situations and fill in the blanks with the corresponding pronouns of politeness.
(Studiaţi următoarele situaţii şi completaţi întrebările utilizând pronumele de politeţe.)

1. .... locuiţi în Bucureşti ? (*Do you live in Bucharest?* 'you' – the 2-nd person singular)

2. .... lucrează în biroul de la parter? (*Does he work in the office at the groundfloor?*)

3. .... vorbesc limba engleză? (*Do they speak English?*)

4. .... este română sau englezoaică? (*Is she a Romanian or an English lady?*)

5. .... sunt studenţi sau absolvenţi? (*Are they students or university graduates?*)

6. .... sunteţi bibliotecare sau profesoare? (*Are you librarians or teachers?*)

Task 15 Listen to the following sentences and answer the questions, according to the model:
(Ascultaţi următoarele propoziţii şi răspundeţi la întrebări, conform modelului:)

Bună ziua!	Bună ziua!	Bună ziua!
Eu sunt Mariana Ionescu.	Eu sunt Anton Şerban.	Eu sunt Jan Yvarsen.
Sunt director de marketing.	Sunt analist la compania „Astra".	Sunt director financiar la compania „Carpaţi".
Sunt din România.	Sunt din România.	Sunt din Norvegia.
Sunt din Bucureşti.	Sunt din Braşov.	Sunt din Oslo.

Model: *Mariana Ionescu este din Norvegia?*
Nu, nu este din Norvegia. Este din România.
Mariana Ionescu este din România?
Da, (ea) este din România.

1. Anton Şerban este analist la compania „Carpaţi"?

....

2. Jan Yvarsen este director financiar la compania „Carpaţi"?

....

3. Anton Şerban locuieşte în Oslo?

....

4. Jan Yvarsen este din Norvegia?

....

5. Mariana Ionescu este din Bucureşti?

....

6. Anton Şerban este din România?

....

Task 16 Turn the above presentations into the corresponding forms for the third person.
(Treceţi prezentările de mai sus la persoana a III-a.)

Model: Ea / Dumneaei este Mariana Ionescu.
Este director / directoare de marketing.
Este din România.
Este din Bucureşti.

1. Anton Şerban   2. Jan Yvarsen

....

....

....

....

The Interrogative Pronoun
(Pronumele interogativ)

Forms: cine – *who* (used when referring to people)

e.g. **Cine** este la telefon? **Who** is speaking on the phone?

ce – **what** (used when referring to things, animals, plants, etc. and to people denoting their occupation/job mainly)

e.g. **Ce** este aici? **What** *is here?*
Aici este un birou. *Here is an office.*

Topics for Conversation
(Subiecte de conversație)

Who is ...?
(Cine este ... ?)

TASK 17 Listen to the CD and repeat.
(Ascultați CD-ul și repetați.)

A: Cine este domnul acela? Este domnul Ionescu?
B: Da, domnule, este domnul Ionescu, directorul companiei „Astra".
Cine sunteți dumneavoastră?
A: Eu mă numesc Eugen Cristea. Sunt constructor.
B: Îmi pare bine. Eu sunt secretara. Domnul director este ocupat acum. Vă rog să reveniți după-amiază.

Vocabulary / Vocabular

acela	– that
constructor	– builder
reveniți	– come back; call back
după-amiază	– in the afternoon

Prepositions I
(Prepoziții I)

The most familiar prepositions are:

pe	– on	**vizavi de**	– opposite
lângă	– near (to)	**printre**	– among
peste	– over / above	**între**	– between
sub	– below, under	**în**	– in / into
după	– after	**la**	– at / to
înainte de	– before	**cu**	– with

Note: When suggesting the idea of location or existence, the form of the verb *'a fi'* for the third person is often replaced by the expression *'se află'* or *'există'*, irrespective of the number. Thus, its translation into English might be *'is / there is'* or *'are / there are'*.

e.g. În birou **se află / este** un inginer. *(**There is** an engineer in the office.)*
În birou **se află / sunt** doi ingineri. *(**There are** two engineers in the office.)*

TASK 18 a — Read the following groups of words and letters.
(Citiți următoarele grupuri de cuvinte și de litere.)

Words	Letters
secretară; contabil; asistentă; inginer; soție	t o t e s u a x v
directoare; muncitor; profesor; asistent; soț;	â g s m ă ș l r ț
economist; bibliotecar; vânzător; președinte	h b d w î c f n j

TASK 18 b — Give the location / coordinates to the above words and letters.
(Localizați cuvintele și literele de mai sus.)

Model: A: Unde este cuvântul „**profesor**"? *(Where is the word 'profesor'?)*

B: „**Profesor**" este între „**muncitor**" și „**asistent**", lângă „**asistent**" etc.
(The word 'profesor' is between 'muncitor' and 'asistent' etc.)

1. Unde este cuvântul „***economist***"?

....

2. Unde este cuvântul „***bibliotecar***"?

....

3. Unde este cuvântul „***președinte***"?

....

4. Unde este cuvântul „***muncitor***"?

....

5. Unde este litera „***r***"?

....

6. Unde este litera „***â***"?

....

7. Unde este litera „***ș***"?

....

8. Unde este litera „***ț***"?

....

TASK 19 — Replace the forms of the verb **'a fi'** in the above exercise by the expression **'se află'**.
(Înlocuiți formele verbului „a fi" din exercițiul de mai sus cu expresia „se află".)

TASK 20 Fill in the blanks with the correct form of the verb *'a fi'*.
(Completaţi spaţiile libere cu forma corectă a verbului „a fi".)

1. Cine .... dumneavoastră?

2. Eu .... Andrei.

3. Cine .... ea?

4. Ea .... Angela.

5. Domnul Niculescu .... director.

6. Dumneavoastră .... preşedinte?

Greeting People
(Formule de salut)

Bună dimineaţa!	– *Good morning!*
Bună ziua!	– *Good afternoon! / Good day!*
Bună seara!	– *Good evening!*
Bună!	– *Hi!* (the informal expression for all above)
La revedere!	– *Good-bye!*
Noapte bună!	– *Good night!*
Pe mâine!	– *See you tomorrow!*
Pe curând!	– *See you soon!*
Ce mai faci ?	– *How are you?* (Informal Romanian – I.R.)
Ce mai faceţi?	– *How do you do?* (Formal Romanian – F.R.)
Bine, mulţumesc!	– *I'm fine, thank you!* (F.R.)
Bine!	– *I'm fine!* (I.R.)
(Dar) dumneavoastră?	– *How about you?* (F.R.)
(Dar) tu?	– *How about you? / And you?* (I.R.)
Salut! Noroc![1]	– *Hello!* (I.R.)

TASK 21 Listen and repeat, then translate the dialogues into English.
(Ascultaţi şi repetaţi, apoi traduceţi dialogurile în limba engleză.)

Dialogue One

Maria:	– Bună, Victor, ce mai faci?	....
Victor:	– Bună, Maria. Bine. Tu?	....
Maria:	– Bine. Sunt cam ocupată.	....
Victor:	– Atunci, pe mâine.	....
Maria:	– Sigur. Pe mâine.	....
Victor:	– La revedere!	....
Maria:	– La revedere!	....

---

[1] These expressions are used between men and denote friendly relationships; *apart from this meaning, the expression **'Noroc'** also means **'Good luck'** and **'Cheers!'**.

Dialogue Two

Dl. Ionescu: – Bună ziua.

....

D-na Niculescu: – Bună ziua.

....

Dl. Ionescu: – Sunt inginerul Victor Ionescu.

....

D-na Niculescu: – Îmi pare bine. Sunt Elena Niculescu. Eu sunt secretara.

....

Dl. Ionescu: – Domnul director este în birou?

....

D-na Niculescu: – Da, dar este ocupat acum.

....

Task 22   **Make up dialogues and notice the difference between 'ce'** (what) **and 'cine'** ('who'), **then translate.**
(Alcătuiţi dialoguri făcând diferenţa dintre „ce" (what) şi „cine" ('who'), apoi traduceţi.)

Angela	studentă
Ştefan	strungar
Dan	director
Marian	muncitor
Maria	elevă
Gabriel	inginer

Model: – Cine este ea?   ....
         – (Ea) Este Angela.   ....
         – Ce este ea?   ....
         – (Ea) Este studentă.   ....

....
....
....
....

Task 23   **Fill in the gaps with the missing letters, then translate the words into English in the space provided.**
(Completaţi cuvintele de mai jos cu literele care lipsesc şi apoi traduceţi-le în spaţiul corespunzător.)

e.g.   pro...esor   ....;   → profesor   *teacher;*

perm...teţi-mi	.....................;	...irou	.....................;
ocupa...i	.....................;	dum...eavoastră	.....................;
pe cu...ând	.....................;	la re...edere	.....................;
pre...edinte	.....................;	cu...ânt	.....................;
reve...iţi	.....................;	c...ne	.....................;
mă ...umesc	.....................;	bi...liotecară	.....................;
e...onomiste	.....................;	i...bag	.....................;
ni...iodată	.....................;	an...ajat	.....................;
ca...eră	.....................;	a...esea	.....................;
înto...deauna	.....................;	ra...	.....................;
...ai	.....................;	...upărate	.....................;
g...inion	.....................;	c...emare	.....................;
c...ilipir	.....................;	g...ină	.....................;
pa...ină	.....................;	c...ne	.....................;
co...oană	.....................;	e...e	.....................;
n...i	.....................;	e...ev	....

TASK 24 Unscramble the following jumbled conversation.
(Indicaţi ordinea firească a următoarelor propoziţii.)

a. Domnule director, vi-l prezint pe domnul Matei Ionescu, economist la compania „Carpaţi".

b. Eu mă numesc Carmen Georgescu şi sunt director comercial la compania „Metro".

c. Mă numesc Matei Ionescu şi sunt economist la compania „Carpaţi".

d. Permiteţi-mi să vă prezint domnului director al companiei „Metro".

e. Îmi pare bine.

f. Permiteţi-mi să mă prezint!

g. Vi-l prezint pe domnul director Ion Apostolescu.

h. Îmi pare bine să vă cunosc!

i. Îmi pare bine să vă cunosc!

Letter	a.	b.	c.	d.	e.	f.	g.	h.	i.
Number									

Try the following crossword:
(Rezolvaţi următorul careu:)

A

1.
2.
3.
4.
5.
6.
7.
8.
9.
10.
11.
12.
13.

B

Across *(Orizontal)*:
1. (a) female director
2. (a) turner
3. 'See you tomorrow!' *(two words)*
4. 'See you soon!' *(two words)*
5. (a) female secretary
6. busy *(masc.)*
7. (a) male shop-assistant
8. (a) male worker
9. 'Yes!'
10. above
11. among
12. (a) male engineer
13. (a) pupil *(fem.)*

Down – from A to B *(Vertical)*: '**You**', *the pronoun of politeness.*

Lesson Two / Lecția doi

TASK 1	Listen to the CD and repeat. *(Ascultați CD-ul și repetați.)*	

0 zero

1 unu	**11** un*sprezece*	**21 douăzeci** *și* unu	**40** *patru***zeci**
2 doi	**12** doi*sprezece*	**22 douăzeci** *și* doi	**50** *cinci***zeci**
3 trei	**13** trei*sprezece*	**23 douăzeci** *și* trei	**60** *șai***zeci**
4 patru	**14** pai*sprezece*	**24 douăzeci** *și* patru	**70** *șapte***zeci**
5 cinci	**15** cinci*sprezece*	**25 douăzeci** *și* cinci	**80** *opt***zeci**
6 șase	**16** șai*sprezece*	**26 douăzeci** *și* șase	**90** *nouă***zeci**
7 șapte	**17** șapte*sprezece*	**27 douăzeci** *și* șapte	**100** o sută
8 opt	**18** opt*sprezece*	**28 douăzeci** *și* opt	**200** două sute
9 nouă	**19** nouă*sprezece*	**29 douăzeci** *și* nouă	**1.000** o mie
10 zece	**20** *două***zeci**	**30** *trei***zeci**	**2.000** două mii

10.000 *zece* **mii**   **1.000.000** un milion

100.000 *o sută* **de mii**   **100.000.000** *o sută* **de milioane**

1.000.000.000 un miliard

10.000.000.000 *zece* miliarde

- In Romanian, comma (*virgulă*) is used in **decimal fractions**; for instance: **3.14** (in English – three *point* one four) becomes **3,14** in Romanian and it is read '**trei** *virgulă* **paisprezece**'. In all the numbers over 1,000 **comma** is replaced by point (*punct*).

- Unlike the other cardinal numerals which are invariable, **'unu'** and **'doi'** agree with the determined noun in gender.

e.g.	**un** băiat *(a boy)*	–	**o** fată *(a girl)*;
	doi băieți *(two boys)*	–	**două** fete *(two girls)*.

- Starting with **'douăzeci'** all numerals are followed by **'de'**.

  e.g. *Nouăsprezece* ingineri. / *Treizeci și trei* **de** ingineri.

TASK 2	Listen to the CD and repeat. *(Ascultați CD-ul și repetați.)*	

Masculin *(Masculine)*

un inginer – **a** *male*-engineer
doi ingineri – **two** *male*-engineers

un director – **a** *male*-director
doi directori – **two** *male*-directors

Neutru *(Neuter)*

un birou – **an** office
un scaun – **a** chair

Feminin *(Feminine)*

o inginera – a *female*-engineer
două inginere – two *female*-engineers

o directoare – a *female*-director
două directoare – two *female*-directors

două birouri – two offices
două scaune – two chairs

Read and write the following telephone numbers:
(Citiţi şi scrieţi următoarele numere de telefon:)

1. 3012500/interior 2605 ....

2. (401)3304292 ....

3. 6846930 / 6584 ....

4. 7697401 ....

5. 7500960 ....

6. 5583291 ....

TASK 4 Write and read your phone numbers and the extension, in figures and then in letters/characters.
(Scrieţi şi citiţi numerele dumneavoastră de telefon şi interiorul, în cifre şi apoi în litere.)

| **e.g.** | 6302080 *(acasă)* | **şase trei zero doi zero opt zero** |
| | 6841020 *interior* 515 *(birou)* | **şase opt patru unu zero doi zero** *interior* **cinci unu cinci** |

....

....

....

....

TASK 5 Write the following numerals in letters, keeping in mind that the numeral **'doi'** and its compounds become **'două'** when determining a neuter or feminine noun.
(Scrieţi următoarele numerale în litere, având în vedere că numeralul „doi" şi compuşii săi care se acordă cu substantivele de genul feminin şi neutru se transformă în „două".)

12 litere	....	2 secretare	....
12 directori	....	22 de vânzători	....
42 de inginere	....	72 de elevi	....
52 de instalatori	....	32 de asistente	....
102 constructori	....	132 de contabile	....
82 de economiste	....	162 de eleve	....

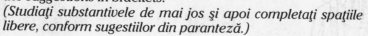

TASK 6 Study the nouns below and then fill in the blanks, according to the suggestions in brackets.
(Studiaţi substantivele de mai jos şi apoi completaţi spaţiile libere, conform sugestiilor din paranteză.)

Singular	Translation	Plural	Translation
un birou	*an office/office-desk*	două birouri	*two offices/office-desks*
un coş de hârtii	*a paper-basket*	două coşuri de hârtii	*two paper-baskets*
un dosar	*a file*	două dosare	*two files*
o carte	*a book*	două cărţi	*two books*
un calculator	*a computer/calculator*	două calculatoare	*two computers/calculators*
un scaun	*a chair*	două scaune	*two chairs*
un dicţionar	*a dictionary*	două dicţionare	*two dictionaries*
un telefon	*a telephone*	două telefoane	*two telephones*
un funcţionar	*a male-clerk*	doi funcţionari	*two male-clerks*
o funcţionară	*a female-clerk*	două funcţionare	*two female-clerks*
un fotoliu	*an arm-chair*	două fotolii	*two arm-chairs*
o uşă	*a door*	două uşi	*two doors*
un angajat	*an employee*	doi angajaţi	*two employees*

a. Într-un birou sunt (7) .... funcţionari.

b. Pe birou sunt (2) .... calculatoare.

c. Sub birou sunt (3) .... coşuri de hârtii.

d. Între birou şi uşă sunt (4) .... scaune.

e. Lângă birou sunt (3) .... fotolii.

f. Pe birou sunt (37) .... de dosare, (1) .... telefon şi (2) .... dicţionare.

TASK 7 Replace the numerals in the sentences to the ones suggested in brackets. Use the expression 'se află'.
(Înlocuiţi numeralele din propoziţie cu cele din paranteze. Utilizaţi expresia „se află".)

e.g. În birou sunt doi directori. (5) În birou se află cinci directori.

1. În birou este un sudor. (15) ....

2. În fabrică este un angajat. (2.300) ....

3. Pe masă este o carte. (7) ....

4. În departamentul de marketing este un economist. (11)
....

5. În departamentul financiar este un funcţionar. (18)
....

6. În cameră este un scaun. (6) ....

What time is it?
(Cât este ceasul?)

TASK 8   Listen to the CD and repeat.
(Ascultați CD-ul și repetați.)

Official time in Romania is based on the 24-hour clock.

Este ora unu. (*It's 1 a.m.*)
Este ora treisprezece. (*It's 1 p.m.*)
Este ora două. (*It's 2 a.m.*)
Este ora paisprezece. (*It's 2 p.m.*)
Este ora trei. (*It's 3 a.m.*)
Este ora cincisprezece. (*It's 3 p.m.*)
Este ora patru. (*It's 4 a.m.*)
Este ora șaisprezece. (*It's 4 p.m.*)
Este ora opt. (*It's 8 a.m.*)
Este ora douăzeci. (*It's 8 p.m.*)

TASK 9   Fill in the blanks using the prompts in brackets:
(Completați spațiile libere urmând indicațiile din paranteze:)

e.g.   *Este ora .... (21:00). Bună ....!*
Este ora douăzeci și unu.   **Bună seara!**

1. Este ora .... (13:00).   Bună ....!
2. Este ora .... (11:00).   Bună ....!
3. Este ora .... (19:00).   Bună ....!
4. Este ora .... (16:00).   Bună ....!
5. Este ora .... (7:00).   Bună ....!
6. Este ora .... (12:00).   Bună ....!
7. Este ora .... (17:00).   Bună ....!
8. Este ora .... (20:00).   Bună ....!
9. Este ora .... (9:00).   Bună ....!
10. Este ora .... (15:00).   Bună ....!
11. Este ora .... (10:00).   Bună ....!
12. Este ora .... (18:00).   Bună ....!
13. Este ora .... (14:00).   Bună ....!
14. Este ora .... (21:00).   Bună ....!

Listen to the CD and repeat.
(Ascultaţi CD-ul şi repetaţi.)

1	+	6	=	7	
unu	plus	şase *egal*		şapte	plus – *plus*
8	–	3	=	5	
opt	minus	trei *egal*		cinci	minus – *minus*
15	:	3	=	5	
cincisprezece	împărţit la	trei *egal*		cinci	împărţit la – *divided by*
8	x	2	=	16	
opt	înmulţit cu	doi *egal*		şaisprezece	înmulţit cu – *multiplied by*

TASK 11   Read and write the following:
(Citiţi şi scrieţi următoarele:)

a. $31 + 12 = 43$ ....

b. $9 + 17 = 26$ ....

c. $3 + 11 = 14$ ....

d. $22 + 8 = 30$ ....

e. $6 - 3 = 3$ ....

f. $13 - 4 = 9$ ....

g. $29 - 15 = 14$ ....

h. $19 - 18 = 1$ ....

i. $9 : 3 = 3$ ....

î. $16 : 4 = 4$ ....

j. $44 : 11 = 4$ ....

k. $24 : 4 = 6$ ....

l. $6 \times 6 = 36$ ....

m. $2 \times 7 = 14$ ....

n. $15 \times 2 = 30$ ....

o. $11 \times 4 = 44$ ....

p. $15 - 2 = 13$ ....

r. $14 + 3 = 17$ ....

s. $6 \times 8 = 48$ ....

ş. $20 : 2 = 10$ ....

TASK 12 Translate the following dialogues:
(*Traduceţi următoarele dialoguri:*)

A: Who are you? ....

B: I am Tudor Şerban. ....

A: What time is it? ....

B: It's 7 P.M. ....

A: What is your occupation? ....

B: I'm an engineer. ....

A: Who are you? ....

B: I'm Jane. ....

Topics for Conversation
(Subiecte de conversaţie)

Talking about Age
(Vorbind despre vârstă)

TASK 13 Listen to the CD and then repeat.
(*Ascultaţi CD-ul şi apoi repetaţi.*)

A: – Ce vârstă ai?

B: – Am 30 de ani. De fapt, am aproape 30 de ani. La anul împlinesc 31 de ani.

A: – Ce vârstă are soţia ta?

B: – Are peste 25 de ani. Are 27 de ani.

A: – Cum arată ?

B: – Este tânără şi frumoasă.

Vocabulary / Vocabular

(eu) am	– I have (the age is expressed by means of the verb '**a avea**', the correspondent of '**to have**')
(ea) are	– she has
aproape	– nearly
frumoasă	– beautiful
la anul	– next year
soţ	– husband
soţie	– wife
tânăr, -ă	– young
vârstă	– age

„**Ce vârstă aveţi?**" (F.R.) / „**Ce vârstă ai?**" (I.R.) / – 'How old are you?'
  „**Câţi ani ai?**" (I.R.)
„**La anul împlinesc 31 de ani**". – 'I shall be 31 next year.'
„**Cum arată ea ?**" – 'What does she look like?'
„**Cum arată el?**" – 'What does he look like?'
„**Cum arată ei?**" – 'What do they look like ?'

Grammar Session (Gramatică)

Verbs in Romanian II
(Verbele în limba română II)

TASK 14	Listen to the CD and repeat. *(Ascultaţi CD-ul şi repetaţi.)*

	a avea *to have*	**a lua** *to take*	**a sta** *to stay*	**a vorbi** *to speak*	**a rezolva** *to solve*	**a pleca** *to leave*	**a veni** *to come*	**a lucra** *to work*	**a învăţa** *to study*
Eu	am	iau	stau	vorbesc	rezolv	plec	vin	lucrez	învăţ
Tu	ai	iei	stai	vorbeşti	rezolvi	pleci	vii	lucrezi	înveţi
El/Ea	are	ia	stă	vorbeşte	rezolvă	pleacă	vine	lucrează	învaţă
Noi	avem	luăm	stăm	vorbim	rezolvăm	plecăm	venim	lucrăm	învăţăm
Voi	aveţi	luaţi	staţi	vorbiţi	rezolvaţi	plecaţi	veniţi	lucraţi	învăţaţi
Ei/Ele	au	iau	stau	vorbesc	rezolvă	pleacă	vin	lucrează	învaţă

TASK 15	Read the conjugations above and fill in the blanks as the case stands, with the corresponding verbal forms or with hours. *(Citiţi conjugările de mai sus şi completaţi spaţiile libere cu formele verbale corespunzătoare sau cu orele, după caz.)*

1. A: – La ce oră iei cina de obicei?

    B: – De obicei .... cina la ora ....

2. A: – La ce oră pleci la serviciu de obicei?

    B: – De obicei .... la serviciu la ora ....

3. A: – La ce oră vorbeşti la telefon cu soţia ta?

    B: – De obicei .... la telefon cu soţia la ora ....

4. A: – La ce oră lucrezi la acest proiect?

    B: – La ora ....

5. A: – La ce oră vii la birou / serviciu?

    B: – De obicei .... la birou înainte de ora ....

    Rareori vin după ora ....

6. A: – La ce oră pleci de la serviciu?

B: – De obicei ……… de la serviciu la ora ………………………………………… .

7. A: – La ce oră vine domnul Ionescu la birou?

B: – Întotdeauna ……… la ora ………………………………… .

8. A: – La ce oră luaţi (voi) prânzul?

B: – ……… prânzul la ora ………………………………… .

9. A: – La ce oră luaţi cina?

B: – Întotdeauna ……… cina la ora ………………………………… .

A: – Când vii acasă?

B: – De obicei ……… acasă după ora ………………………………… .

TASK 16 Give the appropriate forms to the verbs in brackets.
(Daţi verbelor din paranteză formele corespunzătoare.)

1. (Eu) …………….. (*a lucra*)   2. Maria …………… o problemă. (*a rezolva*)

3. Cine …………..? (*a pleca*)   4. (Tu) …………… cina acum? (*a lua*)

5. (Noi) …………….. (*a vorbi*)   6. El …………… acum. *(a lucra)*

7. Când …………… (tu)? (*a pleca*)   8. Când ……………… (voi) acasă? (*a sta*)

9. Cine …………… azi? (*a veni*)   10. (Voi) …………… la telefon? (*a vorbi*)

11. (Eu) …………… acum. (*a pleca*) 12. Ce …………… (tu)? (*a face*)

13. (Noi) …………… acum. (*a lucra*) 14. (Eu) …………… acum. (*a sta*)

15. (Voi) …………… acum? (*a pleca*) 16. Când …………… el la birou? (*a veni*)

17. Andrei …………… aici? (*a fi*)   18. Cine …………… acolo? (*a fi*)

19. (Tu) …………… ocupat ? (*a fi*) 20. Când …………… voi la birou? (*a veni*)

TASK 17 Study the expressions bellow. Then transform the following sentences according to the prompts given in brackets:
(Studiaţi expresiile de mai jos. Apoi transformaţi următoarele propoziţii conform celor sugerate în paranteze:)

a sta de vorbă cu – to talk to   **a sta în picioare**   – to stand
a sta pe scaun   – to sit   **a sta pe loc**   – to stop; to stay
a sta la taifas   – to chat   **a sta pe roze**   – to be in the pink

„**Cum stai cu sănătatea?**" – 'How are you? / How is your health?'

a lua parte la   – to take part into   **a lua trenul**   – to go by train
a lua cina   – to have / take supper **a lua cu împrumut** – to borrow

a avea de lucru   – to have work to do **a avea chef de**   – to be in the mood (for)
a avea în vedere – to refer to   **a nu avea astâmpăr** – to fidget
a nu avea ce mânca – to starve   **a avea încredere în** – to trust

a nu avea nici un amestec – to have no axe to grind
a avea în componenţă – to consist of; to be composed of
a avea acoperire – to be covered; to be on the safe side

a vorbi despre – to talk about   **a vorbi aiurea** – to speak nonsense
a vorbi deschis – to speak one's mind   **a vorbi liber** – to speak off-hand
a vorbi în vânt – to waste one's breath

a pleca la (+ destination) – to leave for   **a pleca de la** (+ departure place) – to leave

> **Model:** Noi avem mult de lucru. (*Mihai*)   **Mihai are mult de lucru.**

1. Nu am chef de lucru. *(ei)*

....

2. Directorul vorbeşte despre planul de restructurare[1]. *(noi)*

....

3. Consiliul de administraţie[2] are în componenţă 8 membri. *(biroul)*

....

4. Cum stă Mihai cu sănătatea? *(voi)*

....

5. Despre ce vorbeşti? *(voi)*

....

6. El nu are nici un amestec. *(ele)*

....

7. Jarl vorbeşte întotdeauna deschis. *(Olaf şi Bjorn)*

....

8. La ora 16:00 luăm parte la o şedinţă. *(eu)*

....

9. Eu iau cina cu familia astă seară. *(noi)*

....

10. Tu iei trenul de Constanţa. *(el)*

....

11. Iau cu împrumut nişte bani. *(voi)*

....

12. El stă pe scaun acum. *(noi)*

....

13. Andrei nu are astâmpăr vineri după-amiaza. *(tu)*

....

14. Dan vorbeşte aiurea acum. *(Maria şi Petre)*

....

---

[1] *planul de restructurare = restructuring plan*
[2] *consiliul de administraţie = board of directors*

15. Tu nu stai pe roze. *(ei)*

....

16. Nu avem încredere în Angela. *(ea)*

....

17. Staţi la taifas cu maiştrii. *(noi)*

....

18. Cred că vorbim în vânt acum. *(tu)*

....

19. Este ora 18:30. Plec acasă acum. *(ele)*

....

20. Ea pleacă de la birou la ora 16:00. *(el)*

....

TASK 18 Fill in the blanks with the corresponding personal pronouns.
(Completaţi spaţiile libere cu pronumele personale corespunzătoare.)

...... ai	...... luaţi	...... stai	...... vorbim
...... avem	...... iei	...... stau	...... vorbeşte
...... are	...... iau	...... stau	...... vorbesc
...... aveţi	...... ia	...... stă	...... vorbesc
...... au	...... luăm	...... staţi	...... vorbiţi
...... am	...... iau	...... stăm	...... vorbeşti
...... plecaţi	...... vin	...... lucrăm	...... rezolvă
...... pleacă	...... veniţi	...... lucrează	...... rezolv
...... pleacă	...... vine	...... lucrează	...... rezolvă
...... pleci	 vii	...... lucrez	...... rezolvăm
...... plecăm	...... venim	...... lucraţi	...... rezolvaţi
...... plec	...... vin	...... lucrezi	...... rezolvi

TASK 19 Fill in the blanks with the appropriate form of the verb in brackets.
(Completaţi spaţiile libere cu forma corespunzătoare a verbului din paranteze.)

1. De obicei eu .... 8 ore pe zi. (a lucra)

2. Tu când .... la birou? (a veni)

3. Voi de ce nu .... această problemă? (a rezolva)

4. Cine .... masa la McDonald's? (a lua)

5. Voi când .... în delegaţie? (a pleca)

6. Ei în ce birou .... ? (a lucra)

7. Duminica aceasta voi .... acasă sau ....? (a sta; a pleca)

8. Voi când .... întâlnirea de afaceri? (a avea)

Listen to the CD and repeat.
(Ascultați CD-ul și repetați.)

6:45	ora șapte fără un sfert	– a quarter to seven
6:55	ora șapte fără cinci	– five minutes to seven
7:00	ora șapte (fix)	– seven o'clock (sharp)
7:10	ora șapte și zece	– ten past seven
7:15	ora șapte și un sfert	– a quarter past seven
7:30	ora șapte și jumătate	– half past seven

Note. On the 24-hour clock, only numbers are used to express minutes:

e.g. **6:45 a.m.**   – official time: 'șase patruzeci și cinci'
   – regular time: 'șapte fără un sfert dimineața'

6:35 p.m.   – official time: 'optsprezece treizeci și cinci'
   – regular time: ' șapte fără douăzeci și cinci seara'

On the regular clock, use **'dimineața'** (between 0:00 and 12:00 a.m.), **'după–amiaza'** (between 12:00 and 6:00 p.m.), and **'seara'** (between 6:00 and 12:00 p.m.).

Topics for Conversation
(Subiecte de conversație)

The Meals of the Day
(Mesele zilei)

A: – La ce oră iei micul dejun?

B: – De obicei, la ora șapte fără un sfert.

A: – Iei prânzul la serviciu sau acasă?

B: – Adesea iau prânzul la birou, pe la ora treisprezece treizeci.

A: – Dar cina?

B: – Depinde ... Uneori la ora nouăsprezece, altădată mai târziu, când toată familia este acasă.

A: – Între micul dejun și cină mai iei o gustare?

B: – Rareori.

Vocabulary / Vocabular

La ce oră ...?	– What time ... ?
Când ... ?	– When ... ?
la birou / la serviciu	– at the office
pe la ora ...	– at about ...
depinde ...	– it depends ...
mai târziu	– later (on)
acasă	– at home

uneori / câteodată	– sometimes
altădată	– some other time
micul dejun	– breakfast
prânz	– lunch / dinner
cina	– supper
gustare	– snack

Phrases/Expresii

„Iei prânzul... ?"	– 'Do you have lunch / dinner ...?'
	* in Romanian, '**to have** dinner / lunch / breakfast / supper' is expressed by the verb '**a lua** *(to take)* prânzul / micul dejun /cina'
„**Dar cina?**"	– 'How about supper?'

The Days of the Week
(Zilele săptămânii)

In Romania, the week officially starts on Monday, not on Sunday. The days of the week are not capitalized, unless they are at the beginning of a sentence.

 TASK 21 Listen to the CD and repeat.
(Ascultaţi CD-ul şi repetaţi.)

The days of the week are:

luni	– Monday	**miercuri**	– Wednesday	**vineri**	– Friday
marţi	– Tuesday	**joi**	– Thursday	**sâmbătă**	– Saturday
				duminică	– Sunday

My Daily Programme / Programul meu zilnic

 TASK 22 Listen to the CD and repeat.
(Ascultaţi CD-ul şi repetaţi.)

Mă numesc Valentin Ionescu. Valentin este numele de botez, iar Ionescu este numele de familie. Sunt român şi lucrez la compania „Carpaţi". Sunt economist. De obicei sunt foarte ocupat. Iată care este programul meu zilnic:

Monday **Luni**	Tuesday **Marţi**	Wednesday **Miercuri**	Thursday **Joi**	Friday **Vineri**	Saturday **Sâmbătă**	Sunday **Duminică**
*7:15 iau micul dejun cu familia * 7:45 plec de acasă cu maşina * 9:00 vorbesc cu directorii de fabrici	*12:00 rezolv probleme urgente cu şefii de secţii *14:00 vorbesc la telefon cu directorul general	*14:00 iau masa cu dl. Director Stamate * 18:45 lucrez la calculator cu Andrei	* 6:45 iau micul dejun singur * 7:10 plec în delegaţie la Cluj * 19:30 iau cina cu colegii	* 17:20 vin acasă de la birou * 20:45 iau cina cu familia	stau acasă	* 8:30 iau micul dejun cu familia * 12:30 plecăm în oraş, la film, la teatru sau în parc * 19:00 venim acasă

Answer the following questions.
(Răspundeţi la următoarele întrebări.)

Model: Ce face domnul Ionescu marţi la ora 14:00?
Marţi la ora 14:00 domnul Ionescu vorbeşte la telefon cu directorul general.

1. Ce face domnul Valentin Ionescu vineri la ora 17:20?

....

2. Ce face miercuri la ora 14:00?

....

3. La ce oră ia cina joi?

....

4. Când pleacă în delegaţie? La ce oră?

....

5. Vorbeşte vineri cu directorii de fabrici? Dar când?

....

6. Când ia micul dejun cu familia?

....

7. Când ia micul dejun singur?

....

8. Stă acasă luni? Când stă acasă?

....

9. Când ia masa cu domnul director Stamate?

....

10. Ce face marţi la 12:00?

....

TASK 24 Tick the 'true' and 'false' statements in the table below.
(Bifaţi propoziţiile adevărate şi pe cele false în tabelul de mai jos.)

1. „Marţi la ora 14:30 iau masa cu domnul director Stamate."
2. „Joi la ora 6:45 iau micul dejun singur."
3. „Duminică stau acasă."
4. „Vineri vin acasă la ora 17:20."
5. „Marţi la ora 2:00 vorbesc la telefon cu directorul."
6. „Miercuri la ora 18:55 lucrez la calculator cu Andrei."

7. „Vineri la ora 21:45 iau cina cu colegii."
8. „Joi la ora 7:10 plec în delegaţie."
9. „Luni la ora 7:15 iau micul dejun cu familia."
10. „Marţi la ora 12:00 rezolv probleme urgente."

Sentence (*Propoziţia*)	1	2	3	4	5	6	7	8	9	10
True (*Adevărată*)										
False (*Falsă*)	✓									

TASK 25 Work with your partner. Ask him questions about his agenda for today and answer his questions.
(Lucraţi cu partenerul dumneavoastră. Puneţi-i întrebări în legătură cu programul său de astăzi şi răspundeţi la întrebările sale.)

Your questions/*Întrebările dumneavoastră* His answers/*Răspunsurile lui*

e.g. Ce faci azi la ora 9:00? **e.g.** Am ora de română.

– .... – ....
– .... – ....
– .... – ....
– .... – ....
– .... – ....

TASK 26 Write down in letters the official and then the regular time.
(Scrieţi în litere ora oficială şi apoi cea exprimată în limbaj familiar.)

1. 7:35 p.m. ....
2. 1:03 a.m. ....
3. 8:55 p.m. ....
4. 5:30 a.m. ....
5. 11:45 p.m. ....
6. 6:00 a.m. ....
7. 4:15 p.m. ....
8. 9:59 a.m. ....
9. 3:02 a.m. ....
10. 10:35 p.m. ....

TASK 27 Listen to the CD and write the numbers[1].
(Ascultaţi CD-ul şi scrieţi numerele.)

.....................; ....; ....;
.....................; ....; ....;

---
[1] See the answers at the end of the book.

......................;   ....;   ....;
......................;   ....;   ....
......................;   ....;

TASK 28   Order the following lines from a dialogue between Mrs. Ide Yvarsen, Mr. Jan Yvarsen's wife, and the owner of a shop.
(Ordonaţi următoarele replici ale unui dialog dintre doamna Ide Yvarsen, soţia domnului Jan Yvarsen şi proprietarul unui magazin.)

a) Aici în birou sunt: un manager din Norvegia, un funcţionar din Canada, un stilist din Australia şi un director din Anglia. Domnul Sava este furnizorul nostru. El este român.

b) Sunt Ide Yvarsen. Sunt soţia lui Jan Yvarsen. Sunt din Norvegia.

c) Bună ziua.

d) Ce este aici?

e) Cine sunteţi dumneavoastră?

f) Mulţumesc.

g) Îmi pare bine. Eu sunt proprietarul acestui magazin.

h) Un birou. Intraţi, vă rog. Luaţi loc.

Letter	a.	b.	c.	d.	e.	f.	g.	h.
Order (1–8)			1					

TASK 29   Order the words from the following statements and decide which are the words to be written in capital letters.
(Ordonaţi cuvintele din următoarele propoziţii şi stabiliţi cuvintele care încep cu majuscule.)

New words:
muzică	– *music*	
şcoală	– *school*	
secretara şcolii	– *(the) school's (female) secretary*	
mamă	– *mother*	
fiu	– *son*	
mama elevului	– *(the) student's mother*	

Model: 1. a) Permiteţi-mi să mă prezint!

1. a) mă / permiteţi-mi / prezint / să!
   b) sunt / mă / norvegia / ide / numesc / din / yvarsen / şi.
   c) de / profesoară / sunt / muzică.
2. a) bine / îmi / pare.
   b) tomescu / eu / mă / numesc / cornelia / şi / şcolii / sunt secretara.
   c) permiteţi-mi / prezint / director / să vă / domnului.
   d) mama elevului / ove / yvarsen / domnule director / v-o prezint pe doamna ide yvarsen.

3. cunosc / pare / să / îmi / bine / vă!

4. stănescu / domnul / vi-l prezint pe / director / valentin.

5. vă / pare / îmi / bine / să / cunosc!

Task 30 Write in letters the numerals from the following conversation.
(Scrieţi în litere numeralele din conversaţia următoare.)

A: – Ce vârstă ai?

B: – Am (30) .... de ani. De fapt, am aproape (30) .... de ani. La anul împlinesc (31) .... de ani.

A: – Ce vârstă are soţul tău?

B: – Are peste (35) .... de ani. Are (37) .... de ani.

A: – Cum arată ?

B: – Este foarte drăguţ.

Task 31 Insert the sentences into the table using the 1-st person narrative, namely the direct speech. What does Mrs. Ide Yvarsen write in this agenda?
(Introduceţi propoziţiile în tabel, utilizând persoana I, singular, adică vorbirea directă. Ce scrie doamna Yvarsen în această agendă?)

Mă numesc Ide Yvarsen. Ide este numele de botez, iar Yvarsen este numele de familie. Sunt norvegiană, iar soţul meu lucrează la compania „Carpaţi". Sunt casnică. De obicei sunt foarte ocupată. Iată care este programul meu zilnic:

Monday **Luni**	Tuesday **Marţi**	Wednesday **Miercuri**	Thursday **Joi**	Friday **Vineri**	Saturday **Sâmbătă**	Sunday **Duminică**
14:00 iau masa cu d-na Thomson						

1. Luni la ora 14:00 **ia** masa cu doamna Thompson.
2. Sâmbăta **stă** acasă.
3. Marţi la ora 12:00 **rezolvă** probleme urgente.
4. Luni la ora 7:15 **ia** micul dejun cu familia.

5. Joi la ora 6:45 **ia** micul dejun singură.
6. Vineri la ora 17:20 **vine** acasă de la şcoală cu fiul ei.
7. Duminică la ora 8:30 **ia** micul dejun cu familia.
8. Joi la ora 7:10 **merge** la piaţă.
9. Marţi la ora 7:45 **pleacă** de acasă.
10. Duminică la ora 12:30 **pleacă** în oraş.
11. Miercuri la ora 14:00 **vorbeşte** la telefon cu prietenele.
12. Vineri la ora 20:45 **ia** cina cu familia.
13. Miercuri la ora 18:45 **lucrează** la calculator cu Andrei.
14. Luni la ora 9:00 **pleacă** la cumpărături.
15. Joi la ora 19:30 **ia** cina cu prietenii.
16. Duminică la ora 19:00 **vine** acasă.

TASK 32   Tick the '**true**' and '**false**' statements in the table below.
(Bifaţi propoziţiile adevărate şi pe cele false în tabelul de mai jos.)

1. „Marţi la 14:30 iau masa cu doamna Thompson."
2. „Joi la 6:45 iau micul dejun singură."
3. „Duminică stau acasă."
4. „Vineri vin acasă la 17:20."
5. „Marţi la ora 2:00 vorbesc la telefon cu prietenii mei."
6. „Miercuri la 18:55 pregătesc cina."
7. „Vineri la 21:45 iau cina cu colegii soţului meu."
8. „Joi la 7:10 plec la cumpărături."
9. „Luni la 7:15 plec de acasă."
10. „Marţi la ora 12:00 fac cumpărături."

Sentence (*Propoziţia*)	1	2	3	4	5	6	7	8	9	10
True (*Adevărată*)										
False (*Falsă*)	✓									

TASK 33   Choose the corresponding verbal form.
(Alegeţi forma verbală corespunzătoare.)

1. El (staţi / stăm / stă) .... acasă în concediu.
2. Ea (vorbim / vorbeşte / vorbiţi) .... la telefon acum. Este ocupată.
3. Noi (veniţi / vin / venim) .... acasă la ora 17:00.
4. Marţi ei (plec / pleacă / pleci)............... la munte. (Vin / Venim / Veniţi)...............
înapoi în Bucureşti sâmbăta aceasta.
5. Ei (fac / facem / faci)............... cumpărături acum. Sunt ocupaţi.
6. Tu (luaţi / luăm / iei)............... micul dejun acasă sau în oraş?

Grammar Session (Gramatică)

The Personal Pronoun in the Accusative Case I
(Pronumele personal în cazul acuzativ I)

In contrast with English, in Romanian this type of pronoun has almost the same forms as the pronoun in the Nominative Case. The differrences are:
- the forms for the 1-st and the 2-nd persons, singular;
- the prepositions that precede this pronoun – 'with'; 'about'; 'to'; 'for'; 'from'; 'by'; 'at' (see the table below).

Personal Pronoun in Nominative	Personal Pronoun in the Accusative Case			
	Prepositions	Pronoun		Example
		Romanian	English	
Eu	**cu** *(with; by)*; **la** *(to; at; on; with)*; **spre** *(to)*; **pentru** *(for)*; **de la** *(from)*; **despre** *(about)*; **de către** *(by)*	mine	me	„*cu mine*" – 'with me'
Tu		tine	you	„*la tine*" – 'to you'
El / Ea		el / ea	him / her	„*spre el*" – 'to him'
Noi		noi	us	„*pentru noi*" –' for us'
Voi		voi	you	„*de la voi*" - 'from you'
Ei /Ele		ei / ele	them	„*despre ele*" – 'about them'

Such pronouns have the function of Indirect Object. The concept questions specific to the Accusative Case are: „**cu cine?**" / 'with whom ?'; „**la cine?**" / 'to whom ?'; „**spre cine?**" / 'to whom ?'; „**pentru cine?**" / 'for whom ?'; „**de la cine?**" / 'from whom ?'; „**despre cine?**" / 'about whom ?'; „**de către cine?**" / 'by whom ?', etc.

TASK 34   Answer the following questions.
(Răspundeţi la următoarele întrebări.)

Model: Cu cine stai de vorbă? (Angela)
Stau de vorbă cu Angela.

1. Cu cine vorbeşti la telefon? (directorul de marketing)

....

2. Cu cine lucraţi la raport? (inginerii de la Informatică)

....

3. Cu ce merge Andrei la şcoală? (autobuzul)

....

4. Cu cine ia Mihai Ionescu masa de obicei? (Mihaela)

....

5. Unde merge autobuzul? (centru)

....

6. Pentru cine faci referatul? (director)

....

Task 35 Replace the personal pronouns in Nominative in brackets with the corresponding forms of the pronouns in Accusative.

(Înlocuiţi pronumele personale la nominativ din paranteze cu formele de acuzativ.)

Model: Cadoul este pentru (tu).   *Cadoul este pentru tine.*

1. Andrei este cu (tu). ....

2. Noi suntem lângă (ele). ....

3. Voi rezolvaţi problema cu (ei). ....

4. Aproape de (voi) este un birou. ....

5. Profesoara de română nu este cu (noi). ....

6. Eu nu iau masa cu (tu) astăzi. ....

Learn/revise (Învăţaţi/repetaţi:)

birou; muncitor; contabil; profesor; acesta; cine; domnul; maistru; inginer; angajat; duminică; aceasta; casă; călimară; culoare; galben; luni; aceştia; aici; acestea; cer; cincisprezece; marţi; pagină; de obicei; voi; ce; miercuri; zece; adesea; unde; când; ocupat; preşedinte; soţie; joi; bibliotecară; profesoară; fizician; vineri; instalator; constructor; director financiar; vânzător; douăzeci şi trei; sâmbătă; este; companie; suntem; „Îmi pare bine să vă cunosc"; „Mă numesc Angela Stoica"; lângă; deasupra; pe; în; duminică; printre; niciodată; rareori.

Task 36 Try the following crossword.
(Rezolvaţi următorul careu.)

Across (*Orizontal*): 1. breakfast (*two words*)
2. Friday
3. (He / She) works
4. the 'lucky' number
5. snack
6. seven
7. (You) leave (*pl.*)
8. Wednesday
9. this (*masc.*)

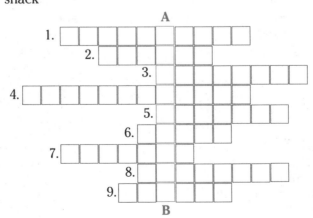

Down – *from A to B* (*Vertical*): business trip.

Lesson Three / Lecția trei

Topics for Conversation
(Subiecte de conversație)

Asking One's Way
(Orientarea în oraș)

Task 1 Listen to the CD and then repeat.
(Ascultați CD-ul și apoi repetați.)

A: – Scuzați-mă ... Unde este Hotelul Intercontinental?

B: – Hotelul Intercontinental? Desigur! O luați pe prima stradă la dreapta și apoi drept înainte. Este simplu pentru că este foarte aproape. La colț este o stație de taxiuri.

A: – Mulțumesc foarte mult!

B: – Cu plăcere!

Vocabulary / Vocabular

prima ...	– the first *(fem.)*	**înainte**	– ahead
a doua ...	– the second *(fem.)*	**stradă**	– street
a treia ...	– the third *(fem.)*	**bulevard**	– avenue
la dreapta	– to the right	**după colț**	– round the corner
la stânga	– to the left	**la colț**	– on the corner
drept	– straight	**a traversa**	– to cross the street
foarte	– very	**apoi**	– then
aproape	– near	**simplu**	– simple
și	– and	**pentru că**	– because

Phrases/Expresii

Scuzați-mă ...	– Excuse me ...
Vă rog (F.R.)	– Please
Te rog (I.R.)	– Please
Unde este ...?	– Where is ...?
Desigur!	– Of course!
Drept înainte	– Straight ahead
Mulțumesc foarte mult!	– Thank you very much!
Cu plăcere!	– You're welcome!
O luați (luați-o) pe prima stradă la dreapta	– Turn the first street to the right

Topics for Conversation
(Subiecte de conversaţie)

Where is ... ?
(Unde este ... ?)

Task 2	Listen to the CD and repeat. *(Ascultaţi CD-ul şi repetaţi.)*

... cinematograful Scala?	– ... the Scala Cinema?
... Teatrul Naţional?	– ... the National Theatre?
... restaurantul „Carul cu Bere"?	– ... the 'Carul cu Bere' Restaurant?
... staţia de metrou?	– ... the tube station?
... Bulevardul Unirii?	– ... Unirii Avenue?
... Gara de Nord?	– ... the North Railway Station?
... staţia de taxiuri?	– ... the taxi rank?
... hotelul Intercontinental?	– ... the Intercontinental Hotel?
... magazinul universal Unirea?	– ... the Unirea Department Store?

Vocabulary / Vocabular

cinematograf	– cinema (hall)
teatru	– theatre (hall)
staţia de metrou	– the tube station
bulevard	– avenue
gară	– railway station
staţie de taxiuri	– taxi rank
colţ	– corner
piaţă	– square
bloc	– block-of-flats
intersecţie	– crossroad

Task 3	Give the location for the above mentioned places / buildings using the prompts below. *(Localizaţi obiectivele sau clădirile menţionate anterior utilizând cuvintele care urmează.)*

 lângă (near);   **imediat lângă** (next to);   **vizavi de** (opposite)

e.g. The Scala Cinema

     A: Unde este cinematograful Scala?

     B: Cinematograful Scala este lângă cinematograful Patria.

Teatrul Naţional   A: ....

                    B: ....

Restaurantul Carul cu Bere	A: ....
	B: ....
Staţia de metrou	A: ....
	B: ....
Bulevardul Unirii	A: ....
	B: ....
Magazinul Unirea	A: ....
	B: ....
Gara de Nord	A: ....
	B: ....
Staţia de taxi	A: ....
	B: ....
Hotelul Intercontinental	A: ....
	B: ....

Grammar Session (Gramatică)

Verbs in Romanian III
(Verbele în limba română III)

In Romanian, the particle corresponding to the infinitive form is **'a'**.

e.g. 'a lua' – 'to take'

There are five main categories of verbs, in terms of the verbs' endings at the infinitive mood:

Verbs' endings	Examples
-a	a aştepta (to wait)
	a lucra (to work)
-ea	a putea (can)
	a vedea (to see)
-e	a face (to do)
	a merge (to go)
-i	a fugi (to run)
	a gândi (to think)
-î	a coborî (to get off/to come down)
	a hotărî (to decide)

The Present Indicative
(Indicativul prezent)

The Present Tenses / Exprimarea prezentului

In Romanian only one tense (Present – „**Prezent**") corresponds to four structures in English: Present Tense Simple, Present Tense Progressive, Present Perfect Simple and Present Perfect Progressive.

Present Tense Simple:	I often work on the computer.
	*Adesea **lucrez** la calculator.*
Present Tense Continuous:	I am working on the computer now.
	***Lucrez** la calculator acum.*
Present Perfect Simple:	I have been here for 5 minutes.
	***Sunt** aici de 5 minute.*
Present Perfect Continuous:	I have been working on the computer for two hours.
	***Lucrez** la calculator de două ore.*

TASK 4	Listen to the CD and repeat. *(Ascultați CD-ul și repetați.)*

Read the table below and notice the stem endings which are specific to each infinitive group written in bold letters:

Pronume *Pronoun*	A aștept**a** *(to wait)* I (-a)	A ved**ea** *(to see)* II (-ea)	A fac**e** *(to do)* III (-e)	A gând**i** *(to think)* IV (-i)	A hotăr**î** *(to decide)* V (-î)
Eu	aștept	văd	fac	gândesc	hotărăsc
Tu	aștepți	vezi	faci	gândești	hotărăști
El / Ea	așteaptă	vede	face	gândește	hotărăște
Noi	așteptăm	vedem	facem	gândim	hotărâm
Voi	așteptați	vedeți	faceți	gândiți	hotărâți
Ei/Ele	așteaptă	văd	fac	gândesc	hotărăsc

Some verbs undergo minor changes in the stem that are easy to overlook. In the table below such alterations may occur.

TASK 5	Fill in the following table. *(Completați următorul tabel.)*

Pronume *Pronoun*	a alerga *(to run)* I (-a)	a putea *(can)* II (-ea)	a merge *(to go)* III (-e)	a citi *(to read)* IV (-i)	a urî *(to hate)* V (-î)
Eu	alerg	pot	merg	citesc	urăsc
Tu		poți			
El / Ea		poate			
Noi		putem			
Voi		puteți			
Ei / Ele		pot			

Note: a) The verbs ending in **'-a' at the infinitive** have similar forms at the 3-rd person, singular and plural:

El / ea	**aşteaptă**	He / she waits
Ei / Ele		They wait
El / ea	**lucrează**	He / she works
Ei / Ele		They work

b) The verbs ending in **'-i', '-î', '-e'** and **'-ea'** have similar forms at the 1-st person singular and the 3-rd person plural:

Eu	**citesc**	I read
Ei / Ele		They read
Eu	**întâlnesc**	I meet
Ei / Ele		They meet
Eu	**fac**	I do
Ei / Ele		They do
Eu	**merg**	I go
Ei / Ele		They go
Eu	**pot**	I can
Ei / Ele		They can
Eu	**văd**	I see
Ei / Ele		They see

TASK 6 Read the following verbs and derived nouns in order to fill in the blanks below with the corresponding expressions.
(Citiţi următoarele verbe şi substantive derivate pentru a completa în mod corespunzător spaţiile libere de mai jos.)

a aştepta — **to wait for; to give time to**
  a aştepta cu nerăbdare — – to look forward to
  aşteptare *(noun)* — – waiting
a vedea — **to see**
  a vedea (a avea grijă) de cineva – to look after someone
  vedenie *(noun)* — – vision; hallucination; phantom/ghost
a face — **to do; to commit; to yield; to cost**
  a face mâncare / a găti — – to cook
  a face prăjituri — – to bake
  a face un desen — – to draw
  a face afaceri — – to do business
  a face o aluzie — – to drop a hint
  a face aluzie la — – to allude to
  a face apel — – to appeal to
  a face baie — – to take a bath
  a face bilanţul contabil — – to draw up the balance sheet
a gândi — **to think; to consider**
  gândire *(noun)* — – thinking

a hotărî	**to decide**
hotărâre *(noun)*	– decision
a întâlni	**to meet**
întâlnire *(noun)*	– appointment, date, meeting
a alerga	**to run; to make haste; to rush**
alergare *(noun)*	– race; chase
a putea	**can; to be able to**
putere *(noun)*	– strength; power; force; authority
putere de cumpărare	– purchasing power
putere de stat	– state power
puteri depline	– full powers
a merge	**to go**
a merge pe jos	– to walk
a citi	**to read**
citire; lectură *(noun)*	– reading
a urî	**to hate; to loathe**
ură *(noun)*	– hatred; enmity

1. Noi .... (look forward) vacanţa de vară.

2. Mircea nu .... (to walk) la birou astăzi.

3. Cine .... (to cook) mâine?

4. Contabilul .... (to draw up the balance sheet) acum. Este foarte ocupat.

5. Voi .... (to have full powers of decision) acum.

6. Compania 'Carpaţi'................................. (to do business only with) parteneri serioşi.

7. Cred că dumneavoastră .... (to allude to) întâlnirea de mâine.

8. Doamna Popescu .... (looks after) Mihăiţă.

TASK 7   Ask questions so that you get the following answers.
(Formulaţi întrebări pentru a primi următoarele răspunsuri.)

Use whenever possible: *(Utilizaţi ori de câte ori este posibil:)*

Când ...?	When ...?	De unde ...?	Where ... from?
Cu cine?	With whom?	Cum ...?	How ...?
De ce ...?	Why?	Cu ce ...?	What ... with / by?
Ce ...?	What ...?	Pe cine ...?	Whom ...?

Model: Aştept un telefon. *Ce faci? / Ce aştepţi?*

1. Aştept un telefon.

....

2. Voi hotărâţi programul de mâine.

....

3. Ştiu ce gândiţi.

....

4. Mâine la ora 16:00 vedem un film la cinematograf.

....

5. Trebuie să facem un plan.

....

6. Merge bine.

....

7. Aşteaptă un autobuz.

....

8. Nu, nu aştept pe nimeni.

....

9. Da, facem planuri de vacanţă.

....

10. Hotărâm mâine dimineaţă.

....

11. Trebuie să aşteptăm un răspuns.

....

12. Nu vedem pe nimeni.

....

13. De la teatru.

....

14. Lucrez cu prietenul meu Dan Ionescu.

....

15. La ora 15:00 iau prânzul cu Dan.

....

16. Sunt din Norvegia.

....

17. Mihai aleargă în fiecare dimineaţă.

....

18. Citesc ziarul 'Libertatea' în fiecare dimineaţă după micul dejun.

....

19. Merge la birou cu metroul.

....

20. Urăsc metroul.

....

21. Nu merg la teatru.

....

22. Nu. Nu citesc ziare seara.

....

Topics for Conversation
(Subiecte de conversație)

Countries and Peoples
(Țări și popoare)

TASK 8 — Listen to the CD and repeat.
(Ascultați CD-ul și repetați.)

Țara (Country)	Poporul (People)	Locuitorii (Inhabitants)	
		Masculin (Masc.) (male)	**Feminin** (Fem.) (female)
România (Romania)	**români** (Romanians)	**român**	**româncă**
		(a Romanian)	
Norvegia (Norway)	**norvegieni** (Norwegians)	**norvegian**	**norvegiană**
		(a Norwegian)	
Danemarca (Denmark)	**danezi** (Danes)	**danez**	**daneză**
		(a Dane)	
Suedia (Sweden)	**suedezi** (Swedes)	**suedez**	**suedeză**
		(a Swede)	
Finlanda (Finland)	**finlandezi** (Finns)	**finlandez**	**finlandeză**
		(a Finn)	
Olanda (The Netherlands)	**olandezi** (Dutch)	**olandez**	**olandeză**
		(a Dutch)	
Marea Britanie (Great Britain)	**britanici** (British)	**britanic**	**britanică**
		(a British)	
Spania (Spain)	**spanioli** (Spaniards)	**spaniol**	**spaniolă**
		(a Spaniard)	
Elveția (Switzerland)	**elvețieni** (Swiss)	**elvețian**	**elvețiană**
		(a Swiss)	
Turcia (Turkey)	**turci** (Turks)	**turc**	**turcoaică**
		(a Turk)	
Canada (Canada)	**canadieni** (Canadians)	**canadian**	**canadiană**
		(a Canadian)	

Task 9   Read the following text.
          (Citiţi textul următor.)

A: – Ce sunteţi dumneavoastră?
B: – Sunt norvegian.
A: – De unde sunteţi?
B: – Din Norvegia, desigur.
A: – Unde vă duceţi?
B: – Mă duc în România, pentru că acolo lucrez.[1]
A: – Cât timp staţi[2] acolo?
B: – Cred că stau trei ani.
A: – Unde este soţia dumneavoastră?
B: – Soţia mea este în Norvegia.
A: – Aveţi[3] copii?
B: – Da, avem patru copii: doi băieţi şi două fete. Primul băiat are 22 de ani, al doilea
     are 17 ani şi jumătate, iar fetele au amândouă 15 ani, pentru că sunt gemene.

Task 10   Listen to the CD and then repeat.
          (Ascultaţi CD-ul şi apoi repetaţi.)

Vocabulary / Vocabular

băiat (fiu)	– son
băieţi (fii)	– sons
fată (fiică)	– daughter
fete (fiice)	– daughters
copii	– children
gemene *(fem.)*	– twins
gemeni *(masc.)*	– twins
amândouă *(fem.)*	– both
amândoi *(masc.)*	– both

Phrases/Expresii

De unde sunteţi?	– Where are you from?
Din Norvegia.	– (I'm) from Norway.
Unde vă duceţi?	– Where are you going (to)?
Mă duc în România.	– I'm going to / leaving for Romania.
Cât timp .... ?	– How long ...?
Unde este ... ?	– Where is ...?
Aveţi copii?	– Have you got any children?

Task 11   Listen to the CD and repeat.
          (Ascultaţi CD-ul şi repetaţi.)

---

[1] See the table with the verbs' conjugations on page 33 and revise the conjugation of the verb 'a lucra'.
[2] Id. for the verb 'a sta'.
[3] Id. for the verb 'a avea'.

54

My Family
(Familia mea)

mamă / mame	– mother/s
tată / taţi	– father/s
părinţi	– parents
soţ / soţi	– husband/s
soţie / soţii	– wife / wives
copil / copii	– child / children
fiu / fii ; băiat / băieţi	– son/s
fiică / fiice; fată / fete	– daughter/s
frate / fraţi	– brother/s
soră / surori	– sister/s
bunic / bunici	– grandfather/s; grandparent/s
bunică / bunici	– grandmother/s
nepot / nepoţi*	– grandson/s
nepoată / nepoate**	– grand-daughter/s
unchi / unchi	– uncle/s
mătuşă / mătuşi	– aunt/s
nepot / nepoţi*	– nephew/s
nepoată / nepoate**	– niece/s
cumnat / cumnaţi	– brother/s-in-law
cumnată / cumnate	– sister/s-in-law
văr / veri	– male cousin/s
verişoară / verişoare	– female cousin/s
socru / socri	– father/s-in-law; parent/s-in-law
soacră / soacre	– mother/s-in-law
ginere / gineri	– son/s-in-law
noră / nurori	– daughter/s-in-law
casnică / casnice	– housewife / housewives
pensionar / pensionară	– pentioner/s
pensionat/ă	– retired
bătrân / bătrâni[1]	– old man / men; old people
bătrână / bătrâne	– old woman / women
în vârstă	– aged; old

> **TASK 12** Make up a short presentation of your family tree, mentioning the name, age, occupation and nationality of the persons included in it.
>
> *(Alcătuiţi un mic arbore genealogic al familiei dumneavoastră, menţionând numele, vârsta, ocupaţia şi naţionalitatea persoanelor cuprinse în el.)*

---

*,** In Romanian it is used the same word 'nepot' (*masc.*) / 'nepoată' (*fem.*) for 'grandson' and 'nephew', respectively 'grand-daugther' and 'niece'.

[1] These forms are not very polite. In formal circumstances 'în vârstă' is preferred.

Model: Bunica mea are şaptezeci şi doi de ani. Numele ei este Elena. Este pensionată de mulţi ani. Acum este casnică. Este româncă.

Bunicul meu	Bunica mea	Bunicul meu	Bunica mea
....	....	....	....
....	....	....	....
....	....	....	....
....	....	....	....

Tatăl meu   Mama mea

....

....

....

....

Eu   Soţul meu / Soţia mea

....

....

....

....

Copiii mei

....

....

....

TASK 13 Complete the following sentences with the prompts given below. *(Completaţi propoziţiile folosind sugestiile următoare.)*

Model: Cred că ....
Cred că Anca lucrează în biroul acesta. (d)

1. Cred că ....
2. Cred că ....
3. Cred că ....
4. Cred că ....
5. Cred că ....
6. Cred că ....

a) domnul Ionescu. *(a fi)*

b) domnul Ionescu / doi copii. *(a avea)*

c) John / din Marea Britanie. *(a fi)*

d) Anca / în biroul acesta. *(a lucra)*

e) Mircea / ocupat acum. (a fi)

f) ei / români. *(a fi)*

TASK 14 | Match the questions marked from A to U to the answers marked from 1 to 22, then compare the questions and answers to those in task 7.
(Combinaţi întrebările notate de la A la U cu răspunsurile notate de la 1 la 22, apoi comparaţi întrebările şi răspunsurile cu cele de la exerciţiul 7.)

Answers

1. Aştept un telefon.
2. Sunt din Norvegia.
3. Aşteaptă un autobuz.
4. Hotărâm mâine dimineaţă.
5. Urăsc metroul.
6. Mâine la 16:00 vedem un film la cinematograf.
7. Merge bine.
8. Lucrez cu colegul meu Dan Ionescu.
9. Nu. Nu citesc ziare seara.
10. Trebuie să facem un plan.
11. Voi hotărâţi programul de mâine.
12. Nu, nu aştept pe nimeni.
13. La ora 15:00 iau prânzul cu Dan.
14. Nu vedem pe nimeni.
15. Trebuie să aşteptăm un răspuns.
16. De la teatru.
17. Da, facem planuri de vacanţă.
18. Ştiu ce gândiţi.
19. Merge la birou cu metroul.
20. Citesc ziarul 'Libertatea' în fiecare dimineaţă după micul dejun.
21. Nu merg la teatru.
22. Mihai aleargă în fiecare dimineaţă.

Questions

A) Ce aşteaptă?
B) Ce trebuie să facem?
C) Aştepţi pe cineva?
D) De unde veniţi?
E) Ce aştepţi?
F) Cine hotărăşte programul de mâine?
G) Ce trebuie?
H) Faceţi planuri de vacanţă?
I) De unde sunteţi?
J) Ştiţi ce gândesc?
K) Cu cine lucraţi?
L) Cu ce merge la birou?
M) Când hotărâţi?
N) Citiţi ziare des?
O) Mergeţi la teatru?
P) Ce urăşti?
R) Mihai aleargă des?
S) Ce faceţi mâine la ora 16:00?
Ş) Vedeţi pe cineva?
T) Citiţi ziare seara?
Ţ) Cum merge?
U) Când iei prânzul cu Dan?

Answers	1	2	3	4	5	6	7	8	9	10	11
Questions											

Answers	12	13	14	15	16	17	18	19	20	21	22
Questions											

Grammar Session (Gramatică)

Interrogative Pronouns and Interrogative Adjectives II
(Pronumele interogative și adjectivele interogative II)

How Much? How Many? (for Countable & Uncountable Nouns)/ Cât?; Câtă?; Câți?; Câte?

'**How much**' (Cât? / Câtă?) precedes the uncountable nouns. Unlike English, it may have two forms, in terms of the noun's gender.
'**Cât**' is used with **masculine** or **neuter** uncountable nouns:

> **e.g.** Cât timp aveți?
> (**How much** time have you got?)

'**Câtă**' accompanies the **feminine** uncountable nouns:

> **e.g.** Câtă cafea aveți?
> (**How much** coffee have you got?)

'**How many**' (Câți? / Câte?) is always used with countable nouns.
'**Câți**' precedes **masculine** nouns at the **plural form**:

> **e.g.** Câți angajați sunt în Compania „Carpați"?
> (**How many** employees are there in 'Carpați' Company?)

'**Câte**' is used in the context of a **feminine** or a **neuter noun**, at the **plural form**:

> **e.g.** Câte cărți aveți?
> (**How many** books have you got?)

'**For how long**' (De cât timp?) suggests the duration of an action.

> **e.g.** De cât timp fumați?
> (**For how long** have you been smoking?)
>
> De cât timp sunteți în România?
> (**How long** have you been in Romania?)
>
> Sunt în România de 3 luni.
> (I have been in Romania for three months).
>
> De cât timp așteptați autobuzul?
> (**How long** have you been waiting for the bus?)
>
> Aștept autobuzul de 5 minute.
> (I have been waiting for the bus for 5 minutes.)

TASK 15 Make up questions using '**cât**' / '**câtă**' / '**câți**' / '**câte**', with the nouns below.
(Alcătuiți întrebări utilizând „cât" / „câtă" / „câți" / „câte", cu substantivele următoare.)

zahăr *(sugar)*	bani *(money)*	mașini *(machines / cars)*	benzină *(petrol)*
fii *(sons)*	ani *(years)*	copii *(children)*	friends *(prieteni)*
făină *(flour)*	timp *(time)*	colegi *(mates)*	fiice *(daughters)*

a avea *(to have)*   a vrea *(to want)*   a cumpăra *(to buy)*   a vinde *(to sell)*

Model: *Cât zahăr vrei?*

1. ....   7. ....
2. ....   8. ....
3. ....   9. ....
4. ....   10. ....
5. ....   11. ....
6. ....   12. ....

Task 16 Translate the following sentences:
(Traduceţi următoarele propoziţii:)

Use the adverbs: **'aici'** *(here)*   **'acolo'** *(there / over there)*
                   'înăuntru' *(inside / in)*   **'afară'** *(outside / out)*

1. How many engineers are here, in the office?
.... ?

2. How many Frenchmen are there in Canada?
.... ?

3. How much sugar is here in the bowl?
.... ?

4. How much wine is in that bottle over there?
.... ?

5. How many students are outside?
.... ?

6. I don't know how many books are on the shelf over there.
.... ?

7. How many offices are there in 'Carpaţi' Company?
.... ?

8. How many children are in?
.... ?

Task 17 Name the inhabitants of the following countries:
(Numiţi locuitorii următoarelor ţări:)

e.g. România *(fem.)*   **româncă**

1. Turcia *(fem.)*   ....
2. Olanda *(masc.)*   ....
3. Marea Britanie *(masc.)* ....

59

4. Spania (*masc.*) ....

5. Elveţia (*fem.*) ....

6. Norvegia (*masc.*) ....

TASK 18 Answer the following questions according to the model:
(Răspundeţi la următoarele întrebări, conform modelului:)

Model: **De unde eşti?** – France *(Where are you from?)*
Sunt din Franţa. *(I am from France.)*

Din ce oraş eşti? – Oslo *(What town are you from?)*
Sunt din Oslo. *(I am from Oslo.)*

Din ce ţară eşti? – Norway *(What country are you from?)*
Sunt din Norvegia. *(I am from Norway.)*

De când eşti în România? – six months
(How long have you been in Romania?)
Sunt în România de şase luni.
(I've been in Romania for six months.)

Din ce judeţ sunteţi? – Braşov *(What county are you from?)*
Sunt din judeţul Braşov. *(I'm from Braşov county.)*

1. Din ce ţară este John? *(Canada)*

....

2. De când sunteţi în Bucureşti? *(one year)*

....

3. Din ce oraş este Alexandru? *(Alba Iulia)*

....

4. Din ce judeţ este Alexandru? *(Alba)*

....

5. De când sunteţi în Londra? *(for five days)*

....

6. Din ce ţară este Juan? *(Spain)*

....

7. De când lucraţi la Compania „Carpaţi"? *(one year)*

....

8. De unde este Jerry? *(Great Britain)*

....

TASK 19 Write about your plans for this Sunday.
(Scrieţi despre planurile dumneavoastră pentru duminică.)

....

....

....

....

....

....

Task 20   Try the following crossword.
            (Rezolvaţi următorul careu.)

Across *(Orizontal)*:   1. avenue
                      2. busy *(masc.)*
                      3. Englishman
                      4. railway station
                      5. answer
                      6. Norwegian *(masc.)*
                      7. holidays
                      8. theatre-hall
                      9. cinema-hall

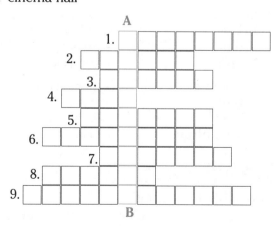

Down – *from* A *to* B *(Vertical)*: 'Good evening!' *(two words)*

Lesson Four / Lecția patru

Topics for Conversation
(Subiecte de conversație)

Asking Questions
(Întrebări)

TASK 1 — Listen to the CD and then repeat.
(Ascultați CD-ul și apoi repetați.)

– Cine este în birou?
– În birou este domnul Popescu.
– Este singur?
– Nu. Mai este cineva. Mai este și domnul Ștefănescu.
– Ce este domnul Ștefănescu?
– Este arhitect.
– Ce fac?
– Sunt într-o ședință, dar acum domnul Popescu vorbește la telefon.
– Cu cine vorbește la telefon?
– Cu directorul de marketing.
– Unde este directorul de marketing?
– Nu știu exact. Într-un birou, dar nu știu în care.

Vocabulary / Vocabular

Ce este ...?	– What is ...?
Cu cine ...?	– (With) whom ...?
În care ...?	– (In) which ... ?
ședință	– meeting / appointment
Nu știu ...	– I don't know ...
mai este și ...	– there also is ...
singur	– alone
arhitect	– architect
într-un birou	– in an office
dar ...	– but ...

Let's revise: (Să recapitulăm:)

Types of questions / Tipuri de întrebări

De ce ...?; Când ...?; La ce oră ...?; Cine ...?; Care ...?; Ce ...?; Este ...?; Ce ...?; La ce oră ...?; Care ...?; Cum ...?; Iei / Luați ...?; La ce oră ...?; Cu cine ...? Unde...?; Ce ...?; Cât ...?; În ce ...?; La ce oră ...?; Sunteți / ești ...?; De unde ...?; Cât timp ...?; De unde ...?; Cu cine ...?; De ce ...?; Ce ...?; Unde ...?; Ce ...?; Ai / Aveți ...?; Ce ...?.

Task 2	Translate the following questions into Romanian and provide the answer. The words in the box above may help you to start the question. *(Traduceţi următoarele întrebări şi apoi răspundeţi. Cuvintele din caseta anterioară vă pot ajuta să începeţi întrebarea.)*	

Model: How are you?   – Ce mai faci?
                                  – Bine, mulţumesc.

1. How are you? ....
....

2. Is Andrei in the office? ....
....

3. What time is it? ....
....

4. What is your phone number? ....
....

5. Who are you? ....
....

6. What do you do for a living? ....
....

7. How old are you? ....
....

8. What does your friend look like? ....
....

9. What time do you usually have lunch? ....
....

10. What time do you usually leave the office? ....
....

11. What time do you usually reach the office? ....
....

12. What time do you usually leave for the office? ....
....

13. Why don't you want to solve this problem? ....
....

14. When do you leave on a business trip? ....
....

15. In what office do you work? ....
....

16. What is your office? ....
....

17. Do you have lunch with your colleagues? ....
....

18. What are you doing tomorrow at 14:30? ....
....

19. Why aren't we leaving now? ....
....

20. Where is Mr. Turner? ....
....

21. What are you reading now? ....
....

22. With whom are you speaking on the phone? ....
....

23. Where is he coming from? ....
....

24. What are you waiting for? ....
....

25. With whom are you working on computer? ....
....

26. Are you a Norwegian or a Romanian? ....
....

27. Have you got any children? ....
....

28. Where are you from? ....
....

29. For how long are you going to stay in Spain? ....
....

30. Where is the taxi rank? ....
....

TASK 3   Make up sentences with the terms given in the brackets using 'mai' / 'also', according to the model.
*(Alcătuiţi propoziţii cu termenii din paranteze utilizând „**mai**", conform modelului.)*

Use: mai **+ verb sing. +** şi **+ noun singular form**
mai **+ verb pl.   +** şi **+ noun plural form**

Model: Irina este în clasă. (profesoara de română)
Mai este şi profesoara de română.

Directorul este în secţie. (maiştrii)
Mai sunt şi maiştrii.

1. Sunt trei cărţi pe masă. (un telefon)

   ....

2. Am un băiat de 5 ani. (două fete de 10 şi 12 ani)

   ....

3. Aici sunt 8 norvegieni. (8 britanici)

   ....

4. În birou este domnul Marinescu. (domnul Ionescu)

   ....

5. Lângă Universitate este un cinematograf. (un teatru)

   ....

6. Am un frate de 25 de ani. (o soră de 22 de ani)

   ....

Grammar Session (Gramatică)

Prepositions II
(Prepoziţii II)

The preposition **'în'** (the Romanian form for 'in'), when used before a noun preceded by **'un'** or **'o'** turns into the form **'într-'** and then takes over **'un'** (for the masculine nouns) or **'o'** (for the feminine nouns).

Feminine	**în** cameră	*in the room*
	într-o cameră	*in a room*
Masculine	**în** birou	*in the office*
	într-un birou	*in an office*

TASK 4 — Listen to the CD and then repeat.
(Ascultaţi CD-ul şi apoi repetaţi.)

– Unde este domnul Ionescu?
– Este **într-un birou**.
– În care birou?
– Nu sunt sigur, dar cred că este la contabilitate.
– Mulţumesc. Sper că este acolo, pentru că am nevoie de el. Trebuie să semneze nişte documente.
– Da, dar dacă este **într-o şedinţă**, trebuie să pleci şi să revii mai târziu.

Let's remember! (The Indefinite Article and the Numeral)

'un'	– **'a'**, **'an'** for masculine nouns, singular
'o'	– **'a'**, **'an'** for feminine nouns, singular
'nişte'	– **'some'** for both feminine and masculine nouns, in the plural form

Numerals **'one'** and **'two'** have two forms, according to noun's gender:

One	**'o'** for feminine	e.g. **'o femeie'** *(a woman)*
	'un' for masculine	e.g. **'un bărbat'** *(a man)*
Two	**'două'** for feminine	e.g. **'două femei'** *(two women)*
	'doi' for masculine	e.g. **'doi bărbaţi'** *(two men)*

65

Some nouns are **'neutral'**, which means that they have forms characteristic of both the feminine and masculine genders; for instance, the nouns 'birou' and 'scaun' are **neuter**, as they have a masculine form at the singular and a feminine form at the plural:

Un birou (an office)   **Două** birouri (two offices)   **Nişte** birouri (some offices)
Un scaun (a chair)   **Două** scaune (two chairs)   **Nişte** scaune (some chairs)

TASK 5   Study the following table and insert **'feminine'**, **'masculine'** or **'neuter'** in the space provided; the first one has already been done for you. *(Studiaţi următorul tabel şi introduceţi „feminin", „masculin" sau „neutru" în spaţiile libere; prima rubrică este completată ca model.)*

Gender	Singular	Plural	
Feminine	**O cameră** *(a room)*	**Două camere** *(two rooms)*	**Nişte camere** *(some rooms)*
....	**O bucătărie** *(a kitchen)*	**Două bucătării** *(two kitchens)*	**Nişte bucătării** *(some kitchens)*
....	**O baie** *(a bathroom)*	**Două băi** *(two bathrooms)*	**Nişte băi** *(some bathrooms)*
....	**O sufragerie** *(a dining-room)*	**Două sufragerii** *(two dining-rooms)*	**Nişte sufragerii** *(some dining-rooms)*
....	**O cameră de zi** *(a living-room)*	**Două camere de zi** *(two living-rooms)*	**Nişte camere de zi** *(some living-rooms)*
....	**Un dormitor** *(a bedroom)*	**Două dormitoare** *(two bedrooms)*	**Nişte dormitoare** *(some bedrooms)*
....	**Un birou** *(an office)*	**Două birouri** *(two offices)*	**Nişte birouri** *(some offices)*
....	**Un apartament** *(a flat)*	**Două apartamente** *(two flats)*	**Nişte apartamente** *(some flats)*
....	**Un cartier** *(a district)*	**Două cartiere** *(two districts)*	**Nişte cartiere** *(some districts)*
....	**Un hol** *(an entrance hall)*	**Două holuri** *(two entrance halls)*	**Nişte holuri** *(some entrance halls)*
....	**Un bloc** *(a block of flats)*	**Două blocuri** *(two blocks of flats)*	**Nişte blocuri** *(some blocks of flats)*
....	**Un oraş** *(a town)*	**Două oraşe** *(two towns)*	**Nişte oraşe** *(some towns)*
....	**Un prieten** *(a male-friend)*	**Doi prieteni** *(two male-friends)*	**Nişte prieteni** *(some male-friends)*
....	**O şedinţă** *(a meeting)*	**Două şedinţe** *(two meetings)*	**Nişte şedinţe** *(some meetings)*
....	**O prietenă** *(a female-friend)*	**Două prietene** *(two female-friends)*	**Nişte prietene** *(some female-friends)*
....	**O fiică** *(a daughter)*	**Două fiice** *(two daughters)*	**Nişte fiice** *(some daughters)*

TASK 6   Listen to the CD and repeat: *(Ascultaţi CD-ul şi repetaţi :)*

Topics for Conversation
(Subiecte de conversație)

My House
(Casa mea)

Task 7	Listen to the CD and then repeat. *(Ascultați CD-ul și apoi repetați.)*

- Unde locuiești?
- Locuiesc într-un apartament în centrul orașului.
- Câte camere ai?
- Am patru camere: un dormitor, o cameră de zi, o sufragerie și o cameră de oaspeți. Mai am o bucătărie spațioasă, o baie și un hol mare. Tu unde locuiești?
- Locuiesc într-o vilă în cartierul „Floreasca".
- Câte camere ai?
- Am cinci camere: două dormitoare, două camere de zi și o sufragerie. Mai am două bucătării, două băi și două holuri. Casa mea este mare pentru că locuiesc și cu părinții mei.

Vocabulary / Vocabular

apartament	– flat
cameră	– room
dormitor	– bedroom
cameră de zi	– living-room
sufragerie	– dining room
cameră de oaspeți	– spare room; a room for the guests
bucătărie	– kitchen
baie	– bathroom
hol	– entrance hall
cartierul	– the district
spațioasă	– large
mare	– big
în centrul	– in the centre (of)
oraș	– town (**'orașului'** – of the town, the genitive form)
„locuiesc"	– I live / dwell (**'a locui'**, verb group IV, see the endings at the Grammar Session, Lesson Three
vilă	– villa

67

Task 8 Match the following columns to make up sentences.
(Combinaţi următoarele coloane pentru a alcătui propoziţii.)

Model: Dumnealui merge la birou cu autobuzul.

Dumnealui	alerg	în fiecare dimineaţă în jurul blocului.
Eu	este	lângă Hotelul Intercontinental.
Noi	este	astăzi la aeroport la ora 11:45.
Voi	merge	ziare la birou în fiecare dimineaţă.
Anca	aşteptăm	în ţară sau în Marea Britanie?
Directorul	citiţi	un telefon din Norvegia la ora 14:00.
Teatrul Naţional	merge	la birou cu autobuzul.

Task 9 Turn the above sentences into negative.
(Treceţi propoziţiile de mai sus la negativ.)

1. Dumnealui ....
2. Eu ....
3. Noi ....
4. Voi ....
5. Anca..
6. Directorul..
7. Teatrul Naţional...

Vocabulary / Vocabular

a da¹ cu chirie	– to let
a lua² cu chirie	– to rent
acoperiş/uri	– roof/s
apă caldă curentă	– warm running water
apă rece curentă	– cold running water
aparat/e de radio	– radio set/s
apartament/e	– flat/s
aragaz/e	– cooker/s
ascensor; lift	– elevator; lift
aspirator / aspiratoare	– vacuum-cleaner/s
bazin/e de toaletă	– toilet-basin/s
bibliotecă / biblioteci	– book-case/s
birou/ri	– writing desk/s
bufet/uri	– sideboard/s
cadă / căzi de baie	– bath-tub/s

[1,2] See the conjugations below:

A da *(to give)*					A lua *(to take)*			
Eu	dau	Noi	dăm		Eu	iau	Noi	luăm
Tu	dai	Voi	daţi		Tu	iei	Voi	luaţi
El / Ea	dă	Ei / Ele	dau		El / Ea	ia	Ei / Ele	iau

calorifer/e	– radiator/s; heater/s
cămară	– pantry
camera are patru metri pe trei	– the room is four metres by three
canapea / canapele	– sofa/s
cartier/e	– district/s; quarter/s
casă /case	– house/s; home/s
casetofon / casetofoane	– cassette recorder/s
chirie / chirii	– rent/s
chiuvetă / chiuvete de baie	– wash-hand basin/s
chiuvetă / chiuvete de bucătărie	– sink/s
comodă / comode; scrin / scrinuri	– chest/s of drawers
confortabil/ă	– comfortable
coş/coşuri de hârtii	– waste-paper basket/s
covor / covoare	– carpet/s
culoar/e	– passage/s
deodorant/e	– body-spray/s
dulap/uri de bucătărie	– cupboard/s
dulap/uri de haine; şifonier/e	– wardrobe/s
duş/uri	– shower/s
etaj/e	– storey/s; floor/s
etajeră / etajere	– shelf / shelves
fereastră / ferestre	– window/s
fier de călcat	– pressing iron
fotoliu / fotolii	– arm-chair/s
frigider/e	– refrigerator/s
garsonieră / garsoniere	– bachelor flat/s
gri	– grey
gunoi	– garbage; rubbish
hol/uri; coridor/coridoare	– corridor/s
încălzire centrală	– central heating
intrare / intrări de serviciu	– back entrance/s
intrare principală	– main entrance
jucărie / jucării	– toy/s
la etajul trei[1]	– on the third floor
lampă / lămpi; veioză / veioze	– lamp/s
lumină electrică	– electric light
maşină / maşini de spălat	– washing machine/s
masă / mese	– table/s
măsuţă / măsuţe	– small table/s
mobilă	– furniture
noptieră / noptiere	– bedside table/s; night tables/s
oglindă / oglinzi	– mirror/s
palier/e	– landing/s
parfum/uri	– perfume/s
pat/uri	– bed/s
perdea / perdele	– curtain/s
pivniţă / pivniţe	– cellar/s
poartă / porţi	– gate/s
pod / poduri	– garret/s
podea	– floor

---

[1] In this case in Romanian it is used the cardinal numeral, not the ordinal one.

revistă / reviste	– review/s; magazine/s
robinet/e	– tap/s
scară / scări	– stair/s
spaţios / spaţioasă	– large
scaun/e	– chair/s
subsol	– basement
şemineu	– fireplace
taburet/e	– stool/s
televizor / televizoare	– TV-set/s
terasă / terase	– terrace/s
trusă / truse de machiaj	– make-up kit/s
uşă / uşi	– door/s
vază / vaze	– vase/s
vitrină / vitrine	– glass-case/s
viu colorat	– bright coloured

TASK 10   Read the following text.
(Citiţi textul următor.)

Locuiesc[1] într-un bloc de patru etaje în cartierul Titan. Apartamentul meu este la etajul trei. Am două camere: o cameră de zi şi un dormitor. Acum sunt acasă. Stau în camera de zi şi ascult[2] muzică. Camera aceasta este spaţioasă şi confortabilă. În cameră sunt: o canapea, două fotolii, o bibliotecă, o vitrină, o măsuţă pentru cafea care se află între fotolii şi o altă măsuţă pe care stă televizorul. În bibliotecă, pe raftul de sus, este casetofonul. Casetele sunt lângă casetofon. La fereastră este o perdea albă foarte frumoasă, iar pe podea este un covor.

TASK 11   Underline the odd word into the following succession/series.
(Subliniaţi cuvântul care nu se potriveşte în contextul dat.)

1. televizor / aparat de radio / cameră de zi / robinet / canapea
2. terasă / subsol / pod / scară / aspirator
3. canapea / noptieră / televizor / măsuţă / creion
4. perdea / uşă / chiuvetă / covor / bibliotecă
5. birou / frigider / dulap de bucătărie / masă de bucătărie / mixer de bucătărie
6. lumină electrică / apă rece curentă / apă caldă curentă / cadă de baie / acoperiş

TASK 12   Match a line in column A with a line in column B.
(Potriviţi un rând din coloana A cu un rând din coloana B.)

Column A	Column B
a) Între fotolii se află	o ciocolată.
b) Lângă canapea este	o pereche de pantaloni.
c) Pe masă sunt	multe cărţi.
d) În frigider este	o bibliotecă.
e) Lângă camera de zi se află	o măsuţă.
f) Sub masă se află	un dormitor.
g) În şifonier este	un coş de hârtii.
h) În bibliotecă sunt	nişte reviste.

[1,2] Study the following conjugations:

A locui *(to live)*				A asculta *(to listen to)*			
Eu	locuiesc	Noi	locuim	Eu	ascult	Noi	ascultăm
Tu	locuieşti	Voi	locuiţi	Tu	asculţi	Voi	ascultaţi
El / Ea	locuieşte	Ei / Ele	locuiesc	El / Ea	ascultă	Ei / Ele	ascultă

Task 13
Fill in the table below with the words suggesting objects specific to the rooms mentioned.
(Introduceţi în tabelul de mai jos cuvintele ce sugerează obiectele specifice camerelor menţionate.)

Cameră de zi	Dormitor	Bucătărie	Baie

Task 14
Fill in the blanks with the words in brackets, translated into Romanian.
(Introduceţi în spaţiile libere cuvintele din paranteze, traduse în limba română.)

Jan Yvarsen .... (lives) într-un .... (flat) cu trei camere în Piaţa Victoriei .... (on the sixth floor). Apartamentul .... (has) o cameră de zi şi .... (two bedrooms), unul pentru el şi soţia sa şi unul pentru .... (children). Ei .... (have) un băiat de .... (6 years old) şi .... (a girl) de 3 ani. Anne este .... (wife) lui. Ea .... (is 34 years old) şi este foarte drăguţă. Anne .... (is a housewife). Ei au .... (a home) curată şi confortabilă. În .... (living-room) se află .... (a book-case), ... (a glass-case), ... (a sofa) cu .... (two arm-chairs), ... (a small table) pentru .... (TV-set) şi o măsuţă pentru cafea. De obicei, pe măsuţă se află .... (newspapers), ... (magazines) şi .... (a vase) cu flori. Pe .... (floor) este .... (a carpet) gri, iar .... (at the window) se află .... (a curtain) albă şi foarte .... (clean). Pe peretele de .... (near the sofa) se află .... (two paintings). În dormitor se află .... (a wardrobe), ... (a bed), ... (two bedside tables), unde sunt .... (perfumes), ... (body sprays) şi .... (make-up kits). Pe fiecare noptieră se află .... (a lamp). Pe noptiera de lângă .... (the wardrobe) se află un ceas cu radio. În dormitorul în care stau .... (the children) se află două paturi, un şifonier, ... (two writing desks) şi .... (a small table) pe care sunt multe .... (toys). La fereastră se află o perdea .... (brightly coloured). În bucătărie se află o masă de patru persoane, ... (four chairs), ... (a cupboard) şi .... (a sink). La intrare este .... (a refrigerator). În baie se află .... (a toilet basin), ... (a wash-hand basin) şi .... (bath tub) cu duş.

Topics for Conversation
(Subiecte de conversație)

Notes and Coins
(Bancnote și monede)

TASK 15 Listen to the CD and repeat.
(Ascultați CD-ul și repetați.)

Dialogue A

– Aveți cumva o monedă de 100 de lei? Trebuie să dau un telefon și nu am mărunțiș.
– Îmi pare rău, nu am. Dar acest telefon este cu cartelă!
– Da, știu, dar nu am cartelă telefonică. Însă celălalt telefon este cu monede, din fericire.

Vocabular / Vocabulary

o monedă (*fem.*)	– a coin
monede	– coins
două / trei / patru … monede	– two / three / four … coins
lei	– ROL (Romanian currency)[1]
mărunțiș	– small cash / change
cartelă (telefonică)	– (telephone) card
cumva	– by chance
celălalt (*masc., sing.*)	– the other (one)
din fericire	– fortunately

Dialogue B

– Care sunt bancnotele din România?
– În România sunt bancnote de 1.000 lei, de 5.000 lei, de 10.000 lei, de 50.000 lei și de 100.000 lei.
– Aveți toate aceste bancnote la dumneavoastră?
– Da. Din fericire astăzi este ziua de salariu și am toate aceste bancnote. Iată-le! Douăzeci de bancnote de 100.000 lei, șapte bancnote de 50.000 lei, patru bancnote de 10.000 lei, trei bancnote de 5.000 lei și două bancnote de 1.000 lei.
– Oh, aveți mulți bani la dumneavoastră!
– Nu prea mulți …

Vocabular / Vocabulary

bancnotă (*sing., neart.*) / **bancnote** (*pl.*)	– bank note(s)
bancnote de 1.000 lei	– 1.000 lei bank notes
bancnota (*sing., art.*)	– the bank note
bancnotele (*pl., art.*)	– the bank notes

---

[1] The noun '**lei**' also means 'lions' (singular form: **leu** – lion).

bani	– money
ziua de salariu	– the pay-day
cea mai recentă *(fem., sing.)*	– the most recent
la dumneavoastră	– on / with you
toate aceste bancnote	– all these bank notes
iată-le! *(fem., pl.)*	– Here they are!
mulţi (bani)	– much (money)[1]
prea	– too
mulţi (profesori)	– many (teachers)

TASK 16 Answer the following questions.
(Răspundeţi la următoarele întrebări.)

1. Cât costă o cartelă de metrou de două călătorii?

....

2. Dar una de 10 călătorii?

....

3. Dar un abonament lunar?

....

4. Cât costă ziarul „România Liberă"?

....

5. Cât costă un autoturism „Dacia 1300"? Este scump sau ieftin?

....

6. Cât costă un kilogram de struguri?

....

7. Cât costă o pereche de pantaloni?

....

8. Cât costă o excursie de cinci zile în Grecia?

....

Vocabular / Vocabulary

Cât costă … ?	– How much is … ?
abonament	– season ticket (for buses, trams, etc.) subscription price (for newspapers, etc.)
scump *(masc., sing.)*	– expensive
ieftin *(masc., sing.)*	– cheap
un kilogram (1 kg) de …	– a kilo of
struguri	– grapes
o pereche de	– a pair of
pantaloni	– trousers
o excursie	– a trip
o excursie de 5 zile	– a five-day trip

[1] In Romanian, the noun '**bani**' is a countable noun.

TASK 17 Imagine that you have in cash the sums written below; what and how many bank notes and coins would you have?
(Imaginaţi-vă că aveţi sumele menţionate mai jos; ce şi câte bancnote sau monede aţi avea?)

Model: 375.650 lei   trei bancnote de 100.000 lei, o bancnotă de 50.000 lei, două bancnote de 10.000 lei, o monedă de 500 lei, o monedă de 100 lei şi o monedă de 50 lei.

a) 36.000 lei   ....
....

b) 1.893.000 lei   ....
....

c) 7.555.000 lei   ....
....

d) 255.000.000 lei   ....
....

e) 300.000.050 lei   ....
....

f) 888.800 lei   ....
....

Learn or revise (Învăţaţi sau repetaţi:)

singur; şedinţă; apartament; întâlnire de afaceri; sufragerie; cameră de zi; vilă; monedă; telefon; cartelă; abonament; mărunţiş; în jurul blocului; zi de salariu; bani; valută; bancnotă; din fericire; din nefericire; cameră de oaspeţi; bucătărie; casă; cameră; birou; baie; hol; oraş; suedez; elveţian; spaniol; polonez; muncă; sarcină; prieten; cartier; prietenă; blocuri; fiică; fiu; soţie; mulţi; arhitect; sudor; lăcătuş; strungar; strung.

TASK 18 Try the following crossword.
(Rezolvaţi următorul careu.)

Across *(Orizontal)*:
1. room
2. large *(fem.)*
3. dining-room
4. district
5. bedroom
6. bathroom
7. coins
8. bank notes
9. chair
10. kitchen

A

1.
2.
3.
4.
5.
6.
7.
8.
9.
10.

B

Down – from **A** to **B** *(Vertical)*: 'flat'

74

Lesson Five / Lecția cinci

Topics for Conversation
(Subiecte de conversație)

Dining Out – I
(Luăm masa în oraș – I)

Task 1	Listen to the CD and then repeat. *(Ascultați CD-ul și apoi repetați.)*

- Ești gata? Hai să mergem!
- Da, dar trebuie să dau un telefon mai întâi.
- Grăbește-te, e târziu și mi-e foame.
- Imediat… Hai să mergem, telefonul este ocupat!
- Unde ai vrea să luăm masa?
- Aș vrea să mergem la restaurantul Lido. Este un restaurant foarte bun. Îmi place mâncarea de acolo. Dar, mai întâi, aș bea ceva. Mi-e sete. Mai bine am lua un taxi.
- Cumpărăm în drum o sticlă de Coca-Cola. Iau și eu o gustare pe drum.

Grammar Session (Gramatică)

The Conditional Mood
(Modul condițional)

We use the Conditional Mood to express **a wish** or **a condition**. It is based on the use of **six auxiliaries** (one for each person) followed by the **short infinitive form** of the notional verb.

> **e.g.** **Aș merge** la teatru.   *I should go to the theatre.*

Task 2	Study in the table below the conjugation of the verb **'a lua'** (to take). *(Studiați în tabelul de mai jos conjugarea verbului „**a lua**".)*

Subiect (*Subject*) Substantiv sau pronume (*Noun or pronoun*)		Auxiliar (*Auxiliary*)	Infinitivul verbului noțional (*The infinitive form of th notional verb*)
Eu	(I)	aș	
Tu	(You)	ai	
El / Ea	(He / She)	ar	
Noi	(We)	am	*(should / would)*
Voi	(You)	ați	**lua** (take)
Ei / Ele	(They)	ar	

Task 3   Translate the following Romanian verbs into English.
(*Traduceţi următoarele verbe în limba engleză.*)

Romanian Verb	English verb
A alerga	To run
A aştepta	....
A avea	....
A citi	....
A coborî	....
A face	....
A fi	....
A fugi	....
A gândi	....
A găsi	....
A hotărî	....
A lua	....
A lucra	....
A merge	....
A opri	....
A pleca	....
A putea	....
A rezolva	....
A sta	....
A urî	....
A vedea	....
A veni	....
A vorbi	....

Task 4   Express wishes or options using the verbs in brackets.
(*Exprimaţi dorinţe sau opţiuni utilizând verbele din paranteze.*)

1. Eu (a citi) .... un ziar acum.
2. Noi (a merge) .... la teatru duminică dimineaţa.
3. Directorul (a vorbi) .... la telefon cu Andrei dacă (a avea) .... nevoie de el.
4. Mihai (a alerga) .... în fiecare dimineaţă dacă (a avea) .... timp.
5. Noi (a aştepta) .... în birou până vine directorul.
6. Eu (a opri) .... la Hotelul Intercontinental dacă (a găsi) .... un loc de parcare.
7. Ei (a rezolva) .... această problemă dacă (a avea) .... informaţiile necesare.
8. Eu nu (a merge) .... cu metroul dacă (a avea) .... maşină.

Express wishes, options or conditions regarding the present or the near future, using verbs given below.

(Exprimaţi dorinţe sau condiţii pentru prezent sau viitorul apropiat, utilizând verbele date mai jos.)

Verbul la infinitiv (The Infinitive Form of the Verb)	**Traducerea în limba engleză** (Translation into English)
a pleca	*to leave*
a vizita	*to visit*
a scrie	*to write*
a termina	*to finish*
a începe	*to start*
a comunica	*to communicate*
a traduce	*to translate*
a locui	*to live/ dwell*
a schimba	*to change*
a da	*to give*
a vrea	*to want*
a tăcea	*to be silent*
a face	*to do*
a pune	*to put*
a ajunge la	*to reach / get to / arrive at*
a bea	*to drink*
a mânca	*to eat*
a lua	*to take*
a costa	*to cost*
a utiliza, a folosi	*to use*
a spune	*to say*
a cumpăra	*to buy*
a vinde	*to sell*
a merge	*to go*
a deschide	*to open*
a închide	*to shut, to close*
a întreba	*to ask*
a răspunde	*to answer*
a discuta	*to discuss*
a urca	*to get into / to climb up / to get on*
a coborî	*to get out of / to climb down / get of*
a intra	*to enter*
a ieşi	*to get out*

The following terms might help you: (*Termenii următori v-ar fi de folos:*)

ambasada Norvegiei; o prăjitură; o Coca-Cola; cinema; munte; vacanţă; teatru; Gara de Nord; maşină; autobuz; bani; lei; dolari; casă; acasă; cu trenul; cu autobuzul; pe jos; prieten(i); coleg(i); serviciu; birou; aeroport; staţie de taxi; întâlnire de afaceri; şedinţă.

Model: **Aş mânca** o prăjitură.

1. ....
2. ....
3. ....
4. ....
5. ....
6. ....
7. ....
8. ....
9. ....
10. ....
11. ....
12. ....
13. ....
14. ....

TASK 6 Fill in the blanks with the appropriate words and then provide the right answers.
(Introduceţi în spaţiile libere cuvintele corespunzătoare şi daţi răspunsul potrivit.)

Model: *Ce faceţi acum?*

1. .... daţi telefon acum?
   ....
2. .... este şedinţa?
   ....
3. .... vedeţi în fotografie?
   ....
4. .... luaţi cina?
   ....
5. .... vreţi să plecaţi la Poiana Braşov?
   ....
6. .... faceţi acum?
   ....
7. .... mergeţi în week-end?
   ....
8. .... aşteaptă colegii tăi?
   ....
9. .... hotărăşte ora şedinţei?
   ....
10. ....te gândeşti?
   ....

Countable Nouns
(Substantive numărabile)

Many uncountable nouns in English are countable in Romanian. Here are some examples.
Study the table below and fill in the noun's gender in the column provided:

Gender	Singular	Plural
....	**Informație** (piece of information) *„o informație interesantă"* 'an interesting piece of information'	**Informații** (information) *„două informații interesante"* 'two interesting pieces of information'
....	**Sfat** (piece of advice) *„un sfat"* 'a piece of advice'	**Sfaturi** (advice) *„două sfaturi"* 'two pieces of advice'
....	**Bagaj** (piece of luggage) *„un bagaj"* 'a piece of luggage'	**Bagaje** (luggage) *„două bagaje"* 'two pieces/items of luggage'
....	**Știre** (piece of news) *„o știre"* 'a piece /an item of news'	**Știri** (news) *„două știri"* 'two pieces of news'
....	**Ban** (money; penny) *„un ban"[1]* 'a penny'	**Bani** (money) *„mulți bani"* 'much money'
....	**Ghinion** (ill / bad luck) *„un ghinion"* 'a piece of ill-luck'	**Ghinioane** (ill-luck) *„două ghinioane"* 'two pieces of ill-luck'

Quantifiers
(Cuantificatori)

un pachet de (*pl.:* **pachete**)   – *a **packet** of; a **parcel** of*
   pachet de acțiuni   – *stock*
   pachet de țigări   – *packet / package of cigarettes*
   a face pachet   – *to parcel up*
   pachet de cărți   – *pack of cards*
   împachetat / ă   – *packed*

o cutie de (*pl.:* **cutii**)   – *a **box** of*
   cutie de chibrituri   – *box of matches*
   cutie de conserve   – *tin / can*
   cutie de scrisori   – *letter box*
   cutie de viteze   – *gear box*
   scos ca din cutie   – *bright as a button; spick and span*

---

[1] 'ban' is an old monetary unit; it was in use before 'leu'. Nowadays it is used in some phrases or proverbs.
   e.g. 'Nu am un ban' / 'I haven't got a penny'.

o pereche de (*pl.*: **perechi**)	– *a **pair** of*
pereche de ochelari	– *pair of glasses*
pereche de pantofi	– *pair of shoes*
pereche	– *couple*
perechi-perechi	– *by twos*
fără pereche	– *matchless; extraordinary*
un kilogram de (*pl.*: **kilograme**)	– *a **kilo** of*
un kilogram de mere	– *a kilo of apples*
200 de grame de zahăr	– *200 grams of sugar*
un buchet de (*pl.*: **buchete**)	– *a **bunch** of*
un buchet de flori	– *a bunch of flowers*
două buchete de flori	– *two bunches of flowers*
un ciorchine de struguri (*pl.*: **ciorchini**)	– *a **bunch** of grapes*
un baton de ciocolată	– *a **bar** of chocolate*
două batoane de ciocolată (două ciocolate)	– *two bars of chocolate*

TASK **7** Translate the following sentences and answer the questions.
(Traduceţi următoarele propoziţii şi apoi răspundeţi.)

1. How much does a pack of Marlboro cost?

....?

2. How much is a bus ticket in Bucharest?

....?

3. How much is a pack of aspirins?

....?

4. How much is this pair of shoes?

....?

5. How much is a bunch of roses ?

....?

6. How much is the taxi fare?

....?

TASK **8** Ask a passer-by for directions. You need to know where you can find the following:
(Rugaţi un trecător să vă îndrume. Vreţi să aflaţi unde puteţi găsi următoarele:)

1. o farmacie *(a drugstore)*

....?

2. un restaurant *(a restaurant)*

....?

3. un bulevard *(a boulevard)*

....?

4. un spital *(a hospital)*

....?

5. o agenție de turism *(a travel agency)*

....?

6. o sală de teatru *(a theatre hall)*

....?

Vocabulary Practice / Termeni uzuali

In Romanian, the words expressing a sequence of actions regarding present, past or future activities are:

Apoi ...	– then ... / next ...
După aceea ...	– after that ...
Imediat ce ... / de îndată ce ...	– as soon as ...

TASK 9 Read the text, then fill in the blanks with the appropriate words. *(Citiți următorul text și introduceți în spațiile libere cuvintele corespunzătoare.)*

Astăzi la ora 8:30 am oră la dentist, *(then)* .... fac cumpărături. La ora 12:00 iau masa cu d-na Ionescu și *(after that)* .... merg la coafor. La ora 14:30 vorbesc la telefon cu soțul meu, *(then)* .... fac lecțiile cu fiul meu. *(As soon as)* .... soțul meu ajunge acasă, mergem la aeroport să-l luăm pe Andrei, care vine cu avionul de ora 17:45.

Topics for Conversation
(Subiecte de conversație)

Means of Transport
(Mijloace de transport)

TASK 10 Read the following dialogue: *(Citiți următorul dialog:)*

– Andrei, spune-mi, te rog, cum ajung la Hotelul Intercontinental?
– Păi ... poți să iei autobuzul sau troleibuzul.
– Ce autobuz trebuie să iau?
– Autobuzul 315. De fapt, oricare autobuz de aici ajunge la Hotelul Intercontinental.
– Care este cea mai apropiată stație de autobuz?
– Cred că este stația Piața Rosetti.
– Câte stații trebuie să merg cu autobuzul?
– Numai două stații.

– Unde trebuie să cobor?

– La staţia Piaţa Universităţii.

– Pot să iau metroul până la Hotelul Intercontinental?

– Da, sigur, cobori tot la staţia Piaţa Universităţii.

– Este departe de Hotelul Intercontinental?

– Nu, este foarte aproape. Dar de ce nu iei un taxi? Am şi eu acelaşi drum. Iată, vine unul! Taxi!

– Bună ziua. Vrem să mergem la Hotelul Intercontinental.

– Bună ziua. Urcaţi, vă rog.

....

– Lasă-ne la colţul străzii, te rog. Cât ne costă?

– 55.000 de lei. Mulţumesc. Bună ziua.

– Bună ziua.

TASK 11   Listen to the dialogue on the CD.
(Ascultaţi dialogul de pe CD.)

Vocabular / Vocabulary

Cât mă/ne costă?	– How much do I / we have to pay?
Câte ...?	– How many ...?
Unde este ...?	– Where is ...?
Cu ce călătoriţi / mergeţi?	– What do you travel by?
Care este cea mai apropiată ...	– What is the nearest ....?
Acesta este drumul către ...	– This is the way to ...
Piaţa Rosetti	– Rosetti Square
cu autobuzul	– by bus
staţie de autobuz	– bus stop
cu troleibuzul	– by trolleybus
cu maşina	– by car
cu autocarul	– by coach
cu bicicleta	– by bike
cu trenul	– by train
gară	– railway station
cu tramvaiul	– by tram
cu avionul	– by plane
aeroport	– airport
cu metroul	– by tube
staţie de metrou	– tube station
cu vaporul	– by ship
port	– port/harbour
cu barca	– by boat
pe jos	– on foot
Lasă-ne la ...	– Drop us at ...
la colţul străzii	– at the corner of the street
Spune-mi ...!	– Tell me ...!
camion	– truck
Iată!	– Look!

Păi ...	– Well ...
de fapt	– in fact; actually
până la	– as far as
departe de	– (far) away from
aproape	– near (by)
oricare	– any
acelaşi (*masc., sing.*)	– the same
a ajunge la	– to arrive at; to reach
a pleca (la)	– to leave (for)
a coborî din (tren etc.**)**	– to get off (the train etc.)
a urca în (tren etc.**)**	– to get on (the train etc.)
a putea	– can
a vrea	– to want

TASK 12 Fill in the blanks with the words given in brackets.
(Introduceţi în spaţiile libere cuvintele din paranteză.)

1. De obicei merg la birou .... (by car)

2. Îţi place să călătoreşti .... ? (by tube)

3. Colegii mei merg la munte .... (by coach)

4. Nicu nu merge niciodată la teatru .... (by bus)

5. Călătoresc la Paris .... (by plane)

6. Poţi să călătoreşti din România în Turcia .... (by ship)

TASK 13 Fill in the blanks with the means of transport suggested by the images below, then make up a conditional sentence.
(Completaţi spaţiile libere cu mijloacele de transport sugerate de imaginile de mai jos, apoi alcătuiţi o propoziţie condiţională.)

e.g. **Camion.** Aş transporta marfa cu camionul.
(I would ship the goods by truck.)

....

....

....

....

Task 14   Try the following crossword.
(Rezolvați următorul careu.)

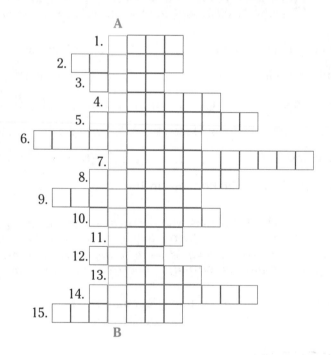

Across (Orizontal):   1. advice *(sing.)*   9. by car *(two words)*
                          2. tube   10. coach
                          3. railway station   11. train
                          4. cigarette   12. harbour
                          5. bike   13. boat
                          6. trolley-bus   14. by ship *(two words)*
                          7. the way to *(two words)* 15. auditors
                          8. airport

Down – *from* **A** *to* **B** *(Vertical):* bus stop *(three words)*

Lesson Six / Lecția șase

Dining Out – II
(Luăm masa în oraș – II)

| TASK 1 | Read the text.
(Citiți textul.) |

Clientul	– Este ocupată masa aceasta?
Ospătarul	– Da, dar poftiți pe aici, vă rog. Este o masă liberă chiar lângă bar.
Clientul	– E în regulă. Ce putem să mâncăm la prânz? Puteți să aduceți meniul?
Ospătarul	– Desigur. Poftiți. Ce doriți să mâncați?
Clientul	– Mai întâi măsline, brânză, rasol de pește și chifteluțe.
Ospătarul	– Și după aceea?
Clientul	– Să vedem … Da! O dată supă de roșii și de trei ori supă cu tăiței, apoi de patru ori cotlet de berbec și ca desert clătite cu dulceață și tort de ciocolată.
Ospătarul	– Ce băuturi doriți?
Clientul	– Cred că mai întâi vin. Ce vinuri aveți?
Ospătarul	– Putem să vă oferim vin de Murfatlar, de Cotnari și de Jidvei.Vă recomand să comandați vin sec de Jidvei. Este un vin renumit din Transilvania.
Clientul	– Bine, luăm vin de Jidvei. Două sticle, vă rog.
Ospătarul	– Copiii ce vor să bea?
Clientul	– Niște răcoritoare. O sticlă de Sprite și apă minerală, vă rog.
Ospătarul	– Poftă bună!

One hour later … / O oră mai târziu …

Clientul	– Cât avem de plată?
Ospătarul	– Note separate sau total?
Clientul	– Totalul, vă rog.
Ospătarul	– Nota dumneavoastră, domnule.

| TASK 2 | Listen to the CD and repeat.
(Ascultați CD-ul și repetați.) |

Vocabulary / Vocabular

clientul	– the client
ospătarul	– the waiter
măsline	– olives
brânză	– cheese

85

rasol de peşte	– boiled fish
chifteluţe	– minced-meat balls
o dată supă de roşii	– tomato soup for one
supă de roşii	– tomato soup
de trei ori supă cu tăiţei	– noodle soup for three
supă cu tăiţei	– noodle soup
de patru ori cotlet de berbec	– mutton chop for four
cotlet de berbec	– mutton chop
desert	– dessert
clătite cu dulceaţă	– pancakes
tort de ciocolată	– chocolate (fancy) cake
băuturi	– drinks
vin / vinuri	– wine(s)
sec	– dry
renumit (*masc., sing.*)	– famous
o sticlă	– a bottle
două sticle	– two bottles
(băuturi) răcoritoare	– soft drinks
apă minerală	– mineral water
mai târziu	– later

Phrases/Expresii

Masa aceasta este ocupată?	– Is this table engaged?
Poftiţi pe aici, vă rog.	– This way, please.
Ce putem să mâncăm la prânz?	– What can we have for dinner?
Puteţi să aduceţi meniul?	– Can I have the bill of fare/menu, please?
E în regulă.	– It's all right.
Poftiţi.	– Here you are.
Ce doriţi să mâncaţi?	– What will you have to eat?
Să vedem ...	– Let me see ...
Mai întâi	– First ...
Şi după aceea?	– What to follow?
Vă recomand să comandaţi ...	– I recommend you to have ...
Poftă bună!	– I hope you will enjoy your dinner!/Good appetite!
Cât avem de plată?	– How much is it?
Note separate sau total?	– Separate bills or a common one?
Totalul, vă rog!	– Common, please!
Nota dumneavoastră, domnule.	– Your bill, sir!

Grammar Session (Gramatică)

The Subjunctive Mood
(Modul conjunctiv)

The Subjunctive is a mood, not a tense. Unlike the Indicative Mood, which presents facts or certain events, the Subjunctive expresses the subject's attitude towards a circumstance, a fact or an event. The subjunctive is a psychological mood, which deals with facts in an affective way. It expresses **emotions, feelings, judgements**, and it states that the subject / speaker considers an action certain, uncertain, possible, impossible, doubtful, desirable, etc. It is a subjective mood, as the subject's feelings or judgements may turn out to be untrue.

This mood **is introduced by** certain verbs, mainly verbs of attitude and modal verbs, such as: **a dori** (to wish), **a vrea** (to want), **a trebui** (must), **a putea** (can), **a intenţiona** (to intend), **a displăcea** (to dislike / hate), etc. It is formed by means of the conjunction 'să' (to) and the indicative form of the verb, according to each person:

Verbul introductiv Introducing verb		**Conjuncţie** Conjunction	**Verbul la indicativ** Indicative form of the verb
(Eu)	trebuie		rezolv
(Tu)	trebuie		rezolvi
(El / ea)	trebuie	să	**rezolve**[1]
(Noi)	trebuie		rezolvăm
(Voi)	trebuie		rezolvaţi
(Ei)	trebuie		**rezolve**
(Eu)	pot		discut
(Tu)	poţi		discuţi
(El / ea)	poate	să	**discute**
(Noi)	putem		discutăm
(Voi)	puteţi		discutaţi
(Ei)	pot		**discute**
(Eu)	vreau		ştiu
(Tu)	vrei		ştii
(El / ea)	vrea	să	**ştie**
(Noi)	vrem		ştim
(Voi)	vreţi		ştiţi
(Ei)	vor		**ştie**

Note. This mood is often used in an Imperative construction:

e.g. Să pleci!
Go away! / I want you to go away / to leave.

Să spui adevărul când discuţi cu mine!
Tell the truth when you talk to me!

(Tu) Să taci când vorbesc eu!
Shut up when I speak!

Now, let's have a look at the endings which are specific to each category of verbs:

---

[1] Note that the forms of the 3-rd person singular and plural are identical. At the same time, they are different from the present indicative forms of the verb (compare: el/ea rezolvă – el/ea să rezolve).

Left table

	I -a a intra/to enter a aştepta/to wait	V -î a cobori/ to get off
Să I, _sg._	–; u aştept; intru; cobor	
II, _sg._	-i aştepţi; intri; cobori	
III, _sg._	-e aştepte; intre; coboare	
I, _pl._	-ăm aşteptăm; intrăm	-âm coborâm
II, _pl._	-aţi aşteptaţi; intraţi	-âţi coborâţi
III, _pl._	-e aştepte; intre; coboare	

Right table

	IV -i a fugi/ to run	III -e a merge/ to go	II -ea a putea/ be able to
Să I, _sg._	– fug; merg; pot		
II, _sg._	-i fugi; mergi; poţi		
III, _sg._	-ă fugă; meargă; poată		
I, _pl._	-im fugim	-em mergem	-em putem
II, _pl._	-iţi fugiţi	-eţi mergeţi	-eţi puteţi
III, _pl._	-ă fugă; meargă; poată		

Task 3 Make up 10 sentences using the conjugations in the previous tables; add the necessary nouns.

(Alcătuiţi 10 propoziţii utilizând conjugările din tabelele anterioare; adăugaţi substantivele necesare.)

e.g. Noi trebuie să rezolvăm o problemă.

1. ....

2. ....

3. ....

4. ....

5. ....

6. ....

7. ....

8. ....

9. ....

10. ....

Task 4 Fill in the blanks with the appropriate expression of those given below.
(Completaţi spaţiile libere cu expresiile potrivite dintre cele date.)

o masă; supă de ţelină; sticle; meniul; alune; supă de legume; Este ocupată masa aceasta?; sec; Nota dumneavoastră, domnule; vin; plăcintă cu brânză; să mâncăm; apă minerală; caşcaval, chifteluţe şi pârjoale; Note separate sau total?

Clientul – .... ?
Ospătarul – Da, dar poftiţi pe aici, vă rog. Este .... chiar lângă bar.

Clientul	– E în regulă. Ce putem .... la prânz? Puteţi să aduceţi .... ?
Ospătarul	– Desigur. Poftiţi. Ce doriţi să mâncaţi?
Clientul	– Mai întâi ....
Ospătarul	– Şi după aceea?
Clientul	– Să vedem ...! Da! O dată .... şi de trei ori .... şi apoi de patru ori cotlet de berbec şi ca desert .... şi ....
Ospătarul	– Ce băuturi doriţi?
Clientul	– Mai întâi vrem să luăm .... Ce vinuri aveţi?
Ospătarul	– Putem să vă oferim vin de Murfatlar, de Cotnari şi de Jidvei. Vă recomand vin .... de Jidvei. Este un vin renumit din Transilvania.
Clientul	– Bine, luăm vin de Jidvei. Două ...., vă rog.
Ospătarul	– Copiii ce vor să bea?
Clientul	– Cred că vor să bea ....
Ospătarul	– Poftă bună!

O oră mai târziu ...

Clientul	– Cât avem de plată?
Ospătarul	– ....?
Clientul	– Totalul, vă rog.
Ospătarul	– ....

Vocabulary / Vocabular

caşcaval	– pressed cheese	alune	– peanuts
pârjoale	– meat croquettes	plăcintă cu brânză	– cheese pie
supă de legume	– vegetable soup	supă de ţelină	– celery soup

TASK 5 Answer the following questions using the vocabulary above.
(Răspundeţi la următoarele întrebări utilizând vocabularul de mai sus.)

Model: Cât avem de plată?
250.000 lei.

1. Copiii ce vor să bea?

....

2. Ce băuturi doriţi?

....

3. Ce doriţi să mâncaţi?

....

4. Şi după aceea?

....

5. Ce ne recomandaţi ca desert?

....

6. Note separate sau total?

....

Grammar Session (Gramatică)

The Qualifying Adjective. The Degrees of Comparison
(Adjectivul calificativ. Gradele de comparaţie)

In Romanian, this type of adjective follows the noun it qualifies and agrees in gender and number with it.

> **e.g.** Aceasta este o carte **interesantă**/ *This is an **interesting** book.*

However, note the rule that in the exclamative sentencences and in literary works the adjective may precede the noun.

> **e.g.** Ce **frumoasă** zi! / *What a **glorious** day!*

a) The Four-Form Adjectives / Adjectivele cu patru forme

Singular		Plural	
Masculine / Neuter	**Feminine**	**Masculine**	**Feminine/ Neuter**
-cons., -u	**-ă**	**-i**	**-e**
bun (*good*)	bună	buni	bune
albastru (*blue*)	albastră	albaştri	albastre
frumos (*beautiful*)	frumoasă	frumoşi	frumoase
negru (*black*)	neagră	negri	negre
înalt (*high, tall*)	înaltă	înalţi	înalte
mult (*much*)	multă	mulţi	multe
secret (*secret*)	secretă	secreţi	secrete
interesant (*interesting*)	interesantă	interesanţi	interesante

The stems of some adjectives do not change (i.e. 'bun'). However, some stems do change without following a certain rule (i.e. albastru, frumos, negru etc.).

b) The Three-Form Adjectives / Adjectivele cu trei forme

I. Some adjectives have identical forms, which allow us to divide them into two categories. These are identified as follows:

> masculine, plural = feminine, plural = neuter, plural
>
> feminine, singular = feminine, plural

1) The adjective's form at masculine plural is identical with the one at feminine plural and neuter plural.

The following adjectives belong to this category:

- adjectives at masculine or neuter gender, ending in '-c' or '-g'.

> **e.g.** **'mic'** (*little / small*); **'adânc'** (*deep*); **'lung'** (*long*); **'drag'** (*dear*)

	Singular	**Plural**
masculine	un copil **mic**	doi copii **mici**
	*(a **little** child)*	*(two **little** children)*
neuter	un creion **mic**	două creioane **mici**
	*(a **small** pencil)*	*(two **small** pencils)*
feminine	o bucătărie **mică**	două bucătării **mici**
	*(a **small** kitchen)*	*(two **small** kitchens)*

- adjectives at masculine and neuter – singular, ending in '-**iu**' and the adjective 'roşu'

> **e.g.** 'cenuşiu' *(grey)*; **maroniu** *(brown)*

	Singular	**Plural**
masculine	un nor **cenuşiu**	doi nori **cenuşii**
	*(a **grey** cloud)*	*(two **grey** clouds)*
feminine	o eşarfă **cenuşie**	două eşarfe **cenuşii**
	*(a **grey** scarf)*	*(two **grey** scarves)*
neuter	un palton **cenuşiu**	două paltoane **cenuşii**
	*(a **grey** coat)*	*(two **grey** coats)*

- masculine or neuter adjectives at the singular with the ending '**-esc**' and the feminine ones with the ending '**-ească** ' take over the ending '**-eşti**' at the plural, in all the three genders:

> **e.g.** 'bărbătesc' *(male, man's…)*

	Singular	**Plural**
masculine	un pantof **românesc**	doi pantofi român**eşti**
	(a Romanian shoe)	*(two Romanian shoes)*
neuter	un drapel român**esc**	două drapele român**eşti**
	(a Romanian flag)	*(two Romanian flags)*
feminine	o medalie român**ească**	două medalii român**eşti**
	(a Romanian medal)	*(two Romanian medals)*

2) The adjective's form at feminine singular is identical the one at feminine plural.
The adjectives specific to this category are those ending in '-**tor**' at masculine gender.

> **e.g.** 'uimitor' *(amazing)*; 'silitor' *(hard-working)* ; 'folositor' *(useful)*

	Singular	**Plural**
masculine	un actor **uimitor**	doi actori **uimitori**
	*(an **amazing** actor)*	*(two **amazing** actors)*
neuter	un lucru **uimitor**	două lucruri **uimitoare**
	*(an **amazing** thing)*	*(two **amazing** things)*
feminine	o carte **uimitoare**	două cărţi **uimitoare**
	*(an **amazing** book)*	*(two **amazing** books)*

II. The adjectives ending in '-**c**' and '-**g**' at masculine, singular, add the vowel '-**i**' to the ending in order to form their plural. The final pronunciation becomes: [dʒ] for the ending '-**gi**' and [tʃ] for the ones ending in '-**ci**'.

> **e.g.** 'lung' – lungi ; 'adânc' – adânci

c) The Two-Form Adjectives / Adjectivele cu două forme

The adjectives of this category have the following endings:
masculine, neuter, feminine (singular) ⟶ ending 'e'
masculine, neuter, feminine (plural) ⟶ ending 'i'

e.g. **subțire/subțiri** (thin); **rece/reci** (cold); **veche/vechi** (old); **iute/iuți** (hot/spicy)

	Singular	*Plural*
masculine	un cartof dulce	doi cartofi dulci
	(a sweet potato)	*(two sweet potatoes)*
neuter	un măr dulce	două mere dulci
	(a sweet apple)	*(two sweet apples)*
feminine	o cafea dulce	două cafele dulci
	(a sweet coffee)	*(two sweet coffees)*

The Degrees of Comparison / Gradele de comparație

The Comparative of Superiority (Comparativul de superioritate) In English this comparative is formed in accordance with the number of syllables the adjective is made up of. In Romanian a single rule applies, irrespective of the adjective's number of syllables:

'mai' + **adjectiv** + 'decât'
↓ ↓ ↓
more *interesting* *than*
↓ ↓ ↓
mai interesant **decât**
interesantă
interesanți
interesante

Cartea este **mai interesantă decât** filmul. / *The book is **more interesting than** the film.*

better **mai bun / bună / buni / bune**

Acest produs este **mai bun** decât acela. / *This product is **better** than that one.*

taller / higher **mai înalt / înaltă / înalți / înalte**

Tom este **mai înalt** decât Ion. / *Tom is **taller** than John.*

The Comparative of Equality (Comparativul de egalitate) is formed by:

'tot atât de' + adjectiv + 'ca și'
or:
'la fel de' + adjectiv + 'ca și',
↓ ↓ ↓
as *interesting* *as*
tot atât de interesant **ca și**

as good as **tot atât de** bun **ca și**
as tall / high as **tot atât de** înalt **ca și**

The Comparative of Inferiority (Comparativul de inferioritate) has the same form for all adjectives:

$$\begin{array}{ccccc}
\text{mai puțin} & + & \text{adjectiv} & + & \text{decât} \\
\downarrow & & \downarrow & & \downarrow \\
\textbf{\textit{less}} & + & \textit{interesting} & + & \textbf{\textit{than}} \\
\downarrow & & \downarrow & & \downarrow \\
\textbf{mai puțin} & & \text{interesant} & & \textbf{decât}
\end{array}$$

The Superlative (Superlativul) is also formed irrespective of the adjective's number of syllables:

Singular		Plural	
Masculine / Neuter	Feminine	Masculine	Feminine / Neuter
cel mai + adjectiv **'cel mai interesant'** (the most interesting) *cel mai puțin* + adjectiv **'cel mai puțin dotat'** (the least gifted)	*cel mai* + adjectiv **'cea mai interesantă'** *cea mai puțin* + adjectiv **'cea mai puțin dotată'**	*cei mai* + adjectiv **'cei mai interesanți'** *cei mai puțin* + adjectiv **'cei mai puțin dotați'**	*cele mai* + adjectiv **'cele mai interesante'** *cele mai puțin* + adjectiv **'cele mai puțin dotate'**

Aceasta este cea mai interesantă revistă. / This is the most interesting review.

TASK 6 — Make up a menu using the vocabulary below.
(Alcătuiți un meniu utilizând vocabularul de mai jos.)

a) Azi, la prânz, vreau să mănânc: ca aperitiv ....
....;
apoi ....;
ca desert aș dori să mănânc ....
Aș vrea să beau ....
Mulțumesc!

b) Mâine iau masa cu soția în oraș și vrem să mâncăm: ca aperitiv ....
....;
apoi ....;
ca desert am dori să mâncăm .... ;
am vrea să bem.. .

c) Copiii ar vrea să mănânce: mai întâi ....
....;
apoi ....;
ca desert ar vrea ....
și ar vrea să bea ....

Aperitive
(Hors d'oeuvres/Starter)

- brânză — *cheese*
- cașcaval — *pressed cheese*
- șvaițer — *Swiss cheese*
- icre negre — *caviar*
- chifteluțe — *minced-meat balls*
- măsline — *olives*
- pește cu maioneză — *boiled fish with mayonnaise*
- pârjoale din carne de pasăre — *chicken croquettes*
- piftie — *meat jelly*
- salam — *salami*
- șuncă — *ham*
- ou fiert — *boiled egg*
- ouă jumări — *scrambled eggs*
- ochiuri — *fried eggs*
- ochiuri românești — *poached eggs*
- ou fiert moale — *soft-boiled egg*
- ou fiert tare — *hard-boiled egg*
- omletă — *omlette*
- omletă cu șuncă — *ham and eggs*

Supe
(Soups)

- borș — *bortsch*
- ciorbă — *sour soup*
- ciorbă de cartofi — *potato soup*
- ciorbă de perișoare — *soup with meat balls*
- ciorbă de pește — *fish soup*
- supă de carne — *broth / gravy soup*
- supă cu fidea — *vermicelli soup*
- supă de găină — *chicken soup / broth*
- supă cu găluști — *dumpling soup*
- supă de legume — *vegetable soup*
- supă de roșii — *tomato soup*
- supă de mazăre — *pea soup*
- supă cu tăiței — *noodle soup*
- supă de țelină — *celery soup*

Mâncăruri de carne și legume
(Meat and vegetable dishes)

- biftec — *beefsteak*
- carne rasol — *boiled meat*
- creier pane — *dish of breaded brains*
- curcan — *turkey*
- ficat — *liver*
- gâscă — *goose*
- limbă — *tongue*
- ciulama cu ciuperci — *mushrooms cooked in white sauce*
- ciulama de pui — *chicken in white sauce*
- pește — *fish*
- piept / garf de porc — *brisket*
- pilaf — *pilaff*
- rață — *duck*
- sfeclă roșie — *beetroot*
- soté de morcovi — *tossed carrots*
- soté de rinichi — *saute kidneys*
- șnițel — *schnitzel*
- șnițel de vițel — *scallop of veal*

Pește și fripturi
(Fish and roast meat)

- batog afumat — *smoked haddock*
- crabi — *crabs*
- homar — *lobster*
- homar cu orez — *lobster with rice*
- pește la grătar — *grilled fish*
- pește prăjit — *fried fish*
- pește rasol — *boiled fish*
- raci — *crawfish*
- ton — *tunny fish*
- stridii — *oysters*
- păstrăv — *trout*
- somon — *salmon*
- antricot — *steak*

Salate – garnituri
(Salads – garnish)

- salată boeuf — *cold meat salad*
- salată de andive — *endive salad*
- salată de conopidă — *cauliflower salad*
- salată verde (cu roșii) — *lettuce (and tomato) salad*
- salată orientală — *oriental salad*
- salată de vinete — *egg-plant salad*
- ardei gras — *green pepper*
- ardei iute — *hot pepper*
- bulion de roșii — *tomato sauce*
- cartofi fierți — *boiled potatoes*
- cartofi pai — *chopped potatoes*
- cartofi piuré — *mashed potatoes*
- cartofi prăjiți — *fried potatoes*

Desert și băuturi
(Dessert and drinks)

- budincă — *pudding*
- cafea neagră — *black coff*
- clătite cu brânză — *cheese pancakes*
- clătite cu dulceață — *jam pancakes*
- compot — *stewed fruit*
- biscuiți — *biscuits*
- brioșă — *muffin*
- dulceață — *jam*
- gogoși — *dough-nuts*
- înghețată — *ice-cream*
- pandișpan — *sponge cake*
- pateu/plăcintă — *pie*
- pișcot — *sweet biscuit*

• cârnaţi	*sausages*	• castraveţi muraţi	*pickled cucumbers*	• prăjitură	*cake*	
• cotlet				• tort	*(fancy) cake*	
– de berbec	*mutton chop*	• fasole verde	*green beans*	• băuturi alcoolice	*strong / alcoholic drinks*	
– de miel	*lamb cutlet*	• ghiveci	*hotchpotch*	• răcoritoare	*soft drinks*	
– de viţel	*veal cutlet*	• gogoşari	*red peppers*	• bere blondă	*(pale) ale*	
– de porc	*pork cutlet*	• legume	*vegetables*	• bere neagră	*stout*	
• friptură		• mazăre verde	*green peas*	• bere nealcoolică	*ginger ale / beer*	
– de gâscă	*roast goose*	• murături	*pickles*			
– de pui	*roast chicken*	• orez	*rice*	• vin	*wine*	
– de porc	*roast pork*	• sos de carne	*gravy*			
– de vacă	*roast beef*	• sosuri şi condimente	*dressings and spices*	• tacâm	*cover, table linen*	
– de viţel	*roast veal*	• spanac	*spinach*	• cuţit	*knife*	
• bucată	*piece*	• suc de roşii	*tomato juice*	• furculiţă	*fork*	
• bucăţică	*bit*	• varză acr	*sauerkraut*	• lingură	*spoon*	
• bucătar	*cook*	• varză de Bruxelles	*Brussels sprouts*	• linguriţă	*teaspoon*	
• cârciumă	*pub, tavern*			• farfurie întinsă	*plate*	
• han	*inn*	• varză roşie	*red cabbage*	• farfurie adâncă	*soup plate*	
• hangiu	*innkeeper*			• farfurioară	*dessert plate, saucer*	
• faţă de masă	*table cloth*			• listă de băuturi	*wine-list*	
• chelner	*waiter*					
• chelneriţă	*waitress*					

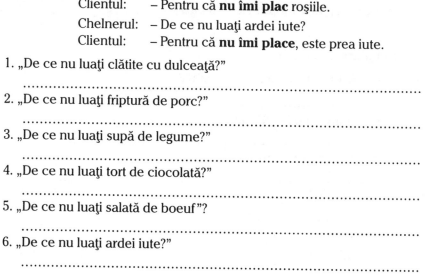

TASK 7	Refuse the following courses and give the reasons for doing it. *(Refuzaţi următoarele feluri de mâncare, menţionând motivele pentru care nu vă plac.)*

Use: 'Nu îmi place ...' (+ *nouns in the singular*)
'Nu îmi plac ...' (+ *nouns in the plural*)

Model:

Chelnerul – De ce nu luaţi supa de roşii?
Clientul: – Pentru că **nu îmi plac** roşiile.
Chelnerul: – De ce nu luaţi ardei iute?
Clientul: – Pentru că **nu îmi place**, este prea iute.

1. „De ce nu luaţi clătite cu dulceaţă?"

....

2. „De ce nu luaţi friptură de porc?"

....

3. „De ce nu luaţi supă de legume?"

....

4. „De ce nu luaţi tort de ciocolată?"

....

5. „De ce nu luaţi salată de boeuf"?

....

6. „De ce nu luaţi ardei iute?"

....

Topics for Conversation
(Subiecte de conversație)

Speaking about food
(Cum este mâncarea)

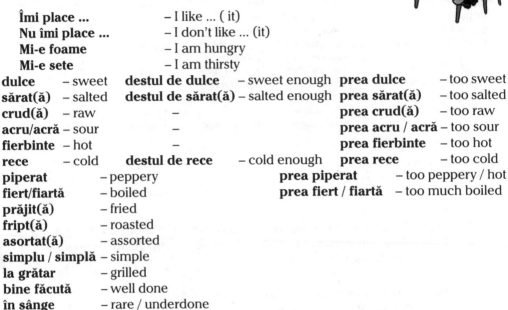

Îmi place ...	– I like ... (it)
Nu îmi place ...	– I don't like ... (it)
Mi-e foame	– I am hungry
Mi-e sete	– I am thirsty

dulce	– sweet	**destul de dulce**	– sweet enough	**prea dulce**	– too sweet
sărat(ă)	– salted	**destul de sărat(ă)**	– salted enough	**prea sărat(ă)**	– too salted
crud(ă)	– raw	–		**prea crud(ă)**	– too raw
acru/acră	– sour	–		**prea acru / acră**	– too sour
fierbinte	– hot	–		**prea fierbinte**	– too hot
rece	– cold	**destul de rece**	– cold enough	**prea rece**	– too cold
piperat	– peppery			**prea piperat**	– too peppery / hot
fiert/fiartă	– boiled			**prea fiert / fiartă**	– too much boiled
prăjit(ă)	– fried				
fript(ă)	– roasted				
asortat(ă)	– assorted				
simplu / simplă	– simple				
la grătar	– grilled				
bine făcută	– well done				
în sânge	– rare / underdone				

TASK 8   Answer the following questions.
(Răspundeți la următoarele întrebări.)

Model: **Îți place** brânza sau cașcavalul?
       Îmi place cașcavalul.

1. Cum îți place cafeaua: cu zahăr sau fără zahăr?

....

2. Cum îți place friptura: bine făcută sau în sânge?

....

3. Îți place să bei sucuri răcoritoare sau apă minerală?

....

4. Îți place berea sau vinul?

....

5. Îți place vinul alb sau vinul roșu?

....

6. Ți-e foame sau ți-e sete?

....

Task 9 Give the comparative of inferiority of the following adjectives.
(Menţionaţi care sunt comparativele de inferioritate ale următoarelor adjective.)

1. rece *(cold)* ....
2. mic *(little / small)* ....
3. rapid *(quick / rapid)* ....
4. înaltă *(high / tall)* ....
5. nefericiţi *(unhappy)* ....
6. exigent *(demanding)* ....

Task 10 Give the comparative of superiority of the following adjectives.
(Menţionaţi care sunt comparativele de superioritate ale următoarelor adjective.)

1. leneş *(lazy / idle)* ....
2. mare *(big / large)* ....
3. priceput *(skilled)* ....
4. rea *(bad)* ....
5. urât *(ugly)* ....
6. plictisitori *(boring)* ....

Task 11 Give the comparative of equality of the following adjectives.
(Menţionaţi care sunt comparativele de egalitate ale următoarelor adjective.)

1. mulţi *(many)* ....
2. important *(important)* ....
3. ieftin *(cheap)* ....
4. scump *(expensive)* ....
5. tânără *(young)* ....
6. neîndemânatici *(clumsy)* ....

Task 12 Fill in the blanks.
(Completaţi spaţiile libere.)

1. Aceasta este .... ofertă. *(the best)*
2. Cine este .... ? Fiul sau fiica dumneavoastră? *(taller)*
3. Ce îngheţată îţi place .... ? *(the most)*
4. Cine este .... ? Tatăl sau mama ta? *(older)*
5. Care este ziua .... ? *(the longest)*
6. Care este ziua .... ? *(the shortest)*

TASK 13 Build up sentences using the Subjunctive Mood. The elements in the table below will help you.

(Alcătuiți propoziții utilizând modul conjunctiv. Elementele oferite în tabelul de mai jos vă vor fi de folos.)

Subiect (Subject)	Conjunctiv (Subjunctive)	Substantiv (Noun)	Adjectiv (Adjective)
Tu	a bea	un vin	roşu
Secretara	a avea	un computer	nou
Noi	a merge	la un restaurant	luxos
Soţia mea	a citi	o carte	bună
Eu	a lucra	la o companie	renumită
Clienţii	a mânca	o salată	delicioasă
Ospătarul	a avea	nişte clienţi	bogaţi
Directorul	a ţine	un discurs	scurt
Mihai	a (nu) urca	într-un autobuz	aglomerat
Fiul meu	a bea	o coca-cola	rece

Model: Tu vrei să bei un vin roşu.

1. ....
2. ....
3. ....
4. ....
5. ....
6. ....
7. ....
8. ....
9. ....
10. ....

TASK 14 Answer the questions using the following pattern.
(Răspundeţi la următoarele întrebări, conform modelului.)

Model: Ce vin îţi place **cel mai mult?** *(What wine do you like best?)*
Cel mai mult îmi place vinul alb.

1. Ce peşte îţi place cel mai mult?

....

2. Ce aperitiv îţi place cel mai mult?

....

3. Ce supă îţi place cel mai mult?

....

4. Ce desert îţi place cel mai mult?

....

5. Ce clătite îţi plac cel mai mult?

   ....

6. Ce bere îţi place cel mai mult?

   ....

TASK 15 Make up sentences combining the words from the columns below, using the Subjunctive Mood and the given adjectives.
(Alcătuiţi propoziţii combinând cuvintele din coloanele de mai jos, utilizând conjunctivul şi adjectivele propuse.)

Subiect (Subject)	Conjunctiv (Subjunctive)	Substantiv (Noun)	Adjective (Adjective)
Tu	a citi	nişte clienţi	rece
Secretara	a lucra	un vin	nou
Noi	a merge	la un restaurant	bogaţi
Soţia mea	a bea	o carte	aglomerat
Eu	a bea	o salată	renumită
Clienţii	a mânca	un computer	delicioasă
Ospătarul	a ţine	la o companie	luxos
Directorul	a avea	o coca-cola	scurt
Mihai	a (nu) urca	într-un autobuz	bună
Fiul meu	a avea	un discurs	roşu

1. ....
2. ....
3. ....
4. ....
5. ....
6. ....
7. ....
8. ....
9. ....
10. ....

TASK 16 Tick the corresponding form of the adjective.
(Bifaţi forma corespunzătoare a adjectivului .)

roşii	copt / coaptă / copţi / coapte
castraveţi	murat / murată / muraţi / murate
ouă	fiert / fiartă / fierţi / fierte
fructe	acru / acră / acri / acre
mâncare	proaspăt / proaspătă / proaspeţi / proaspete
femei	tânăr / tânără / tineri / tinere
copil	fericit / fericită / fericiţi / fericite
îngheţate	dulce / dulci
pepene	mic / mici

TÁSK 17 Combine the adjectives and the corresponding nouns, in terms of the meaning, number and gender.
(Combinaţi adjectivele cu substantivele corespunzătoare, în funcţie de sens, număr şi gen.)

(cold)	reci	pereţi	*(walls)*
(large)	spaţios	dormitor	*(bed-room)*
(big)	mare	cămăşi	*(shirts)*
(warm)	caldă	femeie	*(woman)*
(clean)	curate	popor	*(people)*
(white)	albi	camere	*(rooms)*
(color)	colorată	carte	*(book)*
(good)	bune	alune	*(pea-nuts)*
(hospitable)	ospitalier	pahar	*(glass)*
(long)	lung	păr	(hair)
(beautiful)	frumoasă	apă	(water)

Let's revise ... / Să recapitulăm ...

crud(ă); peşte cu maioneză; acru / acră; farfurie adâncă; fierbinte; rece; româneşti; piperat; fiert / fiartă; prăjit(ă); fript(ă); asortat(ă); simplu / simplă; la grătar; în sânge; ou crud; bulion de roşii; cartofi fierţi; linguriţă; cartofi pai; salam; omletă cu şuncă; cartofi piure; farfurioară; cartofi prăjiţi; castraveţi muraţi; fasole verde; ghiveci; gogoşari; legume; ton; stridii; păstrăv; somon; antricot; cârnaţi; cotlet de berbec; cotlet de viţel; friptură de gâscă; friptură de pui; friptură de porc; tacâm; cuţit; furculiţă; lingură; farfurie întinsă; brânză; caşcaval; şvaiţer; icre negre; chifteluţe; măsline; pârjoale din carne de pasăre; piftie; şuncă; ou fiert; ouă jumări; ochiuri; ou fiert moale; ou fiert tare; omletă.

TASK 18 Try the following crossword.
(Rezolvaţi următorul careu.)

Across *(Orizontal):*
1. lettuce *(two words)*
2. turkey
3. chicken
4. peas
5. endive
6. cheese pancakes *(three words)*
7. green beans *(two words)*
8. pie
9. ice-cream
10. boiled egg *(two words)*
11. lobster
12. fish

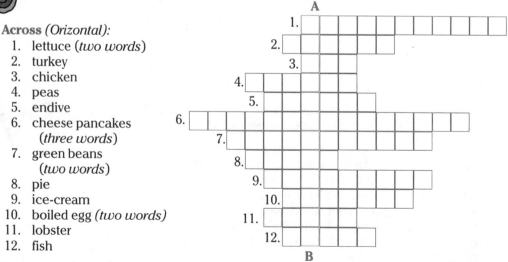

Down – *from* A *to* B *(Vertical):* vegetable soup *(three words)*

Lesson Seven / Lecția șapte

Topics for Conversation
(Subiecte de conversație)

A Phone Call
(O convorbire telefonică)

Task 1 Read the following text and listen to the CD.
(Citiți următorul text și ascultați CD-ul.)

A: Alo? Bună ziua. Aș vrea să vorbesc cu domnul Stănescu, vă rog.

B: Cine este la telefon?

A: Alexandru Ionescu la telefon.

B: Un moment, vă rog. Domnule Stănescu, vă caută cineva la telefon.

C: Alo?

A: Bună ziua, domnule Stănescu. Ionescu la telefon. Puteți să mă primiți astăzi? Am o problemă urgentă de discutat cu dumneavoastră.

C: Nu știu … Nu cred, dar așteptați un moment, vă rog. Vreau să văd ce program am astăzi … Da … Cred că aș avea puțin timp pe la ora 13:30. Da, exact! La ora 13:30. Dar nu mai târziu, fiindcă am o întâlnire de afaceri la ora 14:00. Vă aștept. Sper că este ceva urgent!

A: Este foarte urgent, vă asigur! Mulțumesc, voi fi acolo la ora 13:30. La revedere.

C: La revedere.

Vocabulary / Vocabular

telefon	telephone
telefon mobil	mobile telephone
interior	extension
abonat	telephone subscriber
abonament telefonic	telephone subscription
taxa de abonament	subscription charge
convorbiri / taxe adiționale	addition al calls / charge
centrală telefonică	switchboard/telephone exchange
cabină telefonică	call box; telephone booth/box
convorbire telefonică	call
convorbire locală	local call
convorbire interurbană	long distance call
convorbire cu taxă inversă	transferred charge
prefix	code number
ton	tone

Informații	Inquiries
Carte de telefon	Telephone Directory
Deranjamente	Maintenance Department
Servicii telefonice	Call Services
receptor	receiver
furcă	cradle; hook
fir	line
centralistă	operator
factură telefonică	phone bill

Phrases / Expresii

a face legătura	to put through
a ridica receptorul	to pick up the receiver
a ține receptorul ridicat	to leave the receiver off the hook
a pune receptorul în furcă	to hang up the receiver
a lăsa[1] un mesaj	to leave / convey a message
a da un telefon	to make a phone call; to ring up; to call (up)
a suna	to ring up/ call
a suna mai târziu	to ring back
a greși numărul	to get the wrong number
a forma numărul	to dial
Firul este ocupat.	The line is busy.
Firul este liber.	The line is free.
Cine este la telefon?	Who is that speaking?
Alexandru Ionescu la telefon.	This is Alexandru Ionescu speaking.
Telefonul este defect / deranjat.	The phone is out of order.

Grammar session (Gramatică)

The Definite Article
(Articolul hotărât)

Unlike the English nouns, Romanian nouns have a gender mark: they are masculine, feminine or neuter. Male animals and people are masculine, while female ones are feminine. We should also consider the 'neuter' nouns, which are a 'mixture' of the two. They are some objects or concepts and the choice of the gender is arbitrary; generally, in the singular form they take the masculine article, while in the plural form they take the feminine article..

---

[1] Irregular verb. Study the conjugation below:

Singular	Plural
Eu **las**	Noi **lăsăm**
Tu **lași**	Voi **lăsați**
El / ea **lasă**	Ei **lasă**

The **Definite Article** is used to make references to **specific** objects, likes, dislikes, preferences, abstract ideas, concepts, geographical names (mountains, towns, continents, countries, rivers, lakes), companies' names, names of institutions, cinemas, theatres, streets, names of seasons, languages, titles, family relationships, etc.

Forms. Study the table below containing the forms of the Definite Article, in the Nominative Case :

Number	Masculine	Neuter	Feminine
Singular	-(u)l ; -le directorul; peretele; raportul		-(u)a ziua; seara
Plural	-ul, -le, -i directorii; pereții	-le rapoartele; zilele; serile	

The singular form / Forma de singular

a) The articles '-(u)l' and '-le' are attached to the **masculine** and **neuter** nouns.
The nouns ending in a **consonant** and '-i' take '-(u)l'; however, you should remember that 'u' is only a connecting vowel;

         un raport *(a report* – indefinite article)   –   raportul *(the report)*
         un director *(a director)*   –   directorul *(the director)*
         un scaun *(a chair)*   –   scaunul *(the chair)*
         un tramvai *(a tramway)*   –   tramvaiul *(the tramway)*

The article '-l' is attached to the nouns ending in '-u':
         un panou *(a panel)*   –   panoul *(the panel)*
         un tablou *(a painting)*   –   tabloul *(the painting)*
         un birou *(an office)*   –   biroul *(the office)*
         un cadou *(a present)*   –   cadoul *(the present)*
         un cadru *(a frame)*   –   cadrul *(the frame)*

The article '-le' is added to the nouns ending in '-e':
         un perete *(a wall)*   –   peretele *(the wall)*
         un frate *(a brother)*   –   fratele *(the brother)*

b) The article '-(u)a' is added to the **feminine** nouns ('u' is only a connecting vowel):
The ending '-ua' is used with nouns ending in a stressed vowel:
         o canapea *(a sofa)*   –   canapeaua *(the sofa)*
         o zi *(a day)*   –   ziua *(the day)*
         o lalea *(a tulip)*   –   laleaua *(the tulip)*
         o saltea *(a matress)*   –   salteaua *(the matress)*

The ending '-a' is specific to the nouns ending in '**e**' or '**ă**':
         o floare *(a flower)*   –   floarea *(the flower)*
         o secretară *(a secretary)*   –   secretara *(the secretara)*
         o baie *(a bath)*   –   baia [*the bath(-room)*]
         o mamă *(a mother)*   –   mama *(the mother)*

The plural form / Forma de plural

a) The masculine nouns take the ending '-i', which means that they end in '**double i**' as these nouns already had one 'i' at the indefinite form:
         niște directori *(some directors)*   –   directorii *(the directors)*

niște soți *(some husbands)*   – soții *(the husbands)*
niște bărbați *(some men)*   – bărbații *(the men)*
niște tați *(some fathers)*   – tații *(the fathers)*
niște fotbaliști *(some football players)*   – fotbaliștii *(the football players)*

b) The neuter and feminine nouns end in '**-le**':

niște tablouri *(some paintings)*   – tablourile *(the paintings)*
niște birouri *(some offices)*   – birourile *(the offices)*
niște cadouri *(some presents)*   – cadourile *(the presents)*
niște flori *(some flowers)*   – florile *(the flowers)*
niște secretare *(some secretaries)*   – secretarele *(the secretaries)*
niște zile *(some days)*   – zilele *(the days)*
niște camere *(some rooms)*   – camerele *(the rooms)*

TASK 2   Add the definite articles to the following nouns:
(Adăugați articolul hotărât următoarelor substantive:)

1. convorbire ....   8. ton   ....
2. telefon ....   9. taxă   ....
3. prefix ....   10. factură   ....
4. carte ....   11. centralistă   ....
5. fir ....   12. receptor   ....
6. abonat ....   13. abonament   ....
7. informații ....   14. interior   ....

TASK 3   Give the definite articles to the nouns in brackets.
(Articulați hotărât substantivele din paranteză.)

1. (Un abonat) .... plătește[1] (o factură) .... telefonică.
2. Cât costă (un abonament) .... telefonic?
3. (O centrală) .... telefonică este la parter.
4. (O centralistă) .... răspunde la telefon.
5. Acesta este (un prefix) .... pentru București.
6. (Un telefon) .... mobil este util[2].
7. Care este (un număr) .... de telefon la (o centrală) ....
Companiei „Carpați"?
8. (Un director) .... conduce această companie de un an.
9. Unde este amplasată (o companie) .... „Carpați"?
10. Care este (un nume) .... lui de familie?

---

[1] a plăti – to pay:

Singular	Plural
Eu **plătesc**	Noi **plătim**
Tu **plătești**	Voi **plătiți**
El/ea **plătește**	Ei **plătesc**

[2] util – useful

TASK 4	Turn the following sentences into the plural:
	(Treceți următoarele propoziții la plural:)

Model: Cartea este pe birou.   **Cărțile sunt pe birou.**

1. O secretară vorbește la telefon. ....

2. Un bărbat vorbește cu fiul meu. ....

3. În vază este o lalea. ....

4. Lângă dulap este cadoul meu. ....

5. Tabloul este pe perete. ....

6. În stație este un tramvai. ....

7. Un pachet de țigări este în buzunar. ....

8. O ciocolată este în sacoșă. ....

9. Ciorchinele de struguri este pe farfurie. ....

10. O pereche de ochelari este pe masă. ....

Grammar Session (Gramatică)

Expressing Future Time
(Exprimarea viitorului)

Future Tense Simple / Viitorul simplu

It is the most familiar way of expressing future in Romanian. It is made up of an auxiliary corresponding to each person and the infinitive form of the notional verb.
The adverbs of time associated to this structure are the following:

mâine	– tomorrow
poimâine	– the day after tomorrow
(în) curând	– soon
foarte curând	– very soon
cât de curând	– as soon as possible
data viitoare	– next time
săptămâna viitoare	– next week (**săptămânile viitoare** – next weeks / the following weeks[1])
luna viitoare	– next month (**lunile viitoare** – next / the following months[2])
anul viitor	– next year (**anii viitori** – next / the following years[3])
la anul	– next year / the following year
secolul viitor	– next century / the following century
sâmbăta viitoare	– next Saturday / the following Saturday
week-end-ul viitor	– next week-end / the following week-end

[1,2,3] In Romanian, these adverbs do not change when used in the Indirect Speech. Compare: Îl văd **săptămâna viitoare**. Mi-a spus că-l vede **săptămâna viitoare**.

TASK 5   Study the following table and the examples below.
          (Studiaţi următorul tabel şi exemplele de mai jos.)

Future Tense Simple / Viitorul simplu

Pronoun	Auxiliary	
Eu	voi	
Tu	vei	
El / Ea	va	+ *The Short Infinitive*
Noi	vom	*of the Notional Verb*
Voi	veţi	
Ei / Ele	vor	

TASK 6   Fill in the following sentences with the appropriate auxiliary and translate them into English. Use the table below.
          (Completaţi spaţiile libere cu auxiliarul corespunzător şi apoi traduceţi în limba engleză. Utilizaţi tabelul de mai jos.)

Romanian Infinitive	English Infinitive	Romanian Infinitive	English Infinitive
a afla	*to find out / learn*	a mânca	*to eat*
a alerga	*to run*	a merge	*to go*
a amâna	*to postpone*	a mulţumi	*to thank*
a aştepta	*to wait*	a munci	*to work*
a avea	*to have*	a petrece	*to spend*
a citi	*to read*	a pleca	*to leave*
a coborî	*to get off*	a povesti	*to narrate / to tell*
a conduce	*to drive / lead / rule*	a putea	*to be able to*
a cumpăra	*to buy*	a răspunde	*to answer*
a da	*to give*	a repara	*to repair*
a discuta	*to discuss*	a revendica	*to claim*
a dormi	*to sleep*	a rezolva	*to solve*
a explica	*to explain*	a scrie	*to write*
a face	*to do / to make*	a solicita	*to require / demand*
a fi	*to b*	a sta	*to stay*
a fugi	*to run*	a studia	*to study*
a gândi	*to think*	a urî	*to hate*
a glumi	*to joke*	a vedea	*to see*
a hotărî	*to decide*	a veni	*to come*
a întreba / a cere	*to ask*	a verifica	*to check up*
a lua	*to take*	a vizita	*to visit / call on smb*
a lucra	*to work*	a vorbi	*to talk / speak*

1. El ………… avea o şedinţă mâine la ora 15:30.

2. Soţia mea nu ………… vizita Muzeul de Istorie în această după-amiază.

3. Andrei ………… repara calculatorul cât de curând.

4. Noi nu .... merge la munte în week-end-ul viitor.

5. Cred că (eu) .... cumpăra bilete la Sinaia sau la Poiana Braşov.

6. Dacă (el) .... avea timp, ... citi ziarul în după-amiaza aceasta.

7. Unde .... petrece (voi) vacanţa de iarnă? În România sau în Norvegia?

8. Mâine (eu) .... cumpăra un pachet de zahăr şi un kilogram de cartofi.

9. Când .... studia limba română soţia dumneavoastră?

10. Dacă ei .... amâna iar şedinţa, noi nu .... mai veni.

11. Când .... coborî (voi) din autobuz?

12. Dl. Georgescu nu .... lucra la acest proiect de investiţii.

13. Ce .... face (el) duminica aceasta?

14. Eu .... studia această problemă săptămâna viitoare.

15. Unde .... petrece (noi) concediul anul viitor?

16. Ce .... cumpăra (voi) de la acest magazin?

17. Când .... repara (el) televizorul?

18. Când .... pleca trenul?

19. Când .... vizita (tu) Muzeul de Istorie?

20. Când .... merge (voi) la teatru?

21. Cine .... conduce maşina?

22. Cine .... explica această problemă?

23. Când .... putea soţia ta să conducă maşina?

24. Noi .... mulţumi pentru ajutor părinţilor noştri.

25. Cine .... fi la aeroport?

TASK 7 Fill in the blanks with the corresponding personal pronouns.
(Completaţi spaţiile libere cu pronumele personale corespunzătoare.)

Model: El *va munci duminică toată ziua.*

1. .... va munci duminică toată ziua.

2. .... vom vedea un film mâine după-amiază.

3. Când va rezolva .... problema?

4. .... voi merge la Sinaia în week-end-ul viitor.

5. .... veţi învăţa timpul viitor în curând.

6. Nu cred că .... vom sta toată ziua la aeroport.

7. .... vei vedea care este adevărul.

8. .... voi veni la timp la birou.

Task 8

Turn the following verbs into future tense and add the appropriate adverbs of time, or change the given ones according to the meaning.
(Treceţi verbele de la prezent la timpul viitor şi adăugaţi / transformaţi adverbele de timp corespunzătoare.)

Model: Aştept un telefon acum.   **Voi aştepta un telefon mâine.**

1. Aştept un telefon acum.

....

2. Voi hotărâţi programul.

....

3. Ştiu ce gândiţi acum.

....

4. La 16:00 mergem la cinematograf.

....

5. Facem un plan acum.

....

6. Totul merge bine.

....

7. Aşteaptă autobuzul.

....

8. Nu, nu aştept pe nimeni acum.

....

9. Da, astăzi facem planuri de vacanţă.

....

10. Hotărâm plecarea acum.

....

11. Citesc ziarul în fiecare dimineaţă, înainte de micul dejun.

....

12. Nu vedem pe nimeni pe stradă.

....

13. Vin de la teatru.

....

14. Lucrez cu Dan Ionescu la proiectul de investiţii.

....

15. De obicei iau prânzul la ora 15:00.

....

16. Merg în Norvegia luna asta.

  ....

17. Mihai aleargă în fiecare dimineaţă.

  ....

18. Citesc ziarul „Libertatea" în fiecare după amiază.

  ....

19. Luna aceasta merge la birou cu metroul.

  ....

20. Directorul nu merge cu metroul.

  ....

21. Nu merg la teatru acum.

  ....

22. Citeşti ziarul seara?

  ....

Task 9	Write about your plans for the week-end. Build up sentences using verbs and nouns given below. *(Scrieţi despre planurile voastre de week-end. Alcătuiţi propoziţii utilizând verbele şi substantivele de mai jos.)*

Verbs:

a pleca; a petrece; a sta; a vizita; a citi; a juca[1]; a dormi; a vedea; a conduce; a vorbi; a munci; a cumpăra; a studia.

Nouns:

munte; maşină / tren / avion / autocar; week-end; hotel / cabană[2]; muzeu; carte / ziar; tenis / fotbal / cărţi / biliard[3]; film.

....
....
....
....
....
....
....
....
....

[1] a juca – to play
[2] cabană – chalet
[3] tenis – tennis; fotbal – football; cărţi – cards; biliard – billiards

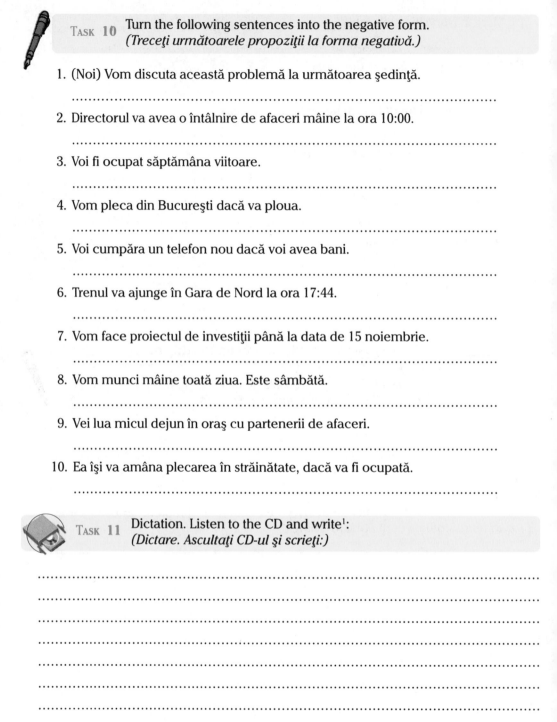

Task 10 Turn the following sentences into the negative form.
(Treceţi următoarele propoziţii la forma negativă.)

1. (Noi) Vom discuta această problemă la următoarea şedinţă.

....

2. Directorul va avea o întâlnire de afaceri mâine la ora 10:00.

....

3. Voi fi ocupat săptămâna viitoare.

....

4. Vom pleca din Bucureşti dacă va ploua.

....

5. Voi cumpăra un telefon nou dacă voi avea bani.

....

6. Trenul va ajunge în Gara de Nord la ora 17:44.

....

7. Vom face proiectul de investiţii până la data de 15 noiembrie.

....

8. Vom munci mâine toată ziua. Este sâmbătă.

....

9. Vei lua micul dejun în oraş cu partenerii de afaceri.

....

10. Ea îşi va amâna plecarea în străinătate, dacă va fi ocupată.

....

Task 11 Dictation. Listen to the CD and write[1]:
(Dictare. Ascultaţi CD-ul şi scrieţi:)

....
....
....
....
....
....
....
....

---

[1] See the written version in the key.

prefix	.........................;	fir	.........................;
centralistă	.........................;	factură telefonică	.........................;
abonament telefonic	.........................;	deoarece	.........................;
Informaţii	.........................;	receptor	.........................;
convorbire telefonică	.........................;	abonat telefonic	.........................;
abonament telefonic	.........................;	tabloul	.........................;
un scaun	.........................;	o floare	.........................;
fotbalişti	.........................;	camerele	....

TASK 12   Try the following crossword:
(Rezolvaţi următorul careu:)

Across (*Orizontal*):
1. chair
2. code number
3. female operator
4. the day after tomorrow
5. Maintenance Department
6. future
7. paintings
8. the flower
9. the women

Down – *from* **A** *to* **B** (*Vertical*): (the) next week (*two words*)

Lesson Eight / Lecția opt

Topics for Conversation
(Subiecte de conversație)
My Office
(Biroul meu)

TASK 1 Listen to the CD and then repeat.
(Ascultați CD-ul și apoi repetați.)

Secretara: Astăzi trebuie să întocmim o listă cu materialele consumabile. Ce materiale trebuie să comand pentru dvs.?
Directorul: Cred că am nevoie de un capsator, un perforator, dosare din plastic și ...
Secretara: De câte dosare aveți nevoie?
Directorul: Cred că douăzeci sunt suficiente.
Secretara: Da, vă ascult ...
Directorul: Apoi, bineînțeles, o cutie de capse, o cutie de agrafe de birou, hârtie pentru imprimantă și pentru copiator. Ah, să nu uit, aș vrea desigur și câteva creioane, pixuri colorate, precum și un set de markere pentru tablă.
Secretara: Altceva ...?
Directorul: Să mă gândesc ... Da, cred că ar mai trebui și un filtru pentru cafetieră și niște cești de cafea pentru partenerii mei de afaceri. Cam atât.
Secretara: Deci, voi comanda: un capsator, un perforator, douăzeci de dosare din plastic ... Și să nu uit! Voi mai comanda capse, agrafe, hârtie pentru imprimantă și copiator... Am înțeles. Voi trimite comanda la biroul financiar. Mâine vor cumpăra toate materialele.

Vocabular / Vocabulary

a avea nevoie	to need
a citi	to read
a întocmi	to draw up / draft
a scrie[1]	to write; to draw up; to draft
agendă / agende	agenda; pocket book/s
agrafă / agrafe de birou	paper clip/s
batistă / batiste	handkerchief/s
biblioraft / bibliorafturi	ring-book/s
bibliotecă / biblioteci	bookcase /s
birou / birouri	(office) desk /s
cafetieră / cafetiere	coffee maker/s

[1] Verb group III. See the conjugation below:
Singular   Eu **scriu**   Tu **scrii**   El / Ea **scrie**
Plural   Noi **scriem**   Voi **scrieți**   Ei / Ele **scriu**

calculator / calculatoare	computer/s
calendar/e	calendar/s
calorifer/e	radiator/s; heater/s
capsă / capse	staple/s
capsator / capsatoare	stapler/s
carte / cărţi	book/s
cartotecă / cartoteci	file cabinet/s
ceaşcă / ceşti	cup/s
cerere / cereri de achiziţionare	purchase requisition/s
cheie / chei	key/s
compas/uri	(a pair / pairs of) compasses
coş / coşuri de hârtii	waste paper basket/s
copiator / copiatoare	copy machine/s
corespondenţă	mail
creion / creioane	pencil/s
desen/e	drawing/s
dischetă / dischete	floppy disk/s
dosar / dosare	file/s
echer/e	square/s
filtru / filtre de cafea	coffee filter/s
foarfece / foarfece	(a pair / pairs of) scissors
fotoliu / fotolii	armchair /s
grafic/e	graph/s
gumă / gume	rubber/s
coală / coli de hârtie	sheet/s of paper
imprimantă / imprimante	printer /s
lacăt/e	padlock/s
lampă / lămpi	lamp
listă / liste	list/s
mapă / mape	portfolio/s
maşină / maşini de scris	typewriter/s
masă / mese	table/s
măsuţă / măsuţe	small / coffee table/s
materiale consumabile	consumables
necesar de materiale	items / materials needed
perforator / perforatoare	puncher/s
pix / pixuri	ballpen/s
planşetă / planşete	drawing board/s
plic/uri	envelope/s
proiector / proiectoare	projector/s
raft / rafturi	shelf / shelves
rafturi de birou	desk-shelves
raport / rapoarte	report/s
sală / săli de conferinţe	conference room/s
scaun / scaune	chair/s
scrisoare / scrisori	letter/s
seif / seif-uri	safe/s
sertar/e	drawer/s
servietă / serviete diplomat	briefcase/s
stilou / stilouri	fountain-pen/s
şerveţel / şerveţele de birou	office paper tissue/s
tablă / table	whiteboard/s
uşă / uşi	door/s
ventilator / ventilatoare	fan/s

Phrases / Expresii

Altceva … ?	Anything else …?
Aş avea nevoie …	I need …
Cred[1] că …	I think that …
Gata!	Ready!
parteneri de afaceri	business partners
… precum şi …	as well (as) / too
Să mă gândesc …	Let me think …
Să nu uit[2] …	I shouldn't forget …
Sunt suficiente *(fem., pl.)*	They will do
Sunt suficienţi *(masc., pl.)*	They will do
Este suficientă *(fem., pl.)*	They will do
Este suficient *(masc., pl.)*	They will do

TASK 2 Fill in the following table with the corresponding forms of the verbs. *(Introduceţi în tabelul următor formele corespunzătoare ale verbelor.)*

Pronume *(Pronoun)*	A avea nevoie *(Need)*	A întocmi *(to draft)*	A comanda *(to order)*	A cumpăra *(to buy)*
Eu	am nevoie	întocmesc	comand	cumpăr
Tu				
El / Ea				
Noi				
Voi				
Ei / Ele				

TASK 3 Fill in the blanks with the nouns in brackets, using the indefinite article when needed. *(Completaţi spaţiile libere cu substantivele din paranteze, utilizând articolul nehotărât când este necesar.)*

Model: Eu am nevoie de …………………………… . *(a printer)*
Eu am nevoie de **o imprimantă**.

1. Secretara are nevoie de ……………………………. *(some staples)*

2. Am nevoie de …………………………… pentru o corespondenţă. *(an envelope)*

3. Avem nevoie de …………………………… pentru copiator. *(some paper)*

4. Cred că nu ai nevoie de …………………… pentru cafetieră. Sunt suficiente. *(filters)*

5. Au nevoie de …………………………… pentru sala de conferinţe. *(some chairs)*

---

[1] Verb Group III. Its stem is slightly modified, as follows:
Singular Eu **cred** Tu **crezi** El / Ea **crede**
Plural Noi **credem** Voi **credeţi** Ei / Ele **cred**
[2] Verb Group I. Its stem is slightly modified, as follows:
Singular Eu **uit** Tu **uiţi** El / Ea **uită**
Plural Noi **uităm** Voi **uitaţi** Ei / Ele **uită**

6. Aveţi nevoie de .... pentru dosare. *(desk shelves)*

7. Am nevoie de .... pentru bibliorafturile mele. *(a bookcase)*

8. Directorul are nevoie de .... pentru birou. *(a fan)*

9. Andrei are nevoie de .... pentru maşina de scris. *(a small table)*

10. Cred că sunt suficiente trei .... pentru calculator. *(floppy-disks)*

11. Ai nevoie de .... pentru referat? *(pencils)*

12. Nu, cred că am nevoie de .... *(some ballpens)*

13. Are nevoie de .... pentru consumabile. *(some money)*

14. Ai nevoie de .... pentru referate? *(paper clips)*

15. (Ele) au nevoie de .... pentru lacăte? *(keys)*

16. Am nevoie de .... pentru tablă. *(some markers)*

17. Avem nevoie de .... pentru desene. *(drawing boards)*

18. Vrei să întocmeşti .... ? *(a purchase requisition)*

19. Ce altceva aţi vrea pentru .... ? *(office)*

20. Câte .... aveţi? *(radiators)*

21. Cred că trei .... sunt suficiente pentru Departamentul de Investiţii. *(staplers)*

22. De câte cutii de .... au ei nevoie? *(staples)*

23. Aveţi cafea pentru .... ? *(cofee-maker)*

24. Este suficientă .... pentru imprimantă? *(paper)*

TASK 4
Turn the following sentences into the plural.
(Treceţi următoarele propoziţii la plural.)

Model: Pe măsuţa de lângă birou este **o coală de hârtie**.
Pe măsuţa de pe birou sunt **nişte coli de hârtie / 100 de coli de hârtie / multe coli de hârtie.**

1. În sertarul de la birou **este o cutie de agrafe de birou**. *(3)*

   ....

2. Pe masă **este o carte**. *(many books)*

   ....

3. Lângă birou **se află un copiator**. *(2)*

   ....

4. În cutie **se află o capsă**. *(500)*

   ....

5. În bar **se află o ceaşcă de cafea**. *(6)*

   ....

6. Pe perete **se află o hartă**.*(3)*

  ....

7. În mapă **se află un dosar de plastic şi un caiet**. *(10 / 2)*

  ....

8. Lângă birou **se află un coş de hârtii**. *(2)*

  ....

9. În companie **se află o bibliotecă**. *(3)*

  ....

10. În cutie **este o dischetă**. *(10)*

  ....

Task 5	Change the following sentences using the structures explained in the model.

(Transformaţi următoarele propoziţii utilizând structurile din model.)

'Şi de' = 'also' / 'too'

> **Model:** Am nevoie de o imprimantă.
> *(I need a printer.)*
>
> Am nevoie **şi** de un copiator.
> *(I need a copy-machine, **too**. / I **also** need a copy-machine.)*

'nici de ... nici de' = 'neither ... nor'

> **Model:** N-am nevoie[1] **nici de** imprimantă **nici de** copiator.
> *(I need **neither** a printer **nor** a copy-machine.)*

Remember that double negation is often used in Romanian!

> **Model:** N-am nevoie de **nici unul**.
> *(I need **neither of them**.)*

'fie de ..., fie de' = 'either ... or'

> **Model:** Am nevoie **fie de** un calculator, **fie de** o maşină de scris.
> *(I need **either** a computer **or** a typewriter.)*

1. Casper n-are nevoie .... *(neither)* de interpret .... *(nor)* de carte de limba română. Vorbeşte limba română foarte bine.

2. Directorul are nevoie .... *(either)* de markere, ... *(either)* de creioane.

3. Am nevoie de nişte cafea. Am nevoie .... *(also)* nişte zahăr.

4. N-am nevoie .... *(neither)* capsator .... *(nor)* capse.

5. Ai nevoie de grafice sau de liste? N-am nevoie .... *(neither)* grafice .... *(nor)* liste. Am informaţiile în calculator.

---

[1] The verb at the infinitive form is 'a avea nevoie' (to need). At the negative, the contracted form is often used in informal circumstances. Here is the conjugation:

Eu	nu am nevoie	**n-am nevoie**	Noi	nu avem nevoie	**n-avem nevoie**
Tu	nu ai nevoie	**n-ai nevoie**	Voi	nu aveţi nevoie	**n-aveţi nevoie**
El / Ea	nu are nevoie	**n-are nevoie**	Ei / Ele	nu au nevoie	**n-au nevoie**

The Demonstratives
(Pronumele și adjectivul demonstrativ)

The basic difference between a pronoun and an adjective is that the former stands for a noun that either has been mentioned in the above context or somebody points to it, and the latter is always placed next to one or more nouns.

In this grammar session are presented the demonstrative adjective and pronoun in **the Nominative Case** (answering the concept question **'who?'**) and in **the Accusative Case** (answering the concept questions **'whom?'**, **'what?'**, **'where?'**, **'where ... from?'**, etc.)

The Demonstrative Adjective
(Adjectivul demonstrativ)

The demonstrative adjectives can be placed *in front of the noun they determine* or *immediately after it*. In the former circumstance the noun has the ending which is specific to the indefinite form while in the latter one the noun has the definite article.

In terms of their location, the demonstratives themselves have two forms, easily identifiable in the table below:

	Singular				*Plural*			
	Masculine / Neuter		*Feminine*		*Masculine*		*Feminine / Neuter*	
	in front of the noun	after the noun	in front of the noun	after the noun	in front of the noun	after the noun	in front of the noun	after the noun
Aici (*Here*)	**acest** fiu (*this son*)	fiul **acesta** (*this son*)	**această** fiică (*this daughter*)	fiica **aceasta** (*this daughter*)	**acești** fii (*these sons*)	fiii **aceștia** (*these sons*)	**aceste** fiice (*these daughters*)	fiicele **acestea** (*these daughters*)
Acolo (*There*)	**acel** fiu (*that son*)	fiul **acela** (*that son*)	**acea** fiică (*that daughter*)	fiica **aceea** (*that daughter*)	**acei** fii (*those sons*)	fiii **aceia** (*those sons*)	**acele** fiice (*those daughters*)	fiicele **acelea** (*those daughters*)

Note. When the demonstrative adjective is placed in front of the noun, neither of them takes the article.

> **e.g.** Această imprimantă este mai bună decât acea imprimantă.
> Aceste capse sunt bune pentru acel capsator.

When the noun precedes the demonstrative adjective, both of them take the article.

> **e.g.** Imprimantele acestea sunt mai bune decât imprimantele acelea.
> Capsele acestea sunt bune pentru capsatorul acela.

The Demonstrative Pronoun
(Pronumele demonstrativ)

TASK 6   Study the table below and notice the difference between the demonstrative pronouns and the demonstrative adjectives, respectively.
(Studiaţi tabelul de mai jos şi observaţi diferenţa dintre pronumele şi adjectivele demonstrative respective.)

	Singular		*Plural*	
	Masculine / Neuter	Feminine	Masculine	Feminine / Neuter
Aici *(Here)*	**acesta** *this*	**aceasta** *this*	**aceştia** *these*	**acestea** *these*
Acolo *(There)*	**acela** *that*	**acee** *that*	**aceia** *those*	**acelea** *those*

TASK 7   Fill in the blanks with the corresponding demonstrative pronouns.
(Completaţi spaţiile libere cu pronumele demonstrative corespunzătoare.)

1. .... este o femeie. Ea este aici.
2. .... sunt bărbaţi. Ei sunt acolo.
3. .... este o carte. Ea este acolo.
4. .... sunt nişte caiete. Ele sunt pe biroul acela.
5. .... este un caiet şi .... este o carte.
6. .... este o maşină. Ea este acolo.
7. .... sunt idei bune.
8. .... sunt profesori sau studenţi?
9. .... este ceaşca ta sau aceea?
10. .... nu este o masă; este un birou. Aceasta este o masă.

TASK 8   Listen to the CD and check up your answers to the above exercise.
(Ascultaţi CD-ul şi verificaţi-vă răspunsurile date la exerciţiul de mai sus.)

Vocabular / Vocabulary

Culori / Colours

Colours usually agree with the noun in number and gender:

e.g.   Maşina mea este albastră.
My car is blue.

Caietul este albastru.
The copy-book is blue.

118

Pantalonii sunt albaştri.
The trousers are blue.

However, when expressing different shades / nuances, '**închis**' *(dark)* and '**deschis**' *(light)*, only the singular masculine form is used, irrespective of the noun's gender and number.

e.g. Maşina mea este albastru deschis.
My car is light blue.

Caietul este albastru deschis.
The copy-book is light blue.

Pantalonii sunt albastru închis.
The trousers are dark blue.

Colour	Singular		Plural	
	Masculine / Neuter	**Feminine**	**Masculine**	**Feminine / Neuter**
white	alb	albă	albi	albe
blue	albastru	albastră	albaştri	albastre
brown	maro	maro	maro	maro
yellow	galben	galbenă	galbeni	galbene
green	verde	verde	verzi	verzi
grey	gri	gri	gri	gri
black	negru	neagră	negri	negre
violet	violet	violet	violet	violet
mauve	mov	mov	mov	mov
pink	roz	roz	roz	roz
orange	portocaliu	portocalie	portocalii	portocalii
red	roşu	roşie	roşii	roşii

TASK 9 Name the following objects and mention what colours they may have.
(Numiţi obiectele următoare şi precizaţi culoarea / culorile pe care le pot avea.)

Model: Acestea sunt nişte creioane. Ele sunt: galbene, roşii, maro, albastre, violet sau verzi.

 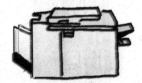 

1. ....
....

2. ....
....

3. ....
....

4. ....
....

5. ....
....

6. ....
....

7. ....
....

8. ....
....

9. ....
....

10. ....
....

11. ....
....

12. ....
....

13. ....
....

14. ....
....

15. ....
....

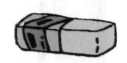

16. ....
....

17. ....
....

18. ....
....

19. ....
....

20. ....
....

21. ....
....

22. ....
....

23. ....
....

24. ....
....

25. ....
....

26. ....
....

27. ....
....

28. .... 29. .... 30. ....
....

<table>
<tr><td>TASK 10</td><td>Describe what can be seen in this picture, referring to colours, background, number of people, objects, etc. Use the demonstratives. (Descrieți ce se vede în această imagine, făcând referire la culori, mediu, numărul persoanelor, obiecte etc.)</td></tr>
</table>

....
....
....
....
....

TASK 11   Turn the following sentences into the plural, according to the given example.
(Treceți propozițiile care urmează la plural, conform exemplului dat.)

Model: Acesta este un creion.   **Acestea sunt creioane.**

1. Aceasta este o imprimantă.   ....
2. Aceasta nu este o problemă.   ....
3. Aceea este o bibliotecă.   ....
4. Acesta este un pix sau un stilou?   ....
5. Aceasta este o poveste interesantă.   ....
6. Ușa aceea este închisă sau deschisă?   ....
7. Acela nu este un dosar.   ....
8. Aceasta nu este o idee bună.   ....
9. Acesta nu este biroul meu?   ....
10. Acesta este ventilatorul tău?   ....
11. Aceasta este bucătăria?   ....

12. Care este dormitorul ? ....
13. Unde este camera de oaspeţi? ....
14. Care este numărul de telefon? ....
15. Ai o carte de telefon? ....
16. Unde este agenda ? ....
17. Prietenul acesta locuieşte în Bucureşti sau în provincie? ....
18. Factura este în sertar. ....
19. Profesoara are cartea aceasta? ....
20. Unde este cheia ? ....

> **TASK 12** Describe the room where you are. Use the demonstrative pronouns and mention the colours of the objects.
> *(Descrieţi camera în care vă aflaţi. Utilizaţi pronumele demonstrative şi menţionaţi culorile obiectelor.)*

Model: Aceasta este o canapea.
Este aici.
Este roşie.

....
....
....
....
....

The Possessive Adjective
(Adjectivul posesiv)

It is always accompanied by a noun. It agrees in number, case and gender to the noun it accompanies. The Possessive Adjective replaces only one noun: the name of the owner.

Person	No.	*Singular*		*Plural*	
		MASCULINE / NEUTER	FEMININE	MASCULINE	FEMININE / NEUTER
I	sg.	**meu**	**mea**	**mei**	**mele**
		prietenul meu	prietena mea	prietenii mei	prietenele mele
		my		**my**	
		my friend / girl friend		my friends / girl friends	
	pl.	**nostru**	**noastră**	**noştri**	**noastre**
		prietenul nostru	prietena noastră	prietenii noştri	prietenele noastre
		our		**our**	
		our friend / girl friend		our friends / girl friends	
II	sg.	**tău**	**ta**	**tăi**	**tale**
		prietenul tău	prietena ta	prietenii tăi	prietenele tale
		your		**your**	
		your friend / girl friend		your friends / girl friends	

	pl.	vostru	voastră	voştri	voastre
		prietenul vostru	prietena voastră	prietenii voştri	prietenele voastre
		your		**your**	
		your friend / girl friend		your friends / girl friends	
III	sg.	său	sa	săi	sale
		prietenul său	prietena sa	prietenii săi	prietenele sale
		his / her		**his / her**	
		his / her friend / (girl)friend		his / her friends/ girl friends	
	pl.	lor	lor	lor	lor
		prietenul lor	prietena lor	prietenii lor	prietenele lor
		their		**their**	
		their friend / girl friend		their friends / girl friends	

Note: When a noun in the 3-rd person singular or plural standing for the owner is involved, the definite articles which agree with the noun in number and in gender, become endings for that noun.

e.g. **Directorul are un caiet.**

This sentence suggests the idea of possesion by means of the verb '**a avea**' (to have). Its structure is the following:

Subject + Predicate + Direct Object[1]
↓ ↓ ↓

Directorul **are** **un caiet**[2]

When expressing the possession by means of a personal pronoun or noun, two structures are possible to occur.

a) Predicate *(to be)* + Subject + Personal Pronoun
↓ ↓ ↓

Este **caietul**[3] **lui**

b) Predicate *(to be)* + Subject + Noun in the Genitive case
↓ ↓ ↓

Este **caietul**[3] **directorului**

Spelling rules:

The form 'directorului' is made up of the noun denoting the owner containing the definite article '**lui**', specific to the corresponding case, number and gender.

If the owner is of feminine gender and it ends in the vowel '**-a**', this vowel is replaced with '**e**' and the definite article '**-i**' is added at the end of the noun.

e.g. Maria are o carte. Este cartea ei. Este cartea Mariei.

Masculine proper names never accept the possesive adjectives as suffixes. They are located in front of the noun denoting the possesor:

e.g. Victor are o carte. Este cartea lui. ~~Este cartea Victorlui~~.
but: Este cartea lui Victor.

---

[1] Direct object is always in the accusative case, answering the concept question 'What?' or 'Whom?'
[2] The indefinite article is used in this case/context.
[3] In this case the noun has always the definite article.

Answer the following questions.
(Răspundeţi la următoarele întrebări.)

1. Ce face Andrei?
....
....

2. Ce face Radu, prietenul lui Andrei?
....
....

3. Ce face acum Mircea, fratele lui Andrei?
....
....

4. Ce fac Andreea şi Dan acum?
....

5. Ce face Adrian acum?
....
....

6. Ce face Maria acum?
....
....

Task 14
Describe the objects in your office using the possessives and the following prepositions.
(Descrieţi obiectele din biroul dumneavoastră utilizând pronumele şi adjectivele posesive, precum şi următoarele prepoziţii.)

cu	– *with*	la stânga	– *to the left*
în faţa	– *in front of*	la	– *at*
în spatele	– *behind*	lângă	– *near, next to, beside*
în	– *in*	pe	– *on*
între	– *between*	pentru	– *for*
la dreapta	– *to the right*	sub	– *under, underneath*

....
....
....
....
....
....

Task 15 Fill in the blanks with the corresponding possessive adjectives.
(Completaţi spaţiile libere cu adjectivele posesive corespunzătoare.)

Model: Aceasta este **o carte**. *(eu)*
Este cartea **mea.**

1. Acesta este **un birou**. (Mihai)
   Este ....
2. Aceasta este **o agendă**. (Eu)
   Este ....
3. Acestea sunt **nişte capse**. (Matei)
   Sunt ....
4. Aceştia sunt **nişte bani**. (Noi)
   Sunt ....
5. Acestea sunt **nişte scrisori**. (Voi)
   Sunt ....
6. Acestea sunt **nişte cărţi**. (prieteni)
   Sunt ....
7. Acestea sunt **nişte creioane**. (ei)
   Sunt ....
8. Aceasta este **o dischetă**. (eu)
   Este ....

Task 16 Listen to the CD and fill in the blanks with the missing words[1].
(Ascultaţi CD-ul şi introduceţi în spaţiile libere cuvintele care lipsesc.)

„Sunt om de afaceri şi .... spaţios şi de multe materiale consumabile. Am două sau trei .... în fiecare zi şi trebuie să întocmesc multe .... pentru patronul .... Am multe obiecte în biroul meu. Pe masa de lucru sunt: un calculator, ..., o agendă, un capsator, un perforator, o cutie de capse, ..., două pixuri, un stilou .... şi un caiet. Lângă calculator este .... Am şi un telefon mobil. .... acest telefon mobil pentru a comunica foarte rapid cu .... Pe măsuţa de lângă birou se află un copiator Cannon. Este un copiator foarte bun. Acest .... poate face 200 de copii pe minut. Este un copiator performant, nu-i aşa?"

---

[1] Look for the completed text at the end of the book.

TASK 17   Make up a purchase requisition.
(Întocmiţi un necesar de materiale.)

Nr. crt. (No. of items)	Cantitate (Amount)	Unitate de măsură (Unit of measure)	Descriere de materiale şi alte servicii (Description of the goods and other services)	Preţ (Price)

Semnătură iniţiator   Data   Nume
(Signature)   *(Date)*   *(Name)*

TASK 18   Try the following crossword:
(Rezolvaţi următorul careu:)

Across (*Orizontal*):

1. tissues
2. agenda
3. printer
4. coffee-maker
5. floppy-disk
6. conference room (*three words*)
7. computer
8. projector
9. copy machine
10. letter
11. file
12. drawer

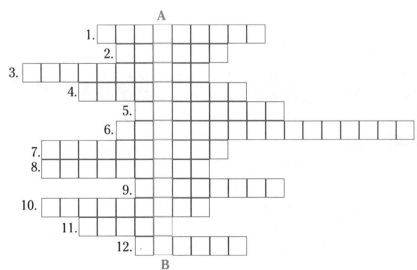

Down – *from A to B (Vertical)*: fans

127

Lesson Nine / Lecția nouă

Topics for Conversation
(Subiecte de conversație)

Shops
(Magazine)

TASK 1 Listen to the CD and then repeat.
(Ascultați CD-ul și apoi repetați.)

Ana: Ce mai faci?

Maria: Bine, mulțumesc. Merg la piață. Joi dimineața fac întotdeauna cumpărături. Fac cumpărături pentru toată săptămâna.

Ana: Ce vrei să cumperi?

Maria: Păi… Trebuie să cumpăr legume, fructe, pâine, lactate și carne.

Ana: Așa de multe?

Maria: Da, sigur. În acest week-end vom da o petrecere și vom avea mulți invitați. Sărbătorim ziua de naștere a soțului meu. Împlinește 34 de ani.

Ana: Ah, înseamnă că trebuie să începi pregătirile chiar de astăzi! Azi e vineri.

Maria: Da, și vreau să îi invit pe toți colegii soțului meu. Cred că vom avea cam 30 de invitați. Sper că veți veni și voi. Ne-ar plăcea să aduceți și copiii.

Ana: Mulțumesc de invitație. Vom veni cu plăcere. Te pot ajuta cu ceva?

Maria: Ah, nu. Mulțumesc, dar îmi place să pregătesc totul singură. Acum trebuie să merg la băcănie, la raionul de articole de menaj, la raionul de băuturi și la raionul de dulciuri. Sper că voi avea timp să ajung și la coafor.

Ana: Bine, Maria. Atunci pe sâmbătă. Vom veni negreșit!

Vocabular / Vocabulary

Trebuie să mă duc la …	I must go to the …
piață	market
farmacie	chemist's/pharmacy
brutărie (pâine)	baker's
băcănie	grocer's
magazinul alimentar	food store
raionul de băuturi	wine counter
raionul de carne	meats counter
raionul de dulciuri	confectionery counter
raionul de lactate	dairy counter
iaurt	yoghurt

lapte acru (bătut)	sour milk
lapte praf	powder milk
smântână	sour cream
raionul de legume şi fructe[1]	vegetables and fruit counter
raionul de mezeluri	ham-and-beef counter
raionul de pescărie	fish counter
magazinul universal	department store
raionul de artizanat	handicraft department
bijutier	jeweller's
brăţară/brăţări	bracelet/s
colier/coliere	necklace/s
lanţ/lanţuri	chain/s
medalion/medalioane	medallion/s
inel/inele	ring/s
verighetă/verighete	wedding ring/s
cercel/cercei	ear-ring/s
broşă/broşe	brooch/es
(de) argint	silver
(de) aur	gold
(de) rubin	ruby
ametist	amethyst
placat (cu)	plated
raionul de cadouri	gifts counter
raionul de confecţii bărbaţi	men's ready-made clothes department
raionul de confecţii femei	women's ready-made clothes department
raionul de confecţii copii	children's ready-made clothes department
raionul de galanterie	hosiery department
raionul de marochinărie	leather goods department
raionul de încălţăminte	footwear department
chioşcul de ziare	news stall
raionul de stofe	drapery department
raionul de articole de menaj	household goods department
raionul de mercerie	haberdashery department
papetărie	stationer's
raionul de parfumerie	perfumery department
raionul de articole de sport	sports articles department
tutungerie	tobacconist's
florărie	florist's
agenţia loto	lottery agency
ceasornicărie	watchmaker's
cizmărie	shoemaker's
croitorie	tailor's
croitorie de damă	dressmaker's
fotograf	photographer's
frizerie	barber's
coafor	hairdresser's
salonul de cosmetică	beauty parlour
optician/optică	optician's
spălătorie/„Nufărul"/curăţătorie	laundry / dry-cleaner's

---

[1] Study the vocabulary at the page 130.

Translate the words in brackets.
(Traduceţi cuvintele din paranteză.)

1. Lângă staţia de metrou Titan se află .... *(a department store)*
2. Lângă gară se află .... *(a pharmacy)*
3. Vizavi de gară este .... *(a hairdresser's)*
4. Aproape de .... *(taxi rank)* se află un restaurant.
5. Lângă .... *(shop)* se află .... *(an exchange office)*.
6. Vizavi de .... *(household goods department)* se află .... *(haberdashery department)*
7. Lângă .... *(men's ready-made clothes department)* este .... *(drapery department)*.
8. Vizavi de .... *(gifts counter)* se află .... *(handicraft department)*
9. Imediat lângă .... *(wine counter)* este .... *(meat counter)*
10. La etajul trei se află .... *(sports articles department)*

Vegetables / Legume

ardei gras	green pepper
ardei iute	hot pepper
cartof/i	potato/es
castravete / castraveţi	cucumber/s
ceapă / cepe	onion/s
conopidă / conopide	cauliflower/s
dovleac / dovleci	pumpkin/s
dovlecel / dovlecei	vegetable marrow/s
fasole boabe	(haricot) beans
fasole verde	French beans
hrean	horse radish
leuştean	lovage
mărar	dill
mazăre	peas
morcov/i	carrot/s
pătrunjel	parsley
porumb	maize
praz	leek
ridiche / ridichi	radish/es
spanac	spinach
sparanghel	asparagus
ţelină	celery
usturoi	garlic
vânătă / vinete	eggplant/s
varză / verze	cabbage/s

varză murată	sauerkraut
cereale	cereals
grâu	wheat
făină	flour
porumb	corn
fulgi de porumb	corn-flakes
orez	rice
secară	rye

Fruits / Fructe

alune	hazel-nuts
ananas	pineapple
arahide	peanuts
banană / banane	banana/s
caisă / caise	apricot/s
căpşună / căpşuni	strawberry / strawberries
cireaşă / cireşe	cherry / cherries
curmală/e	date/s
fragi	wild strawberries
gutuie / gutui	quince/s
lămâie / lămâi	lemon/s
măr / mere	apple/s
mură/e	blackberry / blackberries
nucă / nuci	nut/s
pară / pere	pear/s
pepene galben / pepeni galbeni	melon
pepene verde	water melon/s
piersică / piersici	peach/es
strugure / struguri	grape/s
vişină / vişine	sour cherry / sour cherries
zmeură	raspberries

TASK 3   Translate the following nouns and mention the colour/s, according to the model.
(Traduceţi următoarele substantive şi precizaţi culorile, conform modelului.)

Model: lemons   **lămâile sunt** galbene

1. peanuts   ....
2. apricots   ....
3. green pepper   ....
4. lovage   ....
5. carrots   ....
6. peaches   ....
7. parsley   ....

8. water melon   ....

9. pears   ....

10. grapes   ....

11. cherries   ....

12. leek   ....

13. eggplants   ....

14. peas   ....

Grammar Session (Gramatică)

The Indefinite Pronoun and Adjective:
'Many'; 'Much'; 'A few'; 'Few'; 'Some'; 'A little'; 'Little'
(Pronumele și adjectivul pronominal nehotărât:
„mulți / multe", „puțini / puține"; „câțiva / câteva")

a) **Countable nouns** / Substantive numărabile

'Many'[1] – which is used only with countable nouns in the plural – has in Romanian the following forms:

'mulți' – *masculine*   *'multe'* – *feminine, neuter*

e.g.   **Adjective**

În sala de ședințe se află **mulți ingineri.**   Sunt **multe saloane** în palat?
(There are many engineers in the conference-room.)   *(Are there many halls in the palace?)*

Pronoun

Sunt **mulți** în sala de ședințe.   Da, sunt **multe**.
(There are many of them in the conference-room).   *(Yes, there are many.)*

'Few'[2] – is also used only with countable nouns:
'puțini' – *masculine*   *'puține'* – *feminine, neuter*

e.g.   **Adjective**

Sunt **puțini morcovi** în sacoșă.   Sunt **puține mere** în frigider.
(There are few carrots in the bag.)   *(There are few apples in the fridge.)*

Pronoun

Sunt **puțini** în sacoșă.   Sunt **puține** în frigider.
(There are few of them in the bag.)   *(There are few of them in the fridge.)*

'A few' has a different form in Romanian, and its meaning is slightly changed, like in English, always suggesting **an increased number** compared to the form 'few' (it has a

---

[1] Too many = prea mulți / multe.
[2] Too few = prea puțini / puține ('not enough', of course, is preferred in English).

positive connotation). Its translation is '**câţiva**' – *masculine*, or '**câteva**' *feminine and neuter.*

e.g.	**Adjective**

Sunt **câţiva oameni** pe stradă.
(There are a few people on the street.)

Sunt **câteva fructe** pe masă.
(There are a few fruits on the table.)

Pronoun

Câţiva sunt în staţie.
(There are a few of them in the station.)

Câteva sunt în frigider.
(There are a few of them in the fridge.)

'Some'[1]

> **câtva, ceva** – *masc., neuter, sg.* **câtăva, ceva** – *fem., sg.*
> **câţiva** – *masc., pl.* **câteva** – *fem., neuter, pl.*

e.g.	**Adjective**

Sunt **câţiva băieţi** în curtea şcolii.
(There are some boys in the schoolyard.)

Sunt **câteva fete** în bibliotecă.
(There are some girls in the library.)

Pronoun

Sunt **câţiva** în curtea şcolii.
(There are some of them in the schoolyard.)

Sunt **câteva** în bibliotecă.
(There are some of them in the library.)

b) Uncountable nouns / Substantive nenumărabile

'Much'[2] – which is used mainly with quantities and abstract nouns – has in Romanian the following forms:

'mult' – masculine 'multă' – feminine

e.g.	**Adjective**

Este **mult vin** în pahar.
(There is much wine in the glass.)

Este **multă apă minerală** în sticlă.
(There is much sparkling water in the bottle.)

Pronoun

Este **mult** în pahar.
(There is much of it in the glass.)

Este **multă** în sticlă.
(There is much of it in the bottle.)

'Little'[3] – has a negative connotation (the quantity it refers to is not enough).

'puţin' – masculine 'puţină' – feminine

e.g.	**Adjective**

Este **puţin zahăr** în cafea.
(There is little sugar in the coffee).

Este **puţină cacao** în lapte.
(There is little cocoa in the milk).

Pronoun

Este **puţin** în cafea.
(There is little of it in the coffee).

Este cacao în lapte? /Da, este **puţină**.
(Is there any cocoa in the milk? / Yes, there is a litlle.).

'A little' suggests a bigger quantity than '**little**' (it has a positive connotation). The translation into Romanian, for both feminine and masculine is '**ceva**'.

---

[1] It is also used with uncountable nouns. The translation is '**nişte**'.
[2] Too much = prea mult/ă.
[3] Too little = prea puţin/ă.

e.g.

Adjective

Am **ceva coniac** în casă.
(I have a little/some brandy at home.)

Am **ceva făină** pentru cozonac.
(I have a little/some flour for the cake.)

Pronoun

Am **ceva** în casă.
(I have a little of it at home.)

(Do you have any flour?)
Am **ceva** pentru cozonac.
(I have a little for the cake.)

TASK 4   Give the opposite forms of the Indefinite Pronouns or Adjectives.
(Daţi sensul opus următoarelor pronume sau adjective nehotărâte.)

Model: Sunt **puţini** struguri în sacoşă.
Sunt **mulţi** struguri în sacoşă. Sunt **prea mulţi.**

1. Sunt puţini cartofi în farfurie.

   ....

2. Sunt multe legume în ciorbă.

   ....

3. Este puţin grâu în sac.

   ....

4. Este puţină apă în cadă.

   ....

5. Este multă coca-cola în frigider.

   ....

6. Este puţin pătrunjel în supă.

   ....

7. Este puţină dulceaţă în borcanul acesta.

   ....

8. Sunt multe borcane cu dulceaţă de zmeură în dulap.

   ....

9. Este multă mâncare în cratiţă.

   ....

10. Sunt puţini fulgi de porumb în pungă.

    ....

11. Este multă ţelină în salată.

    ....

12. Este prea multă sare în friptură.

    ....

13. Sunt multe căpşuni în prăjitură.

    ....

14. (Ei) Au puţine fructe pe tarabe.

   ....

15. Este puţină mâncare în frigider.

   ....

16. Am ceva bani la mine. Pot să cumpăr un sacou.

   ....

17. Este prea puţin vin pentru petrecere.

   ....

18. Sunt ceva greşeli în această listă.

   ....

Grammar Session (Gramatică)

The Personal Pronoun in the Dative Case
(Pronumele personal în cazul dativ)

The personal pronoun in the Dative case is an indirect object and answers the concept question 'To whom?' ('Cui?'). The pronoun in Dative has a simple form and an emphatic one. While the former is the most used, the latter may be omitted in the most cases.

This pronoun is mainly requested by the verbs 'a trebui' *(to need)* and 'a plăcea / displăcea'* (to like / dislike)*. In this circumstance, the verb 'a plăcea' has the form 'place' when followed by a noun in singular form and 'plac' with a noun in plural.

> **e.g.** (Mie) Îmi place limba română. / *I like Romanian.*
> (Ţie) Îţi plac dulciurile. / *You like sweets.*
> (Nouă) Ne trebuie nişte bani. / *We need some money.*
> Cât timp vă trebuie (vouă) aceşti bani? / *(For) How long do you need this money?*

Study the table below:

Person	Number					
	Singular			Plural		
	Emphatic	Simple	Translation	Emphatic	Simple	Translation
I	mie	(î)mi	(to) me	nouă	ne	(to) us
II	ţie	(î)ţi	(to) you	vouă	vă	(to) you
III	lui/ei	(î)i	(to us)	lor	le	(to) them

Short forms are used after 'care', 'ce', 'să' or 'nu', especially in informal conversations; they should be avoided in formal written communications or in papers.

e.g. Vreau **să îmi** împrumuţi o carte. / Vreau **să-mi** împrumuţi o carte.
*I want you to lend **me** a book.*
Aceasta este cartea **care îmi place**. / Aceasta este cartea **care-mi** place.
*This is the book **I** like.*
Nu îţi spun o minciună. / **Nu-ţi spun** o minciună.
*I am not telling **you** a lie.*
Vreau **să îţi spun** ceva. / Vreau **să-ţi spun** ceva.
*I want to tell **you** something.*

TASK 5   Replace the personal pronoun in Nominative by the one in Dative.
(Înlocuiţi pronumele în nominativ cu forma corespunzătoare a pronumelui în dativ.)

Model: (Noi) .... place tortul de ciocolată.
Ne place tortul de ciocolată.

1. (Eu) .... trebuie o imprimantă nouă.
2. Andrei .... dă (ei) sfaturi bune.
3. (Tu) .... datorez mii de scuze.
4. (Voi) .... plac castraveţii.
5. Nu (eu) .... place vinul dulce.
6. Cui .... plac bijuteriile din argint?
7. (Tu) .... plac vinetele cu ceapă?
8. (El) .... plac pepenii verzi sau pepenii galbeni?
9. (Noi) .... plac clătitele cu dulceaţă de zmeură?
10. Nu- (tu) .... place salata de fructe?
11. Ce- (tu) .... trebuie? Hârtie de imprimantă sau de scris?
12. (Tu) .... plac căpşunile cu zahăr?
13. Nu (noi) .... place laptele cu cereale şi banane.
14. (Eu) .... trebuie 2 kg de mere. Vreau să fac o plăcintă.
15. (Tu) .... place să pui leuştean în supă?
16. (Ea) .... place carnea de vită fiartă cu hrean.
17. (Ei) .... place salata de ţelină.
18. (Voi) .... place ceaiul cu lămâie?
19. (Eu) .... place ciorba cu ardei iute.
20. (Ea) .... trebuie un calculator nou şi performant.

TASK 6   Translate into Romanian; all the phrases in brackets should take the definite article.
(Traduceţi în limba română; expresiile din paranteză trebuie articulate hotărât.)

Model: Îmi place (peanuts chocolate) .... , dar nu-mi place (vanilla chocolate) ....
Îmi place ciocolata cu alune, dar nu-mi place ciocolata cu vanilie.

1. Vă plac *(fried potatoes)* ...., dar nu vă place *(mashed potatoes)* ....

2. Îi place *(vermouth with lemon)* ...., dar nu îi place *(vermouth with sparkling water)* ....

3. Îţi place *(cauliflower with butter)* ...., dar nu-ţi place *(cauliflower with cheese)* ....

4. Ne place *(cherry ice-cream)* ...., dar nu ne place *(strawberry ice-cream)* ....

5. Îmi plac *(gold rings)* ...., dar nu-mi plac *(silver rings)* ....

6. Le place *(vegetable salad with lovage)* ...., dar nu le place *(vegetable salad with parsley)* ....

7. El *(tells me)* .... că nu îi plac bananele.

8. Îmi pare bine că îţi plac *(pancakes)* ....

9. Nu cred că le place *(celery)* ....

10. Cui îi plac *(endives)* ....?

TASK 7 Fill in the blanks with the personal pronoun in dative and the demonstrative adjective.
(Completaţi spaţiile libere utilizând pronumele personal în dativ şi adjectivul demonstrativ.)

Model: Aceste cireşe sunt **roşii**.
Îmi plac cireşele coapte.

Use the following words from the table below. *(Utilizaţi cuvintele din tabelul de mai jos.)*

o salată de fructe; o varză; o bucată de carne; două inele; un disc; o pâine; un pahar cu vin; o farfurie cu o furculiţă, un cuţit şi o lingură; o ciupercă; capse; o felie de lămâie; un cadou; o pereche de sandale; mazăre; un măr; o halbă de bere; un coş cu flori; un bec; un gogoşar; un sandviş; un aparat de fotografiat; un pahar cu suc; o mură; un chec; o cutie de medicamente; un sandviş; legume şi fructe; un lacăt cu o cheie; o cratiţă; o felie de portocală; o jumătate de ou fiert tare; două cireşe; un ciorchine de strugure; o îngheţată; un pui; un ardei; o carte; un ananas; o gutuie; o tavă cu o farfurie, nişte tacâmuri şi un măr; o ceaşcă de cafea; o floare.

....

....

....
....

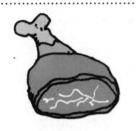

....
....

....
....

....
....

....
....

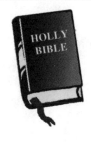

....
....

....
....

....
....

....
....

....
....

....

....

....

....

....

....

....

....

....

....

....

....

....

....

....

....

....

....

 Task 8   Tick the true statements, according to the text at the beginning of this chapter.

(Bifaţi propoziţiile adevărate, conform textului de la începutul capitolului.)

1. What is the first thing Maria tells Ana?
   a) On Thursdays she goes shopping.
   b) This Thursday she is going shopping.
   c) She goes shopping in the afternoon.
   d) She buys food for the next weeks' needs.
2. Mary wants to buy
   a) fruits, vegetables, fish, milk and some bread.
   b) fruits, vegetables, meat, milk and some bread.
   c) fruits, vegetables, fish, diary products and some bread.
   d) fruits, vegetables, meat, diary products and some bread.

3. They are going to celebrate
   a) their wedding aniversary.
   b) her husband's birthday.
   c) their son's birthday.
   d) her birthday.
4. Maria and Ana meet on
   a) Monday.   b) Tuesday.   c) Thursday.   d) Saturday.
5. Maria asks Ana for some help in making the party's preparations.
   a) true;   b) false.
6. Maria asks Ana to come to the party with her husband.
   a) true;   b) false.
7. Ana accepts the invitation.
   a) true;   b) false.
8. Maria was going to
   a) the baker's, to the confectionery, to the household goods department and to the wine department.
   b) the grocer's, to the florist's, to the household goods department and to the wine department.
   c) the grocer's, to the confectionery, to the household goods department and to the greengrocer's.
   d) the grocer's, to the confectionery, to the household goods department and to the wine department.

TASK 9   Read the following text and write the numerals in letters.
(Citiţi textul următor şi scrieţi numeralele în litere.)

– Cât costă 1 (.............................) kilogram de cartofi?

– 2400 (.............................) de lei.

– Vreau 2 (.............................) kilograme, vă rog.

– Poftiţi! Altceva?

– Roşiile sunt proaspete?

– Sigur că da. Câte doriţi?

– 2 (.........................) kilograme, vă rog. Aş vrea şi nişte verdeaţă: 1 (..........................) legătură de pătrunjel şi 1 (.............................) de mărar.

– Poftiţi, vă rog. Totul face 28200 (..........................) lei. Aveţi 200 (.......................) de lei mărunt? Poftiţi 2000 (......................) de lei rest, vă rog.

– Mulţumesc.

– Cu plăcere.

TASK 10   Listen to the CD and check up your answers to the above exercise.
(Ascultaţi CD-ul şi verificaţi-vă răspunsurile date la exerciţiul de mai sus.)

Task 11   Fill in the blanks with the missing letter.
(Completaţi spaţiul liber cu litera care lipseşte.)

st...uguri   articole de me...aj   br...tărie

raionul de dul...iuri   la...te praf   var...ă murată

raionul de con...ecţii femei   ful...i de porumb   chio...cul de ziare

ci...mărie   fo...ograf   op...ică

cono...idă   ...rean   mor...ovi

us...uroi   ...azăre   cea...ă

Task 12   Try the following table:
(Rezolvaţi următorul careu:)

Across (*Orizontal*):

1. (a) necklace
2. watchmaker's
3. lottery agency *(two words)*
4. tailor's
5. tobacconist's
6. maize / corn
7. pumpkin
8. green pepper *(two words)*
9. peaches
10. apples
11. apricots
12. grapes
13. rice
14. rye
15. radishes
16. celery
17. egg-plants
18. lemon
19. cabbage
20. garlic
21. haricot beans *(one word)*

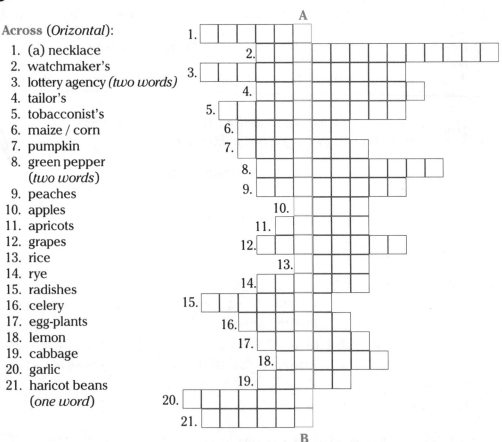

Down – *from A to B (Vertical)*: 'the leather-goods department' *(three words)*

Lesson Ten / Lecția zece

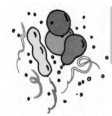

Topics for conversation
(Subiecte de conversație)

Seasons and Celebrations
(Anotimpuri și sărbători)

Task 1	Listen to the dialogue on the CD. *(Ascultați dialogul de pe CD.)*

Vasile: Luna aceasta avem multe sărbători.

Bogdan: Ce sărbătoriți?

Vasile: Păi, să vedem... Pe data de întâi decembrie este ziua națională a României. Avem o zi liberă, deci o vom petrece în familie.

Bogdan: Unde are loc ceremonia oficială anul acesta?

Vasile: De obicei ceremonia oficială are loc la Alba Iulia, orașul Unirii. Apoi, pe data de cinci decembrie, sărbătorim ziua de naștere a soției mele. Pe șase decembrie este Moș Nicolae. Copiii sunt foarte fericiți fiindcă primesc multe daruri. Cred că moșul va fi foarte bogat anul acesta.

Bogdan: Da, luna decembrie aduce multe daruri copiilor. Vor primi cadouri și de la Moș Crăciun.

Vasile: Da, desigur. Și după Crăciun mai avem o altă sărbătoare. Pe 28 decembrie este aniversarea căsătoriei noastre.

Bogdan: De câți ani sunteți căsătoriți?

Vasile: Anul acesta sărbătorim 10 ani de la căsătoria noastră.

Bogdan: Mulți înainte!

Vasile: Mulțumesc. Sărbătorile nu se vor încheia cu Revelionul. Pentru că mă cheamă Vasile, vom da o altă petrecere de Sfântul Vasile, pe data de întâi ianuarie.

Bogdan: Într-adevăr, aveți multe petreceri în decembrie și ianuarie.

Vasile: Da, dar oricum, luna decembrie este specială pentru toată lumea. Crăciunul este cea mai mare sărbătoare a creștinilor.

Vocabular / Vocabulary

aniversarea căsătoriei noastre	– our wedding anniversary
bogat	– rich
Ce sărbătoriți?	– What do you celebrate?
Crăciun	– Christmas
creștin	– Christian
daruri, cadouri	– presents
De câți ani sunteți căsătoriți?	– (For) How long have you been married?

este o zi liberă	– it's a holiday / it's a day-off
fericiţi	– happy
luna aceasta	– this month
Moş Crăciun	– Santa Claus
Moş Nicolae	– Saint Nicholas
Păi, să vedem...	– Well, let me / us see ….
pe întâi decembrie	– on the 1-st of December
pentru toată lumea	– for everybody
petrecere	– party
primesc	– I get / they get
Revelionul	– New Year's Eve
sărbătoriri	– celebrations
se vor încheia	– will end
specială	– special
Sfântul Ion	– Saint John
Sfântul Vasile	– Saint Basil
ziua de naştere	– the birthday
ziua naţională	– the national day
Unde are loc ceremonia oficială?	– Where does the official ceremony take place?

The Months of the Year / Lunile anului

Ianuarie	January	**Iulie**	July
Februarie	February	**August**	August
Martie	March	**Septembrie**	September
Aprilie	April	**Octombrie**	October
Mai	May	**Noiembrie**	November
Iunie	June	**Decembrie**	December

Task 2 Fill in the space provided with the months corresponding to each season.
Completaţi spaţiile libere cu lunile corespunzătoare fiecărui anotimp.)

Spring	Summer	Autumn	Winter
Primăvară	**Vară**	**Toamnă**	**Iarnă**
....	....	....	....
....	....	....	....
....	....	....	....
....	....	....	....

Listen to the good wishes and greetings written bellow and repeat them.
(Ascultați și repetați urările și felicitările de mai jos.)

Good Wishes and Congratulations / Urări de bine și felicitări

La mulți ani!	Many happy returns (of the day)!
Să trăiești / trăiți!	Long may you live!
Beau în sănătatea ta/dumneavoastră!	I'm drinking to your health!
Felicitări cu ocazia logodnei!	Congratulations on your engagement!
Mă bucur din inimă pentru tine!	I am very happy for you!
Petrecere frumoasă!	Have a good time!
Vacanță plăcută!	Happy holidays!
Salutări celor de acasă!	Send my best to your family!
Vă doresc un Paște fericit!	I wish you a Happy Easter!
Toate urările de bine pentru noul an!	All good wishes for the New Year!
Îți/Vă doresc multe succese în carieră!	I wish you every success in your career!

Cele mai bune urări de ziua ta / dumneavoastră de naștere!
Best wishes on your birthday!

Cele mai bune urări cu ocazia sărbătorilor de iarnă și a Anului Nou!
Season's Greetings and best wishes for the New Year!

Pentru anul ce vine și cei ce vor urma îți / vă doresc numai fericire!
I wish you happiness throughout the coming year and for many years to come!

Mulțumesc! Le voi transmite!
Thank you! I will attend to your kind message!

Mulțumesc ! Aceleași urări bune și ție / dumneavoastră!
Thank you! The same good wishes to you!

Fie ca toate dorințele tale / voastre / dumneavoastră să se realizeze!
May all your wishes come true!

Felicitări cordiale cu ocazia căsătoriei tale / dumneavoastră!
I congratulate you most heartily upon your wedding!

Mulțumesc! Cât se poate de amabil din partea ta / dumneavoastră!
Thank you! Most kind on your part!

Express wishes or give answers, according to the following situations.
(Faceți urări sau răspundeți, în funcție de context.)

1. Mihai has successfully graduated from the University of Bucharest.
   a) Salutări celor de acasă!
   b) La mulți ani, Mihai!
   c) Vă doresc un Paște fericit!
   d) Îți doresc multe succese în carieră!

2. Tomorrow is your friend's wedding anniversary. His name is Michael.
   a) Vă doresc un Paște fericit!
   b) La mulți ani!
   c) Salutări celor de acasă!
   d) Toate urările de bine pentru noul an!

3. You are leaving on holidays. Today is December, 29. You are speaking to your office mates.
   a) Pentru anul ce vine şi cei ce vor urma vă doresc numai fericire!
   b) Mă bucur din inimă pentru tine!
   c) Beau în sănătatea ta!
   d) Petrecere frumoasă!

4. What is their reply?
   a) Vă doresc un Paşte fericit!
   b) Mulţumim ! Aceleaşi urări bune şi ţie. La mulţi ani!
   c) Felicitări!
   d) Salutări celor de acasă!

5. Your boss is getting married tomorrow. You are speaking to him.
   a) Vă doresc multe succese în carieră!
   b) Cele mai bune urări cu ocazia sărbătorilor de iarnă şi a Anului Nou!
   c) Felicitări cordiale cu ocazia căsătoriei dumneavoastră!
   d) Felicitări cu ocazia logodnei!

6. Today is December, 25. You meet one of your friends in the tube. What do you tell him?
   a) Îţi doresc un Crăciun fericit, ţie şi familiei tale!
   b) Îţi doresc un Paşte fericit!
   c) Petrecere frumoasă!
   d) Vacanţă plăcută!

7. What is his answer?
   a) Mă bucur din inimă pentru tine!
   b) Salutări celor de acasă!
   c) Mulţumesc! Le voi transmite! Îţi doresc un Crăciun fericit!
   d) Cele mai bune urări cu ocazia sărbătorilor de iarnă şi a Anului Nou!

8. Today is Mihai's birthday. What do you tell him?
   a) Mă bucur din inimă pentru tine!
   b) Beau în sănătatea ta!
   c) La mulţi ani!
   d) Cele mai bune urări de ziua ta de naştere!

9. Easter is coming. What does your boss wish you?
   a) Îţi doresc un Paşte fericit!
   b) Vacanţă plăcută!
   c) Îţi / Vă doresc multe succese în carieră!
   d) Să trăieşti / trăiţi!

10. You are invited to a party. What does your office mate tell you?
    a) Mă bucur din inimă pentru tine!
    b) Fie ca toate dorinţele tale / voastre / dumneavoastră să se realizeze!
    c) Petrecere frumoasă!
    d) La mulţi ani!

TASK 5	Translate the following wishes or express wishes suggested by the following images. *(Traduceţi următoarele urări sau exprimaţi urările sugerate de următoarele imagini.)*	

....

....

....

....

....

....

....

....

....

....

....

....

....

....

....

....

Grammar Session (Gramatică)

The Nouns in the Genitive Case
(Substantivele în cazul genitiv)

Masculine and neuter nouns:

Nouns at the **singular form** take the suffix **'ului'**. The definite article in the Genitive Case is **'lui'** while **'u'** is a connecting vowel:

e.g.	băiat *(boy)*	băiatu**lui** *(the boy's / of the boy)*
	muncitor *(worker)*	muncitor**ului** *(the worker's / of the worker)*

Masculine proper nouns are preceded by **'lui'**:

e.g.	lui Victor *(Victor's)*	lui Andrei *(Andrei's)*

Feminine nouns:

In the **singular form**, the feminine nouns have the ending **'ei'**. The nouns ending in '**ă**' (secretară, elevă) drop the final vowel '**ă**' and then get the ending '**ei**'.

e.g.	secretar**ă** *(secretary)*	secretar**ei** *(the secretary's / of the secretary)*

147

Feminine nouns ending in '**e**' accept only the final article '**i**'.

> **e.g.** muncitoar**e** *(worker)*   muncitoar**ei** *(the worker's / of the worker)*

Proper nouns drop the final vowel '**a**' and then take '**ei**':

> **e.g.** Mari**a**   Mari**ei**   *(Mary's)*
> Eugeni**a**   Eugeni**ei** *(Eugenia's)*

The proper nouns 'Carmen' and all the names which are not tipically Romanian make an exception to this rule; though they are feminine nouns, they behave like masculine ones:

> **e.g.** Carmen   **lui** Carmen   *(Carmen's)*
> Zoe   **lui** Zoe   *(Zoe's)*
> Mimi   **lui** Mimi   *(Mimi's)*

The nouns designating the possessed objects always have the definite article:

> **e.g.** '**cart**e băiatului' *(the boy's book)*;   '**sor**a Mariei' *(Mary's sister)*

The plural form is marked by the definite article '**lor**' for all the three genders:

masc.	băieţi *(boys)*	băieţi**lor** *(the boys' / of the boys)*
	muncitori *(workers)*	muncitori**lor** *(the workers' / of the workers)*
fem.	secretare	secretare**lor** *(the secretaries'/ of the secretaries)*
	muncitoare	muncitoare**lor** *(the workers' / of the workers)*
neuter	scaune *(chairs)*	scaune**lor** *(of the chairs)*
	caiete *(note-books)*	caiete**lor** *(of the note-books)*

Prepositions used with nouns in Genitive

asupra	*on / about / concerning*
contra	*against*
deasupra	*above*
de-a lungul	*along / over (the years)*
dedesubtul	*under*
din cauza	*because of*
împotriva	*against / contrary to*
în faţa	*in front of / before (the)*
în josul	*down (the)*
în jurul	*around (the)*
în locul	*instead of*
în mijlocul	*in the middle of*
în numele	*on behalf of*
în spatele	*at the back of*
în susul	*up (the)*
în timpul	*during*
în urma	*as a result of*
înaintea	*before*
înapoia	*behind*
la dreapta	*to the right (of)*
la stânga	*to the left (of)*

Noun in Genitive
+ **(singular or plural)**
or
Pronoun in Genitive

e.g. **deasupra** canapelei	*(above the sofa)*
dedesubtul biroului	*(under the office-desk)*
contra vântului	*(against the wind)*
împotriva voinţei mele	*(against my will)*
un studiu **asupra** tehnicii avansate	*(a study on the advanced technique)*
înaintea lui	*(before him)*
înapoia copacilor	*(behind the trees)*
în mijlocul naturii	*(in the middle of nature)*
în timpul orelor de curs	*(during the classes)*
de-a lungul litoralului românesc	*(along the Romanian seaside)*
la stânga magazinului	*(to the left of the shop)*
la dreapta mea	*(to my right)*
în susul râului	*(up the river)*
în josul dealului	*(down the hill)*
în faţa publicului	*(before the audience)*
în spatele casei	*(at the back of the house)*
în jurul oraşului	*(round the town)*
în urma demersurilor noastre	*(as a result of our approaches)*
în numele echipei de conducere	*(on behalf of the managerial team)*

Tᴀsᴋ 6 Give the genitive to the following nouns according to the model.
(Puneţi următoarele substantive la genitiv potrivit modelului.)

Model: agendă / director „**agenda directorului**"

1. raport / contabil ....
2. nume / vânzătoare ....
3. activitate / inginere ....
4. atribuţii / asistente ....
5. fişe / bibliotecari ....
6. diplome / economişti ....
7. salariu / profesor ....
8. curs / studentă ....
9. mame / prietene ....
10. birouri / companie ....

Tᴀsᴋ 7 Give the genitive form of the nouns in brackets.
(Puneţi substantivele din paranteză la genitiv.)

Model: În faţa (birou) .... se află o măsuţă.
În faţa biroului se află o măsuţă.

1. Din cauza (ninsoare) .... nu mai plecăm la munte.
2. În jurul (director) .... se află câţiva colaboratori.
3. Andrei Ionescu se află în fruntea (sindicat) .... din compania noastră.
4. Ea lucrează în locul (centralistă) .... bolnave.
5. Compania „ABC" se află în urma (compania „Carpaţi") ....
6. Au loc mari schimbări în societate de-a lungul (ani) ....

149

TASK 8 Unscramble the following dialogue.
(Ordonaţi replicile din dialogul următor.)

a) Ana: Unde mergi?
b) Ana: Ce ai vrea să cumperi?
c) Ana: … Şi pentru tatăl tău?
d) Mihaela: Mai întâi, un cadou pentru mama mea. Aş vrea să cumpăr un parfum; preferă parfumurile franţuzeşti.
e) Mihaela: La cumpărături. Trebuie să fac nişte cumpărături pentru sărbători.
f) Mihaela: Vreau să cumpăr cadouri pentru toată familia.
g) Ana: A mea preferă parfumurile englezeşti. Ce parfum vei cumpăra?
h) Mihaela: Cred că voi cumpăra un parfum Chanel şi o cutie de bomboane.
i) Ana: Al meu poartă numai cravate simple, uni. Bine. Sper să găseşti ce vrei să cumperi!
j) Ana: La revedere. Pe curând!
k) Ana: Ce vrei să cumperi?
l) Mihaela: Ah, pentru tata voi cumpăra o cravată şi o pereche de pantofi.
m) Mihaela: Acum te las. Mă duc la Magazinul Unirea la raioanele de parfumerie, de galanterie, confecţii bărbaţi şi la cofetărie. La revedere.
n) Ana: Ce cravate îi plac?
o) Mihaela: Preferă cravatele de mătase.

Letter	a.	b.	c.	d.	e.	f.	g.	h.	i.	j.	k.	l.	m.	n.	o.
Order (1–15)	1									15					

Grammar Session (Gramatică)

The Possessive Pronoun
(Pronumele posesiv)

The possessives are in the Genitive Case, answering the concept question **'Whose?'**
Unlike all the other pronouns, it replaces two nouns:
– the noun denoting the owner;
– the noun denoting the object owned.

e.g. La concurs participă doi cai.
Two horses participate in the competition.
Al meu este alb, iar **al tău** este negru.
***Mine** is white and **yours** is black.*

this pronoun stands for:
a) the personal pronoun **'eu'** (owner)
b) the noun denoting the owned object ('**cal**' – 'horse')

this pronoun stands for:
a) the personal pronoun **'tu'** (owner)
b) the noun denoting the owned object ('**cal**' – 'horse')

The Possessive Article
(Articolul posesiv)

The possessive article precedes a noun or a pronoun in the genitive case. It always agrees in the gender, number and case with the owned object, not with the noun denoting the owner.

Study the forms of the possessive articles and the examples given in the table below:

Number and gender of the object		
Singular	*al (masculine / neuter)* **al** meu / tău / lui / ei / nostru / vostru / lor **al** Mariei **al** lui Victor **al** directorului	*a (feminine)* **a** mea / ta / lui / ei / noastră / voastră / lor **a** Mariei **a** lui Victor **a** directorului
Plural	*ai (masculine)* **ai** mei / tăi / lui / ei / noștri / voștri / lor **ai** Mariei **ai** lui Victor **ai** directorului	*ale (feminine / neuter)* **ale** mele / tale / lui / ei / noastre / voastre / lor **ale** Mariei **ale** lui Victor **ale** directorului

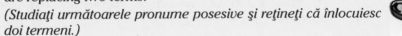

TASK 9   Study the following possessive pronouns and remember that they are replacing two terms.
(*Studiați următoarele pronume posesive și rețineți că înlocuiesc doi termeni.*)

Person of the owner	Nr.	Number and gender of the owned object			
		Masculine / Neuter	*Feminine*	*Masculine*	*Feminine / Neuter*
I	sg.	**al meu**	**a mea**	**ai mei**	**ale mele**
		mine			
	pl.	**al nostru**	**a noastră**	**ai noștri**	**ale noastre**
		ours			
II	sg.	**al tău**	**a ta**	**ai tăi**	**ale tale**
		yours			
	pl.	**al vostru**	**a voastră**	**ai voștri**	**ale voastre**
		yours			
III	sg.	**al său**	**a sa**	**ai săi**	**ale sale**
		his/hers			
	pl.	**al lor**	**a lor**	**ai lor**	**ale lor**
		theirs			

Let's translate the following sentence:

This is the director's signature. → Aceasta este semnătura directorului.

- First, we must consider the gender and the number of the possessed object, in this example **'semnătura'**. This noun ends in **'a'**, so it is in the feminine gender, singular. The possessive article for this noun is **'a'**.
- Then, we must replace the owner, which is the noun **'directorul'** in the masculine gender, singular. The pronoun is **'a lui'**.

> **e.g.** *It's his.* → Este **a lui**.

Similarly, if the owner is feminine, singular form, the pronoun is **'a ei'**.

> **e.g.** *It is hers.* → Este **a ei**.

How can we ask questions?

Questions are based on the use of **the articles + 'cui'**

> **e.g.** *Whose is this signature?*   A cui este această semnătură?

We use **'a'** because we refer to the noun 'semnătură', feminine, singular form. Similarly, if the noun is masculine or neuter, singular form, the question is:

> **e.g.** *Whose is this pen?*   Al cui este acest stilou?

TASK 10	Fill in the blanks with the corresponding possessive pronouns, according to the context. *(Completați spațiile libere cu pronumele posesive corespunzătoare contextului.)*

Model: Noi locuim într-un **apartament** în cartierul Titan.
We live in a flat in Titan District.
Apartamentul este **al nostru.**
*The flat is **ours**.*

1. Avem două **camere**. Camerele sunt ……. *(ours)*.
2. Andrei are **un calculator**. Calculatorul este ……. *(his)*.
3. Anca și Liviu au 5 **bancnote** de 100.000 de lei. Bancnotele sunt ……. *(theirs)*.
4. Am **un abonament** de metrou. Abonamentul este ……. *(mine)*.
5. Mihai are **bani** să cumpere o mașină. Banii sunt ……. *(his)*.
6. Jerry are **un telefon** mobil. Telefonul este ……. *(his)*.
7. În camera de zi este o **carte de telefon**. Cartea de telefon este ……. *(mine)*.
8. Eu am **un stilou** roșu. Stiloul roșu este ……. *(mine)*.
9. Profesoara are **un proiector** nou. Proiectorul este ……. *(hers)*.
10. Inginerul scrie **o cerere de achiziționare**. Cererea este ……. *(his)*.
11. Lângă scaun este **un ventilator**. Ventilatorul este ……. *(mine)*.
12. Directorul scrie **o scrisoare**. Scrisoarea este ……. *(his)*.

The Ordinal Numeral
(Numeralul ordinal)

a) The structure for the masculine form:

possessive article				suffix
al	+	cardinal numeral	+	'-lea'
al		cincisprezece		-lea

al cincisprezece**lea** = the *fifteenth*

Note. The correspondent to '**the first**' is '**primul**'. The possessive article 'al' is employed starting with 'the second'.

b) The Feminine form:

possessive article				suffix
a	+	cardinal numeral	+	'-a'
a		cincisprezece		-a

a cincisprezece**a** = the *fifteenth*

Note. The correspondent to '**the first**' is '**prima**' and to '**the second**' is '**a doua**'. The stem of the cardinal numeral is slightly modified for a series of numerals, as follows:
– the vowel '**u**' from 'patru' turns into 'a' (a patr**a**);
– the vowel '**i**' from 'cinci' becomes 'e', and then adds 'a' (a cinc**ea**);
– the ending '**ă**' from 'nouă' turns into 'a' (a nou**a**);
– the vowel '**i**' from 'douăzeci', 'treizeci', etc. becomes 'e' and then the suffix 'a' is added (a douăzec**ea**, a treizec**ea**, a patruzec**ea**, a cincizec**ea**, etc).

Figure	The Cardinal Numeral	The Ordinal Numeral Masculine / Neuter	Feminine	Translation into English
1	unu / una	**primul**	**prima**	*the first*
2	doi / două	**al** doilea	**a** doua	*the second*
3	trei	**al** treilea	**a** treia	*the third*
4	patru	**al** patrulea	**a** patra	*the fourth*
5	cinci	**al** cincilea	**a** cincea	*the fifth*
6	şase	**al** şaselea	**a** şasea	*the sixth*
7	şapte	**al** şaptelea	**a** şaptea	*the seventh*
8	opt	**al** optulea	**a** opta	*the eighth*
9	nouă	**al** nouălea	**a** noua	*the ninth*
10	zece	**al** zecelea	**a** zecea	*the tenth*
11	unsprezece	**al** unsprezecelea	**a** unsprezecea	*the eleventh*
12	doisprezece / douăsprezece	**al** doisprezecelea	**a** douăsprezecea	*the twelfth*
13	treisprezece	**al** treisprezecelea	**a** treisprezecea	*the thirteenth*
14	paisprezece	**al** paisprezecelea	**a** paisprezecea	*the fourteenth*
15	cincisprezece	**al** cincisprezecelea	**a** cincisprezecea	*the fifteenth*

Figure	The Cardinal Numeral	The Ordinal Numeral Masculine / Neuter	Feminine	Translation into English
16	şaisprezece	al şaisprezece**lea**	a şaisprezece**a**	*the sixteenth*
17	şaptesprezece	al şaptesprezece**lea**	a şaptesprezece**a**	*the seventeenth*
18	optsprezece	al optsprezece**lea**	a optsprezece**a**	*the eighteenth*
19	nouăsprezece	al nouăsprezece**lea**	a nouăsprezece**a**	*the nineteenth*
20	douăzeci	al douăzeci**lea**	a douăzec**ea**	*the twentieth*
21	douăzeci şi unu / una	al douăzeci şi unu**lea**	a douăzeci şi un**a**	*the twenty-first*
22	douăzeci şi doi / două	al douăzeci şi doi**lea**	a douăzeci şi dou**a**	*the twenty-second*
23	douăzeci şi trei	al douăzeci şi trei**lea**	a douăzeci şi trei**a**	*the twenty-third*
24	douăzeci şi patru	al douăzeci şi patru**lea**	a douăzeci şi patr**a**	*the twenty-fourth*
25	douăzeci şi cinci	al douăzeci şi cinci**lea**	a douăzeci şi cince**a**	*the twenty-fifth*
26	douăzeci şi şase	al douăzeci şi şase**lea**	a douăzeci şi şase**a**	*the twenty-sixth*
27	douăzeci şi şapte	al douăzeci şi şapte**lea**	a douăzeci şi şapte**a**	*the twenty-seventh*
28	douăzeci şi opt	al douăzeci şi optu**lea**	a douăzeci şi opt**a**	*the twenty-eighth*
29	douăzeci şi nouă	al douăzeci şi nouă**lea**	a douăzeci şi nou**a**	*the twenty-ninth*
30	treizeci	al treizeci**lea**	a treizec**ea**	*the thirtieth*
40	patruzeci	al patruzeci**lea**	a patruzec**ea**	*the fortieth*
50	cincizeci	al cincizeci**lea**	a cincizec**ea**	*the fiftieth*
60	şaizeci	al şaizeci**lea**	a şaizec**ea**	*the sixtieth*
70	şaptezeci	al şaptezeci**lea**	a şaptezec**ea**	*the seventieth*
80	optzeci	al optzeci**lea**	a optzec**ea**	*the eightieth*
90	nouăzeci	al nouăzeci**lea**	a nouăzec**ea**	*the ninetieth*
99	nouăzeci şi nouă	al nouăzeci şi nouă**lea**	a nouăzeci şi nou**a**	*the ninety-ninth*
100	o sută	al o sută**lea**	a (o) sut**a**	*the (one) hundredth*
101	o sută unu / una	al o sută unu**lea**	a o sută un**a**	*the one hundred and first*
102	o sută doi / două	al o sută doi**lea**	a o sută dou**a**	*the one hundred and second*
110	o sută zece	al o sută zece**lea**	a o sută zece**a**	*the one hundred and tenth*
200	două sute	al două sute**lea**	a două sut**a**	*the two hundredth*
999	nouă sute nouăzeci şi nouă	al nouă sute nouăzeci şi nouă**lea**	a nouă sute nouăzeci şi nou**a**	*the nine hundred and ninety-ninth*
1000	o mie	al o mie**lea**	a mi**a**	*the thousandth*
9000	nouă mii	al nouă mii**lea**	a nouă mi**a**	*the nine thousandth*
100000	o sută de mii	al o sută de mii**lea**	a o sută mi**a**	*the one hundred thousandth*

e.g. Mihai are trei fiii.   Paul este al treilea fiu al său.   Paul este al treilea.
Mihai has three sons.   Paul is his third son.   Paul is the third one.

'**The first**' is translated '**primul**' and '**prima**', respectively.

The correspondents for '**the last**' are '**ultimul**' for masculine and '**ultima**' for feminine.

TASK 11 Turn the cardinal numerals in brackets into ordinal ones.
(Transformaţi numeralele cardinale din paranteze în numerale ordinale.)

Model: Luni este (una) ………………… zi a săptămânii.
Luni este **prima** zi a săptămânii.

1. Aztăzi are loc (trei) ………………… şedinţă din această săptămână.

2. Biroul meu este la etajul (doi) …………………, (patru) ………………… pe dreapta.

3. (Şaptesprezece) ………………… zi a lunii ianuarie este într-o duminică.

4. August este (opt) ………………… lună a anului.

5. Acesta este (douăzeci şi trei)………………… apel telefonic pe care îl primesc astăzi.

6. Pe 17 iunie este (unsprezece) ………………… aniversare a căsătoriei noastre.

7. (trei) ………………… pastilă se ia după masa de seară.

8. În această clasă, (unu) ………………… la învăţătură este Adrian.

9. (nouă) ………………… propoziţie este ultima din acest exerciţiu.

TASK 12 Listen to the CD and check up your answers to the above exercise.
(Ascultaţi CD-ul şi verificaţi-vă răspunsurile date la exerciţiul de mai sus.)

TASK 13 Try the following crossword:
(Rezolvaţi următorul careu:)

Across *(Orizontal)*:

1. (the) summer
2. (the) autumn
3. presents
4. 'Have a good time!' *(two words)*
5. (the) spring

6. 'Happy Birthday' *(three words)*
7. 'Happy Holidays!' *(two words)*
8. yours *(masc., sing., two words)*
9. (the) winter
10. 'Happy Easter!' *(two words)*

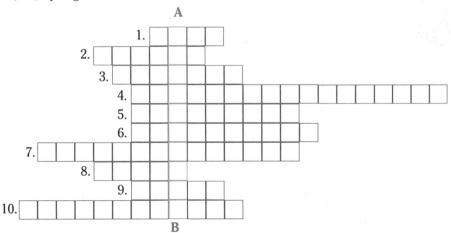

Down – *from* **A** *to* **B** *(Vertical)*: 'Seasons'

155

Lesson Eleven / Lecția unsprezece

Medical Emergencies
(Urgențe medicale)

TASK 1   Listen to the CD.
(Ascultați CD-ul.)

- Alo, Salvarea? **Trimiteți** urgent o ambulanță pe strada Macaralei!
- Imediat! ... Da, **am anunțat**. În șase minute ambulanța va ajunge la dumneavoastră.
- Mulțumesc! **Grăbiți-vă!** Fetița mea nu se simte bine.
- Vă rog să-mi spuneți ce simptome are, pentru a le transmite echipei de medici.
- De două zile are febră mare, nu poate să mănânce și tușește tot timpul. **Nu a răspuns** la tratamentul pe care l-**a urmat** în ultimele trei zile. Sunt foarte îngrijorată. Acum o jumătate de oră **a avut** temperatură de 40 de grade!
- **Stați** liniștită. În câteva minute doctorul va sosi pentru consultație. Ce vârstă are fetița dumneavoastră?
- Are 7 ani.
- Cum o cheamă?
- Mariana. Mariana Petrescu.
- Bine, doamnă, **fiți** liniștită! Totul va fi bine în curând!
- Mulțumesc ... Aștept ambulanța!

Vocabular / Vocabulary

ambulanță	– ambulance
consultație	– consultation
echipă	– team
febră mare	– high fever
simptom / simptome	– symptom/s
temperatură	– temperature; fever
tot timpul	– all the time
tratament/e	– treatment/s
urgent (*adv.*)	– urgently
Fetița mea nu se simte bine!	– My daughter is not feeling well!
Fiți / stați liniștită!	– Keep calm!; Don't worry!
Grăbiți-vă!	– Hurry up!
Imediat!	– Right away!
Sunt foarte îngrijorat/ă!	– I am very worried!
Totul va fi bine în curând!	– Soon everything will be all right!
a anunța	– to announce; to give a message
a consulta	– to cosult / take (medical) advice
a răspunde	– to answer
a transmite	– to transmit; to let smb. know

	a trimite	– to send
	a tuşi	– to cough
	a urma	– to follow

TASK 2 Fill in the table below with the corresponding forms of the following verbs:

(Completaţi tabelul de mai jos cu formele corespunzătoare ale următoarelor verbe:)

Person	a anunţa	a consulta	a răspunde	a transmite	a trimite	a tuşi
Eu	anunţ	consult	răspund	transmit	trimit	tuşesc
Tu						
El / Ea						
Noi						
Voi						
Ei / Ele						

TASK 3 Replace the nouns and pronouns written in italics with the ones in brackets. Make all the other necessary changes.

(Înlocuiţi substantivele şi pronumele scrise cursiv cu cele din paranteză. Efectuaţi modificările ce se impun.)

Model:

1. *Un pacient* are febră mare de câteva zile. (5)

   ....

2. *(Tu)* Tuşeşti de cinci zile. (noi)

   ....

3. *(Tu)* Trebuie să consulţi un doctor. (Victor)

   ....

4. Ce simptome are *Victor*? (copiii din salon)

   ....

5. *Mama* fetiţei este foarte îngrijorată. (părinţii)

   ....

6. *Doctorul* va veni imediat! (asistentele)

   ....

TASK 4 Turn the following sentences into the negative form, according to the model.

(Treceţi următoarele propoziţii la negativ, conform modelului.)

Model:	**Trebuie** să bei mult lapte.	**Nu ai voie** să bei lapte.

Este recomandabil să bei mult lapte. **Nu este recomandabil** să bei lapte.

1. Trebuie să iei medicamentele acestea.

   ....

2. Este recomandabil să faci gimnastică acum.

   ....

3. Trebuie să stai în pat.

   ....

4. Este recomandabil să bei cafea.

   ....

5. Trebuie să faci o injecţie.

   ....

6. Este recomandabil să iei o aspirină.

   ....

The Human Body / Corpul omenesc

braţ/e	– arm/s
barbă / bărbi	– beard/s
bărbie / bărbii	– chin/s
buză / buze	– lip/s
călcâi / călcâie	– heel/s
cap/ete	– head/s
coloana vertebrală	– backbone
corpul omenesc	– human body
cot / coate	– elbow/s
creier/e	– brain/s
deget/e	– finger/s
deget/e de la picior	– toe/s
degetul mare	– thumb
dinte / dinţi	– tooth / teeth
faţă / feţe	– face/s
frunte / frunţi	– forehead/s
gât / gâturi	– neck/s; throat/s
geană / gene	– eyelash/es
genunchi / genunchi	– knee/s
gleznă / glezne	– ankle/s
gură / guri	– mouth/s
mână / mâini	– hand/s
încheietura mâinii	– wrist
inimă / inimi	– heart/s
laba piciorului / labele picioarelor	– foot / feet
limbă / limbi	– tongue/s
măsea / măsele	– large tooth / teeth
măsea de minte	– wisdom tooth
membru / membre	– limb/s
nară / nări	– nostril/s
nas/uri	– nose/s
obraz / obraji	– cheek/s
palmă / palme	– palm/s
piept/uri	– chest/s
pântece / pântece	– belly

păr	– hair
plămân/i	– lung/s
pleoapă / pleoape	– eye-lid/s
rinichi / rinichi	– kidney/s
sân/i	– breast/s
spate	– back
sprânceană / sprâncene	– eyebrow/s
stomac/uri	– stomach/s
talpă / tălpi	– sole/s
trup/uri	– body / bodies
umăr / umeri	– shoulder/s
unghie / unghii	– nail/s
ureche / urechi	– ear/s

> Task 5 Give various answers to the question '**What do you complain of** ?', using the prompts in brackets.
> *(Daţi răspunsuri diferite întrebărilor „Ce vă supără?"/„Ce vă doare?"/„Ce aveţi?", utilizând indicaţiile din paranteze.)*

Model: Doctorul:– **Ce vă supără? / Ce vă doare? / Ce aveţi?**
Pacientul: .... (a avea o durere de cap.)
– Am o durere de cap. / Mă doare capul.

Use and remember the following patterns:

a) 'a avea' + 'o durere de' + gât / picior / cap / măsea / inimă / ficat / rinichi / spate
b) 'Mă doare' + the singular form of the noun with definite article

> **e.g.** **Mă doare** capul / inima / măseaua / ficatul / braţul / piciorul;

'Mă dor' + the plural form of the noun with definite article

> **e.g.** **Mă dor** picioarele / ochii / braţele / măselele / dinţii

'Mă supără' + the singular / plural form of the noun with definite article

> **e.g.** **Mă supără** capul / inima / măseaua / ficatul / braţul / piciorul / picioarele / ochii / braţele / măselele / dinţii

1. Doctorul: Ce vă doare?
   Pacientul: .... (a durea / o măsea)
2. Doctorul: Ce vă supără?
   Pacientul: .... (a avea o durere de / ficat)
3. Doctorul: Ce aveţi?
   Pacientul: .... (a durea / rinichii)
4. Doctorul: Ce vă doare?
   Pacientul: .... (un genunchi)
5. Doctorul: Ce vă supără?
   Pacientul: .... (o gleznă)
6. Doctorul: Ce aveţi?
   Pacientul: .... (a durea / braţul drept)

7. Doctorul: Ce vă doare?

Pacientul: .... (a durea /gât)

8. Doctorul: Ce vă supără?

Pacientul: .... (inima)

9. Doctorul: Ce aveţi?

Pacientul: .... (o durere de spate)

Grammar Session (Gramatică)

The Imperative Mood
(Modul imperativ)

The Imperative Mood expresses either very subjective urges / demands or orders. It has two forms:

Affirmative

– in the **singular** it may take the form specific to the 2-nd person, singular, Indicative, Present Tense; for some verbs it takes the form of the 3-rd person, singular, Indicative, Present Tense; there are verbs which have a specific form, as can be seen in the list given below.

> **e.g.** **Come here!** **Vino aici!**

– in the **plural** it also borrows the form specific to the 2-nd person, plural, Indicative, Present Tense.

> **e.g.** **Go away!** **Plecaţi!**

Negative

In the **singular form** this construction contains '**Nu**' followed by the **short infinitive** of the notional verb (without 'a').

> **e.g.** **Don't drink!** **Nu bea!** (a bea = *to drink*)

Plural form is made up with '**Nu**' followed by the affirmative, same mood, number and person.

> **e.g.** **Don't smoke!** **Nu fumaţi!** ('affirmative: *fumaţi!*')

The adverb '**mai**' ('any more / 'any longer' is often used with the imperative, suggesting the urge to stop the progress of a certain activity. It may be also used to ask smb. to change his/her/their habits:

> **e.g.** Don't smoke any more! **Nu mai fuma! / Nu mai fumaţi!**

Verbul la infinitiv *(The Infinitive Form of the Verb)*		Forma la modul imperativ *(The Imperative Mood Form)*	
		II – sing.	II – pl.
to answer	**a răspunde**	Răspunde!	Răspundeţi!
to ask	**a întreba / cere**	Întreabă! / Cere!	Întrebaţi! / Cere
to be	**a fi**	Fii!*	Fiţi!
to buy	**a cumpăra**	Cumpără!	Cumpăraţi!
to change	**a schimba**	Schimbă!	Schimbaţi!
to come	**a veni**	Vino!	Veniţi!

*When used in the negative, this verb has only one 'i' at the end: '**Nu fi rău!**' *(Don't be naughty!)*

Verbul la infinitiv *(The Infinitive Form of the Verb)*		Forma la modul imperativ *(The Imperative Mood form)*	
		II – sing.	II – pl.
to do	**a face**	Fă!	Faceţi!
to drink	**a bea**	Bea!	Beţi!
to eat	**a mânca**	Mănâncă!	Mâncaţi!
to finish	**a termina**	Termină!	Terminaţi!
to get off	**a coborî**	Coboară!	Coborâţi!
to get on / climb up	**a urca**	Urcă!	Urcaţi!
to give	**a da**	Dă!	Daţi!
to go	**a merge**	Mergi!	Mergeţi!
to go	**a se duce**	Du-te!	Duceţi-vă!
to keep silence	**a tăcea**	Taci!	Tăceţi!
to leave	**a pleca**	Pleacă!	Plecaţi
to open	**a deschide**	Deschide!	Deschideţi!
to push	**a împinge**	Împinge!	Împingeţi!
to put	**a pune**	Pune!	Puneţi!
to read	**a citi**	Citeşte!	Citiţi!
to remain	**a rămâne**	Rămâi!	Rămâneţi!
to run away	**a fugi**	Fugi!	Fugiţi!
to say	**a spune**	Spune!	Spuneţi!
to shut	**a închide**	Închide!	Închideţi!
to smoke	**a fuma**	Fumează!	Fumaţi!
to solve	**a rezolva**	Rezolvă!	Rezolvaţi!
to speak	**a vorbi**	Vorbeşte!	Vorbiţi!
to start	**a începe**	Începe!	Începeţi!
to take	**a lua**	Ia!	Luaţi!
to translate	**a traduce**	Tradu!	Traduceţi!
to try	**a încerca**	Încearcă!	Încercaţi!
to write	**a scrie**	Scrie!	Scrieţi!

TASK 6   Express a demand using the imperative mood, according to the model.
(Treceţi următoarele propoziţii la imperativ, conform modelului.)

Model: Trebuie să bei tot ceaiul.   **Bea tot ceaiul!**

1. Trebuie să spui întotdeauna adevărul. ....!
2. Ar trebui să deschizi uşa. Este foarte cald. ....!
3. Ar trebui să mai rămâneţi aici o oră. ....!
4. Trebuie să te duci la birou mai devreme. ....!
5. Eşti bolnav. Ar fi cazul să te duci la doctor. ....!
6. Sunt ocupată, iar tu vorbeşti prea mult. ....!
7. Am nevoie de un răspuns. De ce taci? ....!
8. Trebuie să termini raportul la timp. ....!
9. Este târziu iar şedinţa trebuie să înceapă. ....!
10. Nu ar trebui să staţi la uşă. ....!

Task 7 Fill in the blanks with the demands written below.
(Completaţi spaţiile libere cu îndemnurile de mai jos.)

Faceţi o injecţie! Bea lapte! Du-te la doctor! Stai liniştit! Stop! Faceţi o electroencefalogramă! Nu fuma!   Fă o radiografie! Spală-te pe mâini! Spală-te pe dinţi de 3 ori pe zi! Du-te la dentist! Fă o electrocardiogramă! Ia medicamentele! Nu bea! Ia-ţi temperatura!

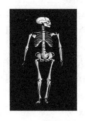

....

....

....

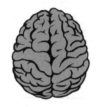

....

....

....

....

....

....

....

....

....

....

....

....

162

The Pronoun in Accusative
(Pronumele în acuzativ)

The Personal Pronouns / Pronumele personale II

This pronoun replaces the noun in the accusative case. It can be identified by means of the concept questions **'whom?'** – **for persons** and **'what?'** – **for things**.

This pronoun 'borrows' the number of the person/s that suffer/s the action. The verb agrees with the person that performs the action.

Subject *(noun or pronoun)*	Pronoun		
	simple form		emphatic form (optional)
e.g. Eu / Tu / El / Ea / Noi / Voi / Ei / Ele/ Directorul / Sergiu / Colegul meu / Agenda / Domnul Stan, Asistenta etc.	**mă** me		**pe mine** me
	te you	+ verb matching the subject	**pe tine** you
	îl *(masc.)* / **o** *(fem.)* he / she / it		**pe el / pe ea** he / she / it
	ne us		**pe noi** us
	vă you		**pe voi** you
	îi *(masc.)* / **le** *(fem.)* you		**pe ei / ele** you

In the above table you can see two types of pronouns: simple and emphatic ones. The emphatic pronouns can be deleted, as they are usually used in very 'precious' sentences. Personal pronouns in accusative replace the nouns that suffer the action. As the verbal form always matches the subject, sometimes the subject may be omitted.

The word order in the sentences containing such pronouns may be:

(Subject)	+ Pronoun (simple form)	+ **Verb**	+ Pronoun (emphatic form)
(Asistenta)	**mă**	informează	*(pe mine)*

Contracted forms are usually employed in informal Romanian, in the negative, with the 3-rd person singular and plural. The pronouns involved are **'îl'**, **'o'** and **'îi'**.

'Eu nu îl trezesc' ,   *becomes*   'Eu nu-l trezesc' (the vowel 'î' from 'îl' is dropped)

'Carmen nu o sună' ,   *becomes*   'Carmen n-o sună' (without the vowel 'u' from 'nu')

'Noi nu îi cunoaştem',   *becomes*   'Noi nu-i cunoaştem' (the vowel 'î' from 'îi' is deleted)

The pronoun in Accusative with Subjunctive Structures / Pronumele în acuzativ din construcțiile conjunctivale

Study the following structure:

Subject +	Verb requiring a Subjunctive construction	+ să	+Pronoun(Acc.)	+Verb in Subjunctive

(Eu)	Doresc	să	te	ajut
(Tu)	Trebuie	să	mă	asculți
(Dan / El / Ea)	Vrea	să	vă	întrebe (ceva)
(Noi)	Intenționăm	să	le	finalizăm
(Voi)	Vreți	să	ne	dezinformați
(Ei)	Pot	să	îl / o	citească

Contracted forms:
să + îl = să-l
să + o = s-o
să + îi = să-i

The Reflexive Pronouns / Pronumele reflexive

Unlike the pronouns studied in the previous grammar session, these pronouns state that the person who performs the action is the one who suffers it. The form **'se'** makes the infinitive of most reflexive verbs. The emphatic pronoun can be omitted in everyday speech (**e.g.** **'a se informa'** – *'to get informed'*).

Personal Pronoun in Nominative	Reflexive Pronoun (Simple form)	Verb (a se informa)	Translation
Eu	**mă**	informez	I inform mysel
Tu	**te**	informezi	You inform yourself
El / Ea	**se**	informează	He / She informs himself / herself
Noi	**ne**	informăm	We inform ourselves
Voi	**vă**	informați	You inform yourselves
Ei / Ele	**se**	informează	They inform themselves

In the table below you can notice two types of pronouns, both of them in accusative. Those written in red letters are 'reflexive pronouns', while the rest of them are personal pronouns.

Person that effects the action	Pronoun (corresponding to the person that suffers the action)	Verb matching the subject	Translation
	mă	**trezesc**	*I (don't) wake up myself*
	te	trezesc	*I (don't) wake you up*
	o / îl	trezesc	*I (don't) wake him / her up*
Eu (nu)	–	–	–
	vă	trezesc	*I (don't) wake you up*
	îi / le	trezesc	*I (don't) wake them up*

164

Person that effects the action	Reflexive Pronoun (corresponding to the person that suffers the action)	Verb matching the Subject	Translation
		mă trezeşti	You (don't) wake me up
		te **trezeşti**	You (don't) wake up yourself
Tu	(nu)	o / îl trezeşti	You (don't) wake him / her up
		ne trezeşti	You (don't) wake us up
		– –	–
		îi / le trezeşti	You (don't) wake them up
		mă trezeşte	He / She wakes (doesn't wake) me up
		te trezeşte	He / She wakes (doesn't wake) you up
El / Ea	(nu)	o / îl / se **trezeşte**	He / She wakes (doesn't wake) him(self) / her(self) up
		ne trezeşte	He / She wakes (doesn't wake) us up
		vă trezeşte	He / She wakes (doesn't wake) you up
		îi / le trezeşte	He / She wakes (doesn't wake) them up
		– –	–
		te trezim	We (don't) wake you up
		o / îl trezim	We (don't) wake him / her up
Noi	(nu)	ne **trezim**	We (don't) wake up ourselves
		vă trezim	We (don't) wake you up
		îi / le trezim	We (don't) wake them up
		mă treziţi	You (don't) wake me up
		– –	–
Voi	(nu)	o / îl treziţi	You (don't) wake him / her up
		ne treziţi	You (don't) wake us up
		vă **treziţi**	You (don't) wake yourselves up
		îi / le treziţi	You (don't) wake them up
		mă trezesc	They (don't) wake me up
		te trezesc	They (don't) wake you up
Ei / Ele	(nu)	o / îl trezesc	They (don't) wake him / her up
		ne trezesc	They (don't) wake us up
		vă trezesc	They (don't) wake you up
		îi / le / se **trezesc**	They (don't) wake up themselves

Here are some of the most familiar reflexive verbs:

a se aşeza	to sit down		**a se odihni**	to take a rest
a se bucura	to be happy / glad		**a se plimba**	to go for a walk
a se distra	to have fun		**a se ridica**	to get up
a se duce	to go		**a se scula**	to get up
a se îmbrăca	to get dressed		**a se simţi**	to feel
a se încălţa	to put the shoes on		**a se spăla**	to wash
a se întoarce	to turn / come back		**a se trezi**	to wake up
a se întreba	to ask		**a se uita**	to look at
a se juca	to play		**a se urca**	to get on / into
a se muta	to move			

TASK 8
Fill in the blanks with the personal pronouns in accusative, corresponding to the English pronouns written in brackets.
(Completaţi spaţiile libere cu pronumele personale în cazul acuzativ, corespunzătoare pronumelor englezeşti din paranteze.)

A: Am o durere îngrozitoare de cap, am ameţeală, o senzaţie de greaţă şi (*me*) ....
doare gâtul. (*Me*) .... doare şi spatele şi (*me*) .... supără şi o gleznă. Ce
(*me*) .... sfătuieşti să fac?

B: Păi ... Cred că mai întâi ar trebui să iei o aspirină. Sigur va avea un efect calmant, dar
după aceea ar trebui să (*you*) .... duci la doctor. Chiar dacă nu ai decât o
simplă răceală, trebuie, oricum, să faci nişte analize de sânge. Dacă tuşeşti, s-ar putea
să ai o bronşită, dar eu nu sunt medic, nu ştiu ce ai. Du-te la doctor şi el (*you*) ....
va examina şi apoi va da un diagnostic.

A: Sper că nu este o boală contagioasă. Nu vreau să (*they, male*) .... molipsesc.

B: Nu (*you*) .... îngrijora înainte de a (*you*) .... duce la doctor şi nu uita să
iei fişa medicală. Ai nevoie de ea. Cred că ar trebui să (*you*) .... duci şi la
chirurgie, pentru durerea de gleznă, iar pentru durerea de spate ar trebui să faci masaj.

TASK 9
Listen to the CD and check up the answers given to the above task.
(Ascultaţi CD-ul şi verificaţi răspunsurile date exerciţiului de mai sus.)

Vocabular / Vocabulary

ameţeală	– giddiness
analiză de sânge	– blood analysis
bronşită	– bronchitis
cabinet medical	– surgery; consulting room
certificat medical	– medical certificate
chirurg	– surgeon
chirurgie	– surgery
clinică	– clinic
contagios / contagioasă	– catching / contagious
durere	– ache; pain
durere de cap	– headache
efect calmant	– soothing effect
fişă medicală	– medical card
gripă	– flu
infirmieră	– nurse
leziune; rană	– injury
luxaţie	– luxation

pacient / pacienţi	– patient/s *(masculine)*
pacientă / paciente	– patient/s *(feminine)*
pastilă / pastile	– pill/s
sală de aşteptare	– waiting-room
senzaţie de greaţă	– sensation of nausea
targă / tărgi	– stretcher/s
tuse	– cough
tăietură	– cut
prim ajutor	– first aid
masaj	– massage
Ce vă supără?	– What do you complain of?
Îmi curge nasul	– My nose is running.
Mă doare gâtul	– I have a sore throat.
a avea o durere	– to have a pain
a durea	– to ache
a răci	– to catch a cold
a se baza pe	– to rely on
a se îmbolnăvi	– to get ill
a se însănătoşi	– to get well
a scăpa de...	– to get rid of ...

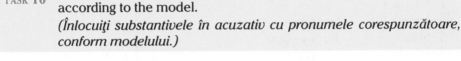

TASK 10   Replace the nouns in accusative by the corresponding pronouns, according to the model.
(Înlocuiţi substantivele în acuzativ cu pronumele corespunzătoare, conform modelului.)

Model: Scriu *articolul* pentru buletinul informativ.
Îl *scriu.*

1. Vreau *cursul* de limba română.   ....

2. Cunosc *conţinutul* scrisorii.   ....

3. Întocmim *raportul* lunar.   ....

4. Urmărim *serialele* de sâmbătă seara.   ....

5. Aştept *răspunsul* cât de curând.   ....

6. Vindem *televizorul* cel vechi.   ....

7. Ducem *scaunele* în biroul alăturat.   ....

8. Comentează *meciul* de fotbal.   ....

9. Vizităm *muzeul* de istorie.   ....

10. Angela vrea *ziarul* de azi.   ....

Task 11 Use the personal pronouns in accusative, according to the model.
(Utilizaţi pronumele personale în acuzativ, conform modelului.)

Model: Eu îl cunosc **pe Mircea.**
Îl *cunosc* **pe el.**

1. Dan mă roagă să-l trezesc mâine.   ....

2. Noi vă invităm la petrecere.   ....

3. Eu o întreb dacă este ocupată.   ....

4. Eu îl sun mâine după-amiază.   ....

5. Prietenii îl acuză de minciună.   ....

6. (Eu) vă rog să o ajutaţi la traducere.   ....

7. Să le întrebăm dacă vin mai devreme.   ....

8. Să te conduc la gară cu maşina.   ....

Task 12 Try the following crossword.
(Rezolvaţi următorul careu.)

Across *(Orizontal)*:

1. hospital
2. large tooth
3. ankle
4. injury
5. finger
6. tooth
7. head
8. bronchitis
9. first-aid *(two words)*
10. brain
11. eye-lids
12. patient
13. back
14. ear
15. forehead

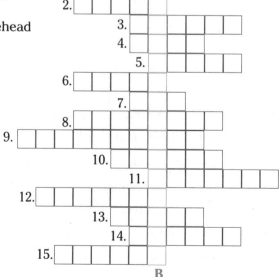

Down – *from* **A** *to* **B** *(Vertical)*: the waiting-room *(three words)*

168

Lesson Twelve / Lecţia doisprezece

Topics for Conversation
(Subiecte de conversaţie)

Money Matters
(Probleme financiare)

> **Task 1** Listen to the CD and then repeat.
> *(Ascultaţi CD-ul şi apoi repetaţi.)*

Funcţionarul:	Bună ziua. Cu ce vă pot ajuta?
Clientul:	Aş vrea să schimb nişte valută în dolari americani. Se poate?
Funcţionarul:	Depinde de suma pe care vreţi să o schimbaţi şi de valută. Ce valută aveţi?
Clientul:	Am lire sterline.
Funcţionarul:	Ce sumă?
Clientul:	600 de lire sterline. Dar aş vrea ca pe lângă aceste 600 de lire să mai schimb şi o sută de lire în lei româneşti.
Funcţionarul:	Da, sigur, nu este nici o problemă. Un moment, vă rog, trebuie să verific rata de schimb de astăzi. Să ştiţi că este o rată de schimb favorabilă dolarului american.
Clientul:	Da, am citit în ziar că este o mare cerere de dolari americani şi de mărci germane pe piaţa valutară. M-am gândit că va fi o bună alegere dacă voi schimba lirele în dolari.
Funcţionarul:	Da. Este în regulă. Vă voi schimba câte lire doriţi. Vreţi numerar sau cecuri de călătorie?
Clientul:	Până acum am preferat numerar, dar de data aceasta aş prefera cecuri de călătorie.
Funcţionarul:	Iată dolarii, conform ratei de schimb, din care s-a scăzut comisionul băncii. Iată şi leii.
Clientul:	Vă mulţumesc.
Funcţionarul:	Cu plăcere. Vă doresc o zi bună şi mai poftiţi pe la noi!

Vocabular / Vocabulary

Aş vrea să schimb nişte valută.	I would like to exchange some currency.
Ce sumă?	(In / For) What amount?
cecuri de călătorie	travellers' cheques
clientul	the client / the customer
conform ratei de schimb	according to the rate of exchange
Cu ce vă pot ajuta?	What can I do for you?
Cu plăcere.	You're welcome.
depinde de	it depends on

Este în regulă.	It's OK.
favorabilă dolarului american	favourable to the American Dollar
funcţionarul	the clerk
în dolari americani	in(to) / for USD
numerar	cash
o bună alegere	a good choice
o mare cerere de dolari	a great demand of dollars
pe lângă	beside
piaţa valutară	exchange market
rata de schimb	exchange rate
Se poate?	Is it possible?
Vă doresc o zi bună.	I wish you a good day.

 TASK 2 Read the table below containing the most important currencies.
(Citiţi tabelul următor care conţine cele mai cunoscute valute.)

Ţara *Country*		Codul valutar *ISO Code*	Valute *Currencies*	
Austria	Austria	ATS	*Austrian shilling*	şiling austriac
Belgium	Belgia	BEF	*Belgian franc*	franc Belgian
Canada	Canada	CAD	*Canadian dollar*	dolar canadian
Denmark	Danemarca	DKK	*Danish krone*	coroană daneză
France	Franţa	FRF	*French franc*	franc francez
Germany	Germania	DEM	*German mark*	marcă germană
Great Britain	Marea Britanie	GBP	*pound sterling*	liră sterlină
Holland	Olanda	NLG	*Dutch guilder*	gulden olandez
Italy	Italia	ITL	*Italian lira*	liră italiană
Japan	Japonia	JPY	*yen*	yen
Norway	Norvegia	NOK	*Norwegian krone*	coroană norvegiană
Romania	România	ROL	*Romanian leu*	leu românesc
Spain	Spania	ESP	*peseta*	peseta
Sweden	Suedia	SEK	*Swedish krona*	coroană suedeză
Switzerland	Elveţia	CHF	*Swiss franc*	franc elveţian
United States	Statele Unite	USD	*dollar*	dolar

Banking Issues / Chestiuni bancare

a achiziţiona	to acquire / buy	**a deveni scadent /**	to come due
a acorda un credit	to grant a credit	**a ajunge la scadenţă**	
a aloca	to allocate	**a eşalona**	to schedule
a atinge pragul de	to break even	**a lua cu împrumut**	to borrow
rentabilitate		**a percepe**	to charge
a creşte / spori / mări	to rise; to increase	**a rambursa**	to repay
a da cu împrumut	to lend	**a reeşalona**	to reschedule
a da faliment	to go bankrupt	**a solicita un credit**	to apply / ask for
a da în judecată	to sue		a loan

a sta la rând	to (stand in a) queue, to line up	împrumut, credit	loan
active fixe	fixed assets	incapacitate de plată	default
acţionar	shareholder	indicator/i	ratio/s
agent de vânzări mobiliare	stockbroker	insolvabilitate	insolvency
an fiscal	fiscal year	ipotecă	mortgage
balanţa de plăţi	balance of payment	masă monetară	money supply
		monedă naţională	domestic currency
		necesar de finanţare	financing needs
balanţă de verificare	trial balance	necesar de lichiditate	liquidity requirements
bancă centrală	central bank	negociere	negotiation
bancă comercială	commercial bank	ofertă de cumpărare	bid
bilanţ contabil	balance sheet	ordin permanent de plată	standing order
bonuri de tezaur	treasury bills		
case de scont	discount houses	piaţa de scont	discount market
cheltuială / cheltuieli	expenditure	prag de rentabilitate	break even
cifră de afaceri	turnover	registru contabil	ledger
comision	commission / fee	renume	good–will
condiţii	terms	scadenţă	maturity
cont	account	sold	balance
cont curent	current account	speze suplimentare	additional charges
cont de depozit	deposit account	titlu de proprietate	title deed
creditor	lender	tranşă de împrumut	dollop; tranche
datorie publică	governmental debt	transfer automat în cont	direct debit
datornic	debtor	urmărire penală	lawsuit
dealer valutar	foreign exchange dealer	valută	currency
		vânzare cu amănuntul	retail
debitor	borrower	vânzare en gros	wholesale
disponibil/ă	available	venit / câştiguri	earnings / revenue
faliment	bankruptcy	venit/uri	income
ghişeu	counter	venituri din vânzări	sales revenue
impozit/e	tax/es		

Grammar Session (Gramatică)

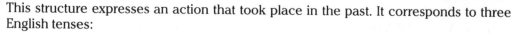

Past Tenses
(Timpurile trecute)

'Perfectul compus' Tense

This structure expresses an action that took place in the past. It corresponds to three English tenses:

> **Past Tense Simple**   Ieri **am citit** un articol foarte interesant.
> Yesterday I **read** a very interesting article.

Present Perfect Simple Am citit un articol interesant.

I **have read** a very interesting article.

Past Perfect Simple I-am spus că **am citit**[1] un articol foarte interesant.

I told him that I **had read** a very interesting article.

The terms associated with this structure are:

(de) abia / tocmai	– just
acum cinci minute	– five minutes ago
acum două zile	– two days ago
acum zece ani	– ten years ago
alaltăieri	– the day before yesterday
anul acesta	– this year
anul trecut	– last year
data trecută	– last time
de la ora 5	– since 5 o'clock
deja	– already
deseori	– often
ieri	– yesterday
în dimineaţa aceasta	– this morning
în ultima vreme	– lately
încă	– yet
luna trecută	– last month
niciodată	– never
până acum	– so far
recent / de curând	– recently
săptămâna aceasta	– this week
săptămâna trecută	– last week
timp de două ore	– for two hours
vreodată	– ever

This structure contains an auxiliary and the participle of the notional verb.

Person	Eu	Tu	El / Ea	Noi	Voi	Ei / Ele
Auxiliary	am	ai	a	am	aţi	au

With reflexive verbs:

Person	Eu	Tu	El / Ea	Noi	Voi	Ei / Ele
Auxiliary	**m-** + am	**te-** + ai	**s-** + a	**ne-** + am	**v-** + aţi	**s-** + au
	m-am	**te-ai**	**s-a**	**ne-am**	**v-aţi**	**s-au**

> **e.g.** Am spălat rufele.
> *I washed the laundry.*
>
> **M**-am spălat.
> *I washed myself.*

The Participle, in most cases, is made up of: the infinitive of the notional verb, which gets some suffixes in terms of the verbs' endings at the Infinitive Mood.

Thus, the verbs ending in '-a', '-ea', '-i' and '-î' at the infinitive, get the suffix '-t':

> **e.g.** a încerca – încercat; a vrea – vrut; a citi – citit; a urî – urât

---

[1] Past Perfect is the equivalent of '**perfect compus**' only in the subordinate clauses.

The verbs ending in '-e', get either the suffix '-ut' or '-s'.
Study the following table:

Infinitive	-a	-ea	-e		-i	-î
	a aştepta	a putea	a face	a merge	a fugi	a coborî
	a lucra	a vedea	a trece	a rade	a gândi	a hotărî
Participle	-at	-ut	-ut	-s	-it	-ât
	aşteptat	putut	făcut	mers	fugit	coborât
	lucrat	văzut	trecut	ras	gândit	hotărât

Study the conjugation of the verbs **'a fi '** / **'to be'** and **'a avea'** / **'to have'** at **'Perfect compus'**:

	A fi / To be				A avea / To have		
Person	The auxiliary 'a avea' at present	The Participle of 'a fi'	English	Person	The auxiliary 'a avea' at present	The Participle of 'a avea'	English
Eu	am		*I was*	Eu	am		*I had*
Tu	ai		*You were*	Tu	ai		*You had*
El / Ea	a	fost	*He/She was*	El / Ea	a	avut	*He / she had*
Noi	am		*We were*	Noi	am		*We had*
Voi	aţi		*You were*	Voi	aţi		*You had*
Ei / Ele	au		*They were*	Ei / Ele	au		*They had*

Here is a list with the **participles** of the most frequently used verbs:

a achiziţiona	**achiziţionat**	a înţelege	**înţeles**
a acorda	**acordat**	a lua	**luat**
a aloca	**alocat**	a mânca	**mâncat**
a atinge	**atins**	a mări	**mărit**
a auzi	**auzit**	a merge	**mers**
a bea	**băut**	a percepe	**perceput**
a citi	**citit**	a pune	**pus**
a coborî	**coborât**	a rambursa	**rambursat**
a creşte	**crescut**	a rămâne	**rămas**
a cumpăra	**cumpărat**	a răspunde	**răspuns**
a da	**dat**	a rezolva	**rezolvat**
a deschide	**deschis**	a schimba	**schimbat**
a eşalona	**eşalonat**	a scrie	**scris**
a face	**făcut**	a solicita	**solicitat**
a fi	**fost**	a spori	**sporit**
a fugi	**fugit**	a spune	**spus**
a fuma	**fumat**	a tăcea	**tăcut**
a ieşi	**ieşit**	a termina	**terminat**
a intra	**intrat**	a traduce	**tradus**
a începe	**început**	a urca	**urcat**
a încerca	**încercat**	a veni	**venit**
a închide	**închis**	a vorbi	**vorbit**
a întreba	**întrebat**		

Fill in the blanks with the corresponding forms of the verb at 'Perfect Compus'.
(Completaţi spaţiile libere cu formele corespunzătoare ale verbului la perfectul compus.)

ai – ai avut	luaţi – aţi luat	stai – ai stat	vorbim – am vorbit
avem	iei	stau	vorbeşte ....
are	iau	stau	vorbesc ....
aveţi	ia	stă	vorbesc ....
au	luăm	staţi	vorbiţi ....
am	iau	stăm	vorbeşti ....

rezolvă – au rezolvat	plecaţi – aţi plecat	vin – am venit	lucrăm – am lucrat
rezolv	pleacă	veniţi	lucrează ....
rezolvă	pleacă	vine	lucrează ....
rezolvăm	pleci	vii	lucrez ....
rezolvaţi	plecăm	venim	lucraţi ....
rezolvi	plec	vin	lucrezi ....

TASK 4 Turn the verbs of the following sentences into 'Perfectul Compus' Tense using the proper adverbs of time.
(Treceţi verbele din propoziţiile de mai jos la perfect compus utilizând adverbe de timp corespunzătoare.)

e.g. Voi studia limba germană la anul.
Am studiat limba germană **anul trecut**.
Anul trecut am studiat limba germană.

1. (Noi) Aşteptăm cu nerăbdare vacanţa de vară.

   ....

2. Mircea nu merge la birou astăzi.

   ....

3. Cine va găti mâine?

   ....

4. Contabilul întocmeşte bilanţul acum. Este foarte ocupat.

   ....

5. Voi aveţi putere deplină de decizie acum.

   ....

6. Compania Carpaţi are relaţii de afaceri numai cu parteneri serioşi.

   ....

7. Cred că dumneavoastră faceţi aluzie la întâlnirea de mâine.

   ....

8. Doamna Popescu are grijă de Mihăiţă.

   ....

TASK 5 Fill in the tables below with the corresponding verbal forms. Some of them have already been done for you.
(Completaţi tabelele de mai jos cu formele verbale corespunzătoare. Unele sunt deja completate ca model.)

Person	a achiziţiona *(to acquire / buy)*	a aloca *(to allocate)*	a da cu împrumut *(to lend);* a da faliment *(to go bankrupt)*	a eşalona *(to schedule)*
Eu	achiziţionez	....	....	....
Tu	....	....	dai	....
El / Ea	....	....	....	....
Noi	....	....	....	....
Voi	....	alocaţi	....	....
Ei / Ele	....	....	....	eşalonează

Person	a percepe *(to charge)*	a acorda un credit *(to grant a credit)*	a rambursa *(to repay)*	a solicita *(to apply for/ to ask)*
Eu	....	....	....	....
Tu	....	acorzi	....	....
El / Ea	....	....	....	....
Noi	....	....	rambursăm	....
Voi	percepeţi	....	....	....
Ei / Ele	....	....	....	solicită

Person	a atinge *(to touch / to reach)*	a creşte *(to rise / to increase)*	a spori *(to rise / to increase)*	a mări *(to rise / to increase)*
Eu	ating	....	....	....
Tu	....	....	sporeşti	....
El / Ea	....	creşte	....	....
Noi	....	....	....	....
Voi	....	....	....	măriţi
Ei / Ele	....	....	....	....

TASK 6 Turn the verbs from the following sentences into 'Perfect Compus', using the adverbs of time in brackets.
(Treceţi verbele din propoziţiile următoare la perfect compus, utilizând adverbele din paranteze.)

Model: El pleacă de la birou **azi** la ora 16:00. *(ieri)*
El **a plecat** de la birou **ieri** la ora 16:00.

1. Suntem obosiţi **acum**. Nu avem chef de lucru. (*alaltăieri*)

....

2. Directorul ne vorbeşte **azi** despre planul de investiţii. (*luna trecută*)

....

3. Echipa managerială este formată **în prezent** din opt directori. (*anul trecut*)

....

4. Cum stă Mihai cu sănătatea **acum**? (*în clasa a şaptea*)

....

5. Despre ce vei vorbi la şedinţa de **mâine**? (*săptămâna trecută*)

....

6. (El) Nu are o slujbă serioasă în **prezent**. (*acum trei ani*)

....

7. Jarl vorbeşte **întotdeauna** deschis. (*întotdeauna*)

....

8. **Mâine** la ora 16:00 vom participa la o şedinţă foarte importantă. (*pe 17 ianuarie*)

....

9. Eu iau cina cu familia **astă seară**. (*ieri seară*)

....

10. **Mâine** vei lua trenul de Constanţa la ora 17:16. (*marţea trecută*)

....

11. **Luna viitoare** voi lua un credit de la bancă. (*acum trei luni*)

....

12. El stă pe scaun **acum**. (*acum trei minute*)

....

13. Andrei nu are astâmpăr **astăzi**. (*ieri după-amiază*)

....

14. Dan vorbeşte aiurea **acum**. (*la întâlnirea de săptămâna trecută*)

....

15. Tu nu stai pe roze în **prezent**. (*niciodată*)

....

16. Staţi la taifas cu maiştrii **de câteva minute**. (*câteva ore, ieri*)

....

17. Cred că vorbim în vânt **acum**. (*la ora de română de săptămâna trecută*)

....

18. **Mâine** la ora 18:30 mă voi duce la teatru. (*joia trecută*)

....

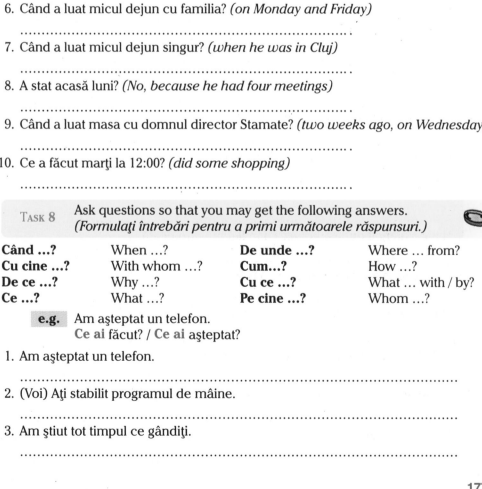

Task 7
Answer the following questions, using the prompts in brackets.
(Răspundeţi la următoarele întrebări utilizând informaţiile din paranteze.)

Model: Ce a făcut domnul Ionescu marţi la ora 14:00? *(spoke on the phone with the managing director)*
Marţi la ora 14:00 domnul Ionescu a vorbit la telefon cu directorul general.

1. Ce a făcut domnul Valentin Ionescu vineri la 17:20? *(went home)*

   ....

2. Ce a făcut fratele lui miercuri la ora 14:00? *(played football)*

   ....

3. La ce oră a luat cina joi? *(at 7:30 p.m.)*

   ....

4. Când a plecat în delegaţie la Cluj? *(last Thursday)*

   ....

5. Cu cine a vorbit la telefon? *(with his wife)*

   ....

6. Când a luat micul dejun cu familia? *(on Monday and Friday)*

   ....

7. Când a luat micul dejun singur? *(when he was in Cluj)*

   ....

8. A stat acasă luni? *(No, because he had four meetings)*

   ....

9. Când a luat masa cu domnul director Stamate? *(two weeks ago, on Wednesday)*

   ....

10. Ce a făcut marţi la 12:00? *(did some shopping)*

   ....

Task 8
Ask questions so that you may get the following answers.
(Formulaţi întrebări pentru a primi următoarele răspunsuri.)

Când ...?	When ...?	**De unde ...?**	Where ... from?
Cu cine ...?	With whom ...?	**Cum...?**	How ...?
De ce ...?	Why ...?	**Cu ce ...?**	What ... with / by?
Ce ...?	What ...?	**Pe cine ...?**	Whom ...?

   e.g.   Am aşteptat un telefon.
   Ce ai făcut? / **Ce ai** aşteptat?

1. Am aşteptat un telefon.

   ....

2. (Voi) Aţi stabilit programul de mâine.

   ....

3. Am ştiut tot timpul ce gândiţi.

   ....

4. Ieri la ora 16:00 am văzut un film la cinematograf.

....

5. A trebuit să facem un plan.

....

6. A mers foarte bine.

....

7. A așteptat un autobuz.

....

8. Nu am așteptat pe nimeni.

....

9. Am făcut deja planuri de vacanță.

....

10. Am luat hotărârea acum două săptămâni.

....

11. A trebuit să așteptăm un răspuns alaltăieri.

....

12. Nu am văzut pe nimeni cunoscut ieri seară la teatru.

....

13. Am venit de la teatru.

....

14. Am lucrat cu colegul meu Dan Ionescu.

....

15. Ieri la ora 15:00 am luat prânzul cu Dan.

....

16. Am venit din Norvegia.

....

17. Mihai a alergat după autobuz, ca în fiecare dimineață.

....

18. Întotdeauna am citit ziarele după micul dejun.

....

19. Luna trecută a mers la birou cu metroul.

....

20. Întotdeauna am urât să călătoresc cu metroul.

....

21. Nu am fost la teatru în ultimele șase luni. Am fost foarte ocupată.

....

22. Nu am citit ziarul de ieri.

....

Give the **Perfect Compus** form of the verbs below, in terms of the pronouns or nouns attached.

*(Dați formele de „**perfect compus**" corespunzătoare verbelor de mai jos, în funcție de pronumele sau substantivele precizate în dreptul lor.)*

Model: a pleca acasă; Maria   **Maria a plecat acasă.**
a pleca de la birou; noi   **Noi am plecat de la birou.**

a bea Coca–Cola; eu   ....

a citi o carte bună; eu   ....

a coborî scările; tu   ....

a cumpăra fructe; voi; nu   ....

a da un telefon; prietenul meu   ....

a deschide uşa; copilul; nu   ....

a face gălăgie; elevii   ....

a fi fericit; ea   ....

a fugi de răspundere; el   ....

a fuma; englezii; nu   ....

a ieşi în oraş; noi   ....

a începe; ploaia   ....

a încerca; voi   ....

a închide geamul; mama   ....

a intra în birou; directorul   ....

a întreba despre proiect; eu   ....

a înțelege; noi toți   ....

a lua notițe; studenții   ....

a mânca prăjituri; toți copiii   ....

a merge la gară pe jos; noi; nu   ....

a pune masa; soția mea   ....

a rămâne singuri; noi   ....

a răspunde la întrebări; preşedintele   ....

a rezolva o problemă; contabilul   ....

a schimba hainele; voi   ....

a scrie o scrisoare; ei   ....

a spune adevărul; nimeni; nu   ....

a tăcea; publicul   ....

a termina de scris; secretarele   ....

a traduce un text; noi   ....

a urca în tren; călătorii   ....

a veni la timp; ele; nu   ....

a vorbi mult; ele; întotdeauna   ....

TASK 10 Answer the following questions using 'perfect compus'.
(Răspundeţi la următoarele întrebări utilizând timpul perfect compus.)

1. Care a fost rata de schimb leu – dolar american ieri?

   ....

2. Când aţi solicitat prima oară un credit la bancă?

   ....

3. Care a fost suma pe care aţi solicitat-o?

   ....

4. La ce bancă aţi deschis contul în România?

   ....

5. Aţi deschis un cont în lei sau în valută?

   ....

6. Aţi deschis un cont curent sau un cont de depozit?

   ....

7. Cât timp aţi stat la rând la ghişeu pentru a depune banii?

   ....

8. Câţi bani aţi depus ultima dată?

   ....

9. Aţi depus lei, dolari sau lire?

   ....

10. La ce oră s-a închis banca?

   ....

Topics for Conversation
(Subiecte de conversaţie)

Health
(Sănătate)

TASK 11 Read the following dialogue.
(Citiţi următorul dialog.)

A: Am auzit că **ai fost** bolnavă.
B: Am avut o gripă care **m–a supărat** vreo două săptămâni. Acum, însă, mă simt bine. **Mi–am revenit**.
A: Mă bucur. Arăţi foarte bine. Pentru că **a venit vorba**, ai auzit de doamna Andreescu?
B: Nu. Ce i **s–a întâmplat**?
A: A avut o formă de gripă foarte severă încât **a trebuit** să o ducem la spital.
B: Vai, îmi pare atât de rău! Cum se simte acum?
A: Acum se simte mai bine, dar este încă internată …
B: Biata de ea! Sper să se facă bine în curând!

Vocabular / Vocabulary

Phrases / Expresii

Am auzit că ai fost bolnavă.	I hear you have been ill. (*fem.*)
Am avut o gripă ...	I had a flu.
... care m–a supărat vreo două săptămâni.	...that troubled me for a couple of weeks.
Acum, însă, mă simt bine.	I am fine, now.
Mi-am revenit.	I have recovered.
Mă bucur.	I am happy to hear that.
Arăți foarte bine.	You are looking very well.
Pentru că a venit vorba ...	By the way ...
... ai auzit de doamna Andreescu?	... did you hear about Mrs. Andreescu?
Ce i s–a întâmplat?	What about her? / What has happened?
A avut o formă de gripă foarte severă	She had a bad case of flu.
... şi a trebuit să o ducem la spital.	... and we had to take her to the hospital.
Vai, îmi pare atât de rău!	Oh, I'm so sorry to hear that!
Cum se simte acum?	How is she now?
Acum se simte mai bine ...	Now she's feeling better ...
... dar este încă internată în spital ...	... but she's still in the hospital.
Biata de ea!	Poor her!
Sper să se facă bine în curând!	I hope she will be fine soon!

TASK 12 Listen to the CD and then repeat.
(Ascultaţi CD-ul şi apoi repetaţi.)

TASK 13 Translate into Romanian using the pronouns in dative.
(Traduceţi în limba română utilizând pronumele în cazul dativ.)

1. Mary told me a funny story the other day.

....

2. I brought her some flowers.

....

3. They told us that they had finished the report.

....

4. She brought us a present.

....

5. Alexander gave me three lovely roses.

....

6. We sent them a fax at the beginning of the year.

....

7. Who gave you this brilliant idea?

....

8. Nobody told us the truth.

....

Fill in the missing letters and translate the words into English.
(Completaţi literele care lipsesc şi traduceţi cuvintele în limba engleză.)

î...pru...ut   ....   c...eltu...eli   ....

co...i...io...   ....   re...u...e   ....

...ali...ent   ....on...iţi...   ....

...egis...ru con...abi... ....   ve...it   ....

ram...ur...are   ....   i...otec...   ....

pia...a de ...cont   ....ator...ic   ....

i...po...it   ....   an ...is...al   ....

TASK 15   Try the following crossword:
(Rezolvaţi următorul careu:)

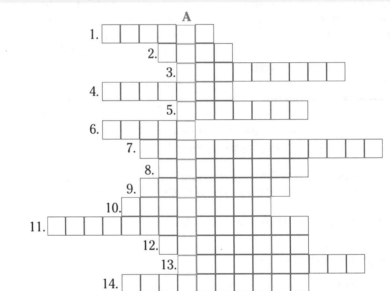

Across (*Orizontal*):
1. goodwill
2. balance
3. negotiation
4. mortgage
5. borrower
6. payment
7. deposit account (*three words*)
8. debtor
9. shareholder
10. commission
11. balance sheet (*two words*)
12. fiscal year (*two words*)
13. fixed assets (*two words*)
14. expenditure
15. maturity

Down – *from* **A** *to* **B** *(Vertical)*: 'national / domestic currency' *(two words)*

Lesson Thirteen / Lecția treisprezece

Clothes
(Articole vestimentare)

Task 1	Listen to the CD and then repeat. *(Ascultați CD-ul și apoi repetați.)*

Vânzătoarea: Cu ce vă pot servi?

Clienta: Ați putea, vă rog, să-mi arătați taiorul acela verde deschis, din vitrină?

Vânzătoarea: Da, desigur, imediat… Poftiți! Cred că vi se potrivește. Ce număr purtați?

Clienta: Eu port mărimea 46, dar aș vrea să fie puțin mai larg. Cred că numărul 48 ar fi foarte bun. Îl voi putea purta cu o bluză pe dedesubt.

Vânzătoarea: Este chiar mărimea 48. Vreți să-l probați?

Clienta: Da, desigur. Unde este cabina de probă?

Vânzătoarea: Imediat la stânga, lângă casa numărul 3.

Clienta: … L-am probat, dar din nefericire fusta îmi este prea largă. Aș vrea același model și culoare, dar mărimea 46, vă rog.

Vânzătoarea: Imediat… Poftiți, vă rog. Acest costum este măsura 46. Vreți să-l probați?

Clienta: Nu, nu cred că este necesar. Îl cumpăr. Spuneți-mi, vă rog, aveți, cumva, și o eșarfă care să se asorteze cu această culoare? Aș prefera o eșarfă verde închis …

Vânzătoarea: Îmi pare rău. Noi nu ținem eșarfe. Încercați la raionul de galanterie, de la etajul II!

Vocabular / Vocabulary

Phrases / Expresii

… **din vitrină?**	… from the shop-window?
… **fusta mi-este prea largă**	… the skirt is too loose for me
… **lângă casa numărul 3**	… next to the cashier's desk no. 3
… **să-mi arătați taiorul acela verde deschis**	…show me that light-green suit
Aș vrea același model și culoare.	I would like the same pattern and colour
Aș vrea să fie puțin mai larg.	I would like it to be a little loose
Ați putea, vă rog …	Could you …, please
Ce număr purtați?	What is your size?
clientă / cliente	customer/s
Cred că vi se potrivește.	I think it fits you.
Cu ce vă pot servi?	What can I do for you?
Da, desigur, imediat…	Yes, of course. Just a minute, please…
o eșarfă care să se asorteze cu …	a scarf that matches ….
Poftiți!	Here you are!
Unde este cabina de probă?	Where is the fitting-room?
vânzătoarea	the shop-assistant

183

Fill in the blanks with the missing forms.
(Completaţi spaţiile libere cu formele care lipsesc.)

Person	a purta *(to wear)*	a se dezbrăca *(to take off)*	a se îmbrăca *(to dress oneself)*	a proba *(to try on)*	a se potrivi *(to fit)*
Eu	port				
Tu		te dezbraci		probezi	
El / Ea	poartă		se îmbracă		se potriveşte
Noi			ne îmbrăcăm	probăm	
Voi					
Ei /Ele		se dezbracă			

Vocabulary / Vocabular

a proba	to try on
a purta	to wear
a se dezbrăca	to take off one's clothes
a se îmbrăca	to put on one's clothes
a se potrivi	to fit smb.
(de) blană	fur
bluză / bluze	blouse/s
(de) bumbac	cotton
cabină / cabine de probă	fitting-room/s
(de) catifea	velvet
casă / casierie	cashier desk
cămaşă / cămăşi	shirt/s
chiloţi	panties
ciorapi	stockings
confecţii	ready-made clothes
costum cu vestă	three-piece suit
costum fără vestă	two-piece suit
costum la două rânduri	double breasted suit
costum la un rând	single breasted suit
costum/e de baie	bathing costume/s
costum/e de haine	suit/s of clothes
cravată / cravate	tie/s
croială	cut
demodat/ă	out of fashion; old-fashioned
elegant/ă	fashionable; stylish
eşarfă / eşarfe	scarf/s
fără mânecă	sleeveless
fular/e	muffler/s
furou/ri	chemise/s
fustă / fuste	skirt/s

(cu) gust	in good taste
ghete	hiking shoes / boots
gros / groasă	thick
guler/e	collar/s
haină / haine	coat/s
în dungi	striped
încălţăminte	footwear
jachetă / jachete	jacket/s
(de) lână	woolen
lung/ă	long (**e.g.** 'o fustă lungă')
maiou/ri	(under)vest/s
manşetă / manşete la haină	cuff/s
manşetă la pantalon	turn up
mănuşă / mănuşi	glove/s
măsură / măsuri	size/s
(de) mătase	silk
mânecă / mâneci	sleeve/s
model / modele	pattern/s
neşifonabile *(fem., pl.)*	uncreasable
nuanţă / nuanţe	shade/s
pălărie / pălării	hat/s
palton / paltoane	winter coat/s
pantof/i	shoe/s
pantof/i de stradă	walking shoe/s
pantofi cu toc	high heeled shoes
pantofi fără toc	low heeled shoes
papuci	slippers
pardesiu/ri	overcoat/s
pijama/le	pyjamas
prosop / prosoape	towel/s
rochie / rochii	dress/es
rochie de seară	evening dress
rufărie de corp	underwear
sandale	sandals
scurt/ă	short (**e.g.** 'o rochie scurtă')
strâmt / strâmte *(sg.)* **strâmţi / strâmte** *(pl.)*	tight
subţire / subţiri	thin
sutien/e	bust-bodice // bra/s
taior / taioare	tailor-made suit/s
tricou/ri	T-shirt/s
ultima modă	the latest fashion
vestă / veste	waistcoat/s
vitrină / vitrine	shop-window/s

TASK 3 Fill in the following table with the corresponding forms of the given adjectives.
(Completaţi tabelul de mai jos cu formele corespunzătoare ale adjectivelor date.)

English	Romanian			
	Feminine		Masculine	
	Singular	Plural	Singular	Plural
fashionable	....	....	elegant	....
thick	....	groase	....	....
thin	subţire	....	....	....
short	....	....	....	scurţi
long	lungă	....	....	....
out of fashion	....	....	demodat	....
expensive	....	scumpe	....	....
tight	....	....	....	strâmţi
uncreasable	neşifonabilă	....	....	....
cheap	....	....	ieftin	....

TASK 4 Listen to the CD and complete the following dialogues.
(Ascultaţi CD-ul şi completaţi următoarele dialoguri.)

I. A: .... ?
B: Aş vrea o pereche de mănuşi de piele mărimea VII, vă rog.
A: Avem maro, roşii, albe şi negre. Ce culoare preferaţi?
B: Aş vrea o pereche de mănuşi negre, dar aş dori să le văd mai întâi. Da, îmi vin foarte bine. Le vreau pe acestea. .... ?
A: 257.000 lei.
B: ....
A: La casa numărul 2. Este prima pe stânga.

II. A: Cu ce vă pot servi?
B: ....
A: Îmi pare rău. Nu ţinem decât pantaloni de damă. Puteţi găsi pantaloni bărbăteşti la raionul de confecţii bărbaţi, de la etajul I.
B: .... ?
A: Da, desigur, şi pentru copii.

TASK 5 Answer the questions, using the information from dialogues I and II.
(Răspundeţi la următoarele întrebări, utilizând informaţiile din dialogurile I şi II.)

1. Ce vrea să cumpere clienta din dialogul I?
....

2. Ce mărime a solicitat[1] clienta?
....

3. Ce culori aveau mănuşile oferite de vânzătoare?
....

---
[1] a solicita – to ask for; to make a request

4. Ce mănuşi a cumpărat clienta?

....

5. Cât au costat mănuşile?

....

6. Unde a plătit?

....

7. Ce a vrut să cumpere clienta din dialogul II?

....

8. Ce a cumpărat?

....

9. De ce?

....

10. La ce etaj a fost sfătuită să meargă?

....

Grammar Session (Gramatică)

The Nouns in the Dative Case
(Substantivele în cazul dativ)

Task 6 Study the following table:
(Studiaţi următorul tabel:)

Articol / Type of Article	Masculine / Neuter		Feminine	
	Singular	*Plural*	*Singular*	*Plural*
articol hotărât / *definite article*	-(u)lui	-lor	-ei	-lor
	elevu**lui** *(to) the student*	elevi**lor** *(to) the students*	elev**ei** *(to) the student*	eleve**lor** *(to) the students*
	doctor **lui** *(to) the doctor*	doctori**lor** *(to) the doctors*	secretar**ei** *(to) the secretary*	secretare**lor** *(to) the secretaries*
articol nehotărât / *indefinite article*	unui + noun	unor + noun	unei + noun [1]	unor + noun
	unui elev *(to) a student*	**unor** elevi *(to) some students*	**unei** eleve *(to) a student*	**unor** eleve *(to) some students*
	unui director *(to) a director*	**unor** directori *(to) some directors*	**unei** femei *(to) a woman*	**unor** femei *(to) some women*

The Personal Pronoun in Dative used with 'Perfectul Compus' Tense
(Pronumele personal în dativ folosit cu perfectul compus)

When combined with 'perfect compus', the pronoun in dative has the following contracted forms:

---

[1] The ending '**e**' or '**i**' is always used (**unei** eleve; **unei** femei)

187

	Singular			Plural	
I	mi-	me	I	ne-	us
II	ţi-	you	II	v-	you
III	i-	him / her	III	le-	them

e.g. *They gave us the money.*
Ei **ne-au dat** banii.

Note. In the above translation one can notice:
– the form of the pronoun (**'ne'**) corresponds to **'us'**
– the subject (**'ei'**) agrees with the predicate in number: **'ei au dat'**.

Pronoun in Nominative	**Pronoun in Dative**	*Example in Romanian* (**the verb 'a da'** / **'to give'**)	*Translation*
Eu	**mi-**	Andrei **mi-a dat** un dosar.	*Andrei **gave me** a file.*
Tu	**ţi-**	Andrei **ţi-a dat** un dosar.	*Andrei **gave you** a file.*
El / Ea	**i-**	Andrei **i-a dat** un dosar.	*Andrei **gave him / her** a file.*
Noi	**ne-**	Andrei **ne-a dat** un dosar.	*Andrei **gave us** a file*
Voi	**v-**	Andrei **v-a dat** un dosar.	*Andrei **gave you** a file.*
Ei / Ele	**le-**	Andrei **le-a dat** un dosar.	*Andrei **gave them** a file.*

e.g. Cine **i**-a cerut sfatul **directorului**?
Consiliul profesoral **i**-a acordat **unui elev** o bursă de merit.
I-au dat **secretarei** un calculator nou.
Le-au dat **secretarelor** manuale noi.

TASK 7   Give the dative form to the nouns and pronouns in brackets.
(Daţi forma de dativ substantivelor şi pronumelor din paranteze.)

Model: I-am dat Mariei o informaţie valoroasă.

1. Mircea *(us)* .... a oferit o ceaşcă de cafea.

2. *(Them)* .... au spus adevărul în cele din urmă.

3. Credeţi că au trimis *(parents)* .... o scrisoare anul acesta?

4. Nu *(me)* .... au precizat şi ora la care va sosi avionul.

5. Crezi că a dat *(to the students)* .... note de zece?

6. Nu au acordat *(to the workers)* .... nici o mărire de salariu.

7. Cine a spus *(to the employees)* .... că sâmbăta aceasta se va lucra?

TASK 8   Rewrite the following sentences correcting the mistakes, if any.
(Rescrieţi propoziţiile următoare, corectând eventualele greşeli.)

1. Pot să pun o întrebare unor director?

....?

2. Cui ţi-a dat Carmen dicţionarul român – englez?

....?

3. Cine ne-a înmânat secretarei lista cu necesarul de materiale?

....?

4. I-am cerut doctorilor un sfat.

....?

5. Mi-am dat copiilor trei înghețate.

....?

6. Andrei ne-a oferit colegilor șampanie de ziua lui de naștere.

....?

7. Ți-am cumpărat soțului meu o cravată modernă.

....?

8. Cine le aduce nouă corespondența?

....?

Sports and Games / Sporturi și jocuri

a înota	to swim	**ciclism**	cycling
a juca baschet	to play basketball	**coechipier/i**	team-mate/s
a juca șah	to play chess	**crosă / crose**	stick/s (hockey)
a juca volei	to play volleyball	**echipament/e**	outfit/s; equipment/s
a merge cu bicicleta	to go riding	**floretă / florete**	foil/s
a merge la patinaj	to go skating	**gimnastică**	gymnastics
a merge la pescuit	to go fishing	**haltere**	weight lifting
a merge la schi	to go skiing	**hipism**	horse riding
a merge la vânătoare	to go hunting	**înot**	swimming
a patina	to skate	**jucător/i de fotbal**	football player/s
a pescui	to fish	**minge / mingi**	ball/s
a schia	to ski	**șah**	chess
a urca pe munte	to climb the mountains	**patină / patine**	skate/s
a vâna	to hunt	**patinaj**	skating
a vâsli	to row a boat	**pescuit**	fishing
alpinism	mountain climbing	**popice**	nine-pins
antrenament/e	training	**rachetă / rachete**	racket/s
atletism	athletics	**sală / săli**	hall/s
automobilism	motoring	**scrimă**	fencing
baschet	basketball	**teren / terenuri**	sport-ground/s
bazin/e de înot	swimming pool/s	**tir**	shooting
bicicletă / biciclete	bicycle/s	**undiță / undițe**	fishing rod/s
biliard	billiards	**vânătoare**	hunting
bob	bob-sleigh	**vâslă / vâsle**	oar/s
box	boxing	**vestiar/e**	dressing room/s
canotaj	rowing	**volei**	volleyball

Task 9 Replace the underlined words with the ones in brackets, changing the verbal forms, if necessary.
(Înlocuiți cuvintele subliniate cu cele din paranteze, schimbând formele verbale, dacă este necesar.)

Model: **Mariei** îi place să joace baschet, dar nu știe să joace șah. (noi)
Nouă ne place să jucăm baschet, dar nu știm să jucăm șah.

1. De obicei **noi** urmărim jocurile de fotbal în week-end. (eu)

....

2. Săptămâna trecută **prietenii noștri** au mers la pescuit. (voi)

....

3. **Cine** ştie să joace tenis? (ele)

....

4. **Tu** ştii să mergi cu bicicleta? (ea)

....

5. Când ai fost **tu** ultima dată la un meci de fotbal? (prietenii tăi)

....

6. Care **jucător** a marcat în meciul cu Steaua Bucureşti? (fotbalişti)

....

7. Alpinismul este sportul **nostru** preferat. (meu)

....

8. **Voi** ştiţi să jucaţi baschet? (ei)

....

Task 10   Fill in the space provided to each of the following pictures, according to the model.
(Completaţi spaţiile libere corespunzătoare fiecărei imagini de mai jos, conform modelului.)

Model: Îmi place atletismul.
Nu îmi place atletismul.
Am practicat atletismul.
Nu am practicat niciodată atletismul.
Vă / îţi / îi / le place atletismul?

....

....

....

....

....

....

....

....

....

....

....

....

....

....

....

....

....

....

....

....

....

....

....

....

Task 11 Give the correct form to the verbs in brackets.
(Precizaţi forma corectă a verbelor din paranteze.)

Model:

1. Duminica trecută *(I went)* .... la meciul Steaua-Dinamo.
2. Echipa Steaua *(won)* .... meciul.
3. După meci, eu şi soţia mea *(called on our friends)* ....
4. *(We came back)* .... acasă seara, pe la ora 22:30.
5. Când *(did you go)* .... la antrenament ultima dată?
6. *(Did you go)* .... la mare anul trecut?
7. Cât timp *(did you stay)* .... acolo?
8. Ce staţiuni maritime *(did you see)* .... în drum spre Neptun?
9. *(Have you ever got late)* .... la birou? De ce?
10. Când *(did you go shopping)* .... ultima dată?
11. La ce magazin *(did you shop)* .... ?
12. Când *(did you graduate)* .... colegiul?
13. Când *(did you come)* .... în România?
14. Cât timp *(did you wait)* .... la vamă?

Task 12 Describe the clothes your fellow is being dressed in today.
(Descrieţi vestimentaţia de astăzi a colegului dumneavoastră.)

....

....

....

....

....

Tᴀsᴋ 13 Listen to the following sport article from the 'România liberă' daily newspaper.
(Ascultaţi următorul articol sportiv din cotidianul 'România liberă'.)

'Fotbal Club Naţional' a fost ultima echipă care s-a decis să înceapă pregătirile de iarnă după o vacanţă mai lungă ca niciodată. În timp ce F. C. Argeş, de exemplu, s-a reunit pe 4 ianuarie, jucătorii de la F. C. Naţional au preferat să îşi înceapă pregătirile cu 20 de zile mai târziu. De fapt elevii antrenorilor Alesanco şi Esteban – cei doi spanioli au ajuns din nou în România sâmbătă seară, în jurul orei 20:00 – vor face abia azi, 25 ianuarie, primul antrenament la Snagov.

 Tᴀsᴋ 14 Answer the questions below. Use the dictionary, if necessary.
(Răspundeţi la următoarele întrebări. Utilizaţi dicţionarul, dacă este cazul.)

1. Care echipă a început antrenamentul mai târziu?

....

2. La ce dată s-au reunit jucătorii de la F.C. Argeş?

....

3. Câte zile mai târziu şi-au început pregătirile jucătorii de la F.C. Naţional?

....

4. Când au făcut primul antrenament ?

....

5. Cine sunt antrenorii lor?

....

6. Unde şi-au făcut primul antrenament?

....

 Tᴀsᴋ 15 Fill in the following table with the clothes and footwear specific to each season.
(Completaţi următorul tabel cu articole de îmbrăcăminte şi încălţăminte specifice fiecărui anotimp.)

Îmbrăcăminte şi încălţăminte de vară	Îmbrăcăminte şi încălţăminte de toamnă	Îmbrăcăminte şi încălţăminte de iarnă	Îmbrăcăminte şi încălţăminte de primăvară
bluză / cămaşă	costum de haine / taior	palton	pantofi

TASK 16 Try the following crossword:
(Rezolvaţi următorul careu:)

A

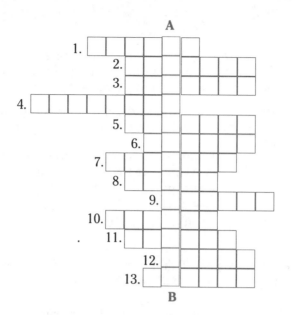

B

Across (*Orizontal*): 1. sleeve
2. tie
3. thin (*sing.*)
4. T-shirts
5. cuff
6. gloves
7. sandals
8. boots
9. slippers
10. scarf
11. towel
12. blouses
13. silk

Down – *from A to B* *(Vertical)*: fitting-room (*three words*)

Key - Cheia Exercițiilor

Task 6
directori; directoare; contabili; contabile; vânzători; vânzătoare; asistenţi; asistente; bibliotecari; bibliotecare; ingineri; inginere; economişti; economiste; profesori; profesoare.

Task 10
un strungar; o / nişte muncitoare; un director; o / nişte vânzătoare; o bibliotecară; un contabil; nişte ingineri; nişte directori.

Task 12
a) Cine sunteţi dumneavoastră? b) Maria este bibliotecară. c) Mă numesc Ionescu. d) Îmi pare bine. e) Cum vă numiţi dumneavoastră? f) Ea este vânzătoare. g) Cine este director?

Task 13
a) el; b) eu; c) ea; d) el; e) eu / ele; f) ea.

Task 14
1) dumneavoastră; 2) dumnealui / dânsul; 3) dumnealor; 4) dumneaei/ dânsa; 5) dumnealor / dânşii; 6) dumneavoastră

Task 15
1. Nu, Anton Şerban nu este analist la compania „Carpaţi". El este analist la compania „Astra". 2. Da, el / dumnealui / dânsul este director financiar la compania „Carpaţi". 3. Nu Anton Şerban nu locuieşte în Oslo. Locuieşte în Braşov. 4. Da, Jan Yvarsen este din Norvegia. 5. Mariana Ionescu este din Bucureşti. 6. Da, Anton Şerban este din România.

Task 20
1) sunteţi; 2) sunt; 3) este; 4) este; 5) este 6) sunteţi.

Task 24
1-f; 2-c; 3-e; 4-b; 5-d; 6-a; 7-h; 8-g; 9-i.

Task 25
Crossword *Orizontal*: 1) directoare; 2) strungar; 3) pe mâine; 4) pe curând; 5) secretară; 6) ocupat; 7) vânzător; 8) muncitor; 9) da; 10) deasupra; 11) printre; 12) inginer; 13) elevă.
Vertical: dumneavoastră.

Task 5
douăsprezece litere; două secretare; doisprezece directori; douăzeci şi doi de vânzători; patruzeci şi două de inginere; şaptezeci şi doi de elevi; cincizeci şi doi de instalatori; treizeci şi două de asistente; o sută doi constructori; o sută treizeci şi două de contabile; optzeci şi două de economiste; o sută şaizeci şi două de eleve.

Task 6	a) şapte funcţionari; b) două calculatoare; c) trei coşuri de hârtii; d) patru scaune; e) trei fotolii; f) treizeci şi şapte de dosare, un telefon şi două dicţionare.
Task 7	1) În birou se află cincisprezece sudori 2) În fabrică se află două mii trei sute de angajaţi. 3) Pe masă se află şapte cărţi. 4) În departamentul de marketing se află unsprezece economişti. 5) În departamentul financiar se află optsprezece funcţionari. 6) În cameră se află şase scaune.
Task 16	1. Eu lucrez. 2. Maria rezolvă o problemă. 3. Cine pleacă? 4. Tu iei cina acum? 5. Noi vorbim. 6. El lucrează acum. 7. Când pleci? 8. Când staţi acasă? 9. Cine vine azi? 10. Voi vorbiţi la telefon? 11. Eu plec acum. 12. Ce faci? 13. Noi lucrăm acum. 14. Eu stau acum. 15. Voi plecaţi acum? 16. Când vine el la birou? 17. Andrei este aici? 18. Cine este acolo? 19. Tu eşti ocupat ? 20. Când veniţi voi la birou?
Task 17	1. Ei nu au chef de lucru. 2. Vorbim despre planul de restructurare. 3. Biroul are are în componenţă 8 membri. 4. Cum staţi cu sănătatea? 5. Despre ce vorbiţi? 6. Ele nu au nici un amestec. 7. Olaf şi Bjorn vorbesc întotdeauna deschis. 8. La ora 16:00 iau parte la o şedinţă. 9. Noi luăm cina cu familia astă-seară. 10. El ia trenul de Constanţa. 11. Luaţi cu împrumut nişte bani. 12. Noi stăm pe scaune acum. 13. Tu nu ai astâmpăr vineri după-amiaza. 14. Maria şi Petre vorbesc aiurea acum. 15. Ei nu stau pe roze. 16. Ea nu are încredere în Angela. 17. Stăm la taifas cu maiştrii. 18. Cred că vorbeşti în vânt acum. 19. Este ora 18:30. Ele pleacă acasă acum. 20. El pleacă de la birou la ora 16:00.
Task 19	1) lucrez 2. vii 3. rezolvaţi 4. ia 5. plecaţi 6. lucrează 7. staţi; plecaţi 8. aveţi.
Task 23	1. Vineri la ora 17:20 domnul Valentin Ionescu vine acasă de la birou. 2. Miercuri la ora 14:00 ia masa cu domnul director Stamate. 3. Joi ia cina la 19:30. 4. Pleacă în delegaţie joi la ora 7:10. 5. Nu vorbeşte vineri cu directorii de fabrici. Vorbeşte cu ei luni la ora 9:00. 6. Luni şi duminică ia micul dejun cu familia. 7. Ia micul dejun singur joi la 6:45. 8. Nu, luni nu stă acasă. El stă acasă sâmbătă. 9. Miercuri la ora 14:00 ia masa cu domnul director Stamate. 10. Marţi la 12:00 rezolvă probleme urgente cu şefii de secţii.
Task 24	**Adevărate**: 2, 4, 5, 6, 8, 9, 10. **False**: 1, 3, 7.
Task 27	43; 21; 9; 55; 7,15; 27; 3,15; 1964; 3; 1999; 3,17; 2000; 50.
Task 28	a – 8; b –3; c – 1; d – 5; e – 2; f – 7; g – 4; h – 6.

Task 29	1. a) Permiteți-mi să mă prezint! b) Mă numesc Ide Yvarsen și sunt din Norvegia. c) Sunt profesoară de muzică. 2) a) Îmi pare bine. b) Eu mă numesc Cornelia Tomescu și sunt secretara școlii. c) Permiteți-mi să vă prezint domnului director. d) Domnule director, v-o prezint pe doamna Ide Yvarsen, mama elevului Ove Yvarsen. 3. Îmi pare bine să vă cunosc. 4. Vi-l prezint pe domnul director Valentin Stănescu. 5. Îmi pare bine să vă cunosc.
Task 33	1- stă; 2 – vorbește; 3 – venim; 4 – pleacă / vin; 5 – fac; 6 – iei.
Task 34	1. Vorbesc la telefon cu directorul de marketing 2. Lucrăm la raport cu inginerii de la Informatică 3. Andrei merge la școală cu autobuzul. 4. Mihai Ionescu ia de obicei masa cu Mihaela. 5. Autobuzul merge în centru. 6. Fac referatul pentru director.
Task 35	1. tine; 2. ele; 3. ei; 4. voi; 5. noi; 6. tine.
Task 36	**Crossword** *Orizontal* –1. micul dejun; 2. vineri; 3. lucrează; 4. treisprezece; 5. gustare; 6. șapte; 7. plecați; 8. miercuri; 9. acesta. *Vertical* – delegație

Lesson Three

Task 5	alerg, alergi, aleargă, alergăm, alergați, aleargă; pot, poți, poate, putem, puteți, pot; merg, mergi, merge, mergem, mergeți, merg; citesc, citești, citește, citim, citiți, citesc; urăsc, urăști, urăște, urâm, urâți, urăsc.
Task 6	1. așteptăm cu nerăbdare. 2. merge pe jos. 3. face mâncare / gătește. 4. face bilanțul contabil. 5. aveți putere deplină de decizie 6. face afaceri numai cu. 7. faceți o aluzie la. 8. are grijă de / vede de.
Task 13	1. ... este domnul Ionescu; 2. ... domnul Ionescu are doi copii; 3. ... John este din Marea Britanie; 4. ... Anca lucrează în biroul acesta; 5. ... Mircea este ocupat acum; 6. ... ei sunt români.
Task 15	1. Cât zahăr cumperi / vinzi? 2. Câți bani vrei? 3. Câte mașini ai? 4. Câtă benzină vrei? 5. Câți fii ai? 6. Câți ani ai? 7. Câți copii ai? 8. Câți prieteni ai? 9. Câtă făină cumperi? 10. Cât timp ai? 11. Câți colegi ai? 12. Câte fiice ai?
Task 17	1. turcoaică; 2. olandez; 3. britanic; 4. spaniol; 5. elvețiană; 6. norvegian.
Task 18	1. John este din Canada. 2. Sunt / Suntem în București de un an. 3. Alexandru este din Alba Iulia. 4. Alexandru este din județul Alba. 5. Sunt / Suntem în Londra de cinci zile. 6. Juan este din Spania. 7. Lucrez / Lucrăm la Compania „Carpați" de un an. 8. Jerry este din Marea Britanie.
Task 20	**Crossword** *Orizontal* – 1. bulevard; 2. ocupat; 3. englez; 4. gară; 5. răspuns; 6. norvegian; 7. vacanță; 8. teatru; 9. cinematograf. *Vertical* – Bună seara!

Task 3

1. Mai este şi un telefon. 2. Mai am şi două fete de 10 şi 12 ani. 3. Mai sunt şi 8 britanici. 4. Mai este şi domnul Ionescu. 5. Mai este şi un teatru. 6. Mai am şi o soră de 22 de ani.

Task 8

a) Dumnealui merge astăzi la aeroport la ora 11:45. b) Eu alerg în fiecare dimineaţă în jurul blocului. c) Noi aşteptăm un telefon din Norvegia, la ora 14:00. d)Voi citiţi ziare la birou în fiecare dimineaţă. e) Anca merge la birou cu autobuzul. f) Directorul este în ţară sau în Marea Britanie? g) Teatrul Naţional este lângă Hotelul Intercontinental.

Task 11

1. televizor / aparat de radio / cameră de zi / *robinet* / canapea; 2. terasă / subsol / pod / scară / *aspirator*; 3. canapea / noptieră / televizor / măsuţă / *creion;* 4. perdea / uşă / *chiuvetă* / covor / bibliotecă; 5. *birou* / frigider / dulap de bucătărie / masă de bucătărie / mixer de bucătărie; 6. lumină electrică / apă curentă rece / apă curentă caldă / cadă de baie / *acoperiş.*

Task 12

a) Între fotolii se află o măsuţă. b) Lângă canapea este o bibliotecă. c) Pe masă sunt nişte reviste. d) În frigider este o ciocolată. e) Lângă camera de zi se află un dormitor. f) Sub masă se află un coş de hârtii. g) În şifonier este o pereche de pantaloni. h) În bibliotecă sunt multe cărţi.

Task 14

  Jan Yvarsen *locuieşte* într-un *apartament* cu trei camere în Piaţa Victoriei *la etajul şase.* Apartamentul *are* o cameră de zi şi *două dormitoare*, unul pentru el şi soţia sa şi unul pentru *copii.* Ei *au* un băiat de *şase ani* şi *o fată* de 3 ani. Anne este *soţia* lui. Ea *are treizeci şi patru de ani* şi este foarte drăguţă. Anne *este casnică.* Ei au o casă curată şi confortabilă. În *camera de zi* se află o *bibliotecă, o vitrină, o canapea* cu *două fotolii, o măsuţă* pentru *televizor* şi o măsuţă pentru cafea. De obicei, pe măsuţă se află *ziare, reviste* şi *o vază* cu flori. Pe *podea* este *un covor* gri, iar *la fereastră* se află *o perdea* albă şi foarte *curată.* Pe peretele de *lângă canapea* se află *două tablouri.* În dormitor se află *un dulap de haine, un pat, două noptiere,* unde sunt *parfumuri, deodorante* şi *truse de machiaj.* Pe fiecare noptieră se află *o veioză.* Pe noptiera de lângă *dulapul de haine* se află un ceas cu radio. În dormitorul în care stau *copiii* se află două paturi, un şifonier, *două birouri* şi *o măsuţă* pe care sunt multe *jucării.* La fereastră se află o perdea *foarte viu colorată.* În bucătărie se află o masă de patru persoane, *patru scaune, un dulap* şi *o chiuvetă.* La intrare este *un frigider.* În baie se află un *bazin de toaletă, o chiuvetă* şi *o cadă* cu duş.

Task 18

Crossword *Orizontal* – 1. cameră; 2. spaţioasă; 3. sufragerie; 4. cartier; 5. dormitor; 6. baie; 7. monede; 8. bancnote; 9. scaun; 10. bucătărie. *Vertical* – apartament.

Lesson Five

Task 4   1. aş citi; 2. am merge; 3. ar vorbi; ar avea; 4. ar alerga; ar avea; 5. am aştepta; 6. aş opri; aş găsi; 7. ar rezolva; ar avea; 8. aş merge; aş avea.

Task 6   1. cui / de ce; 2. când / unde; 3. ce / pe cine; 4. cu cine / când; 5. când / de ce / cu cine; 6. ce; 7. unde; 8. pe cine / ce; 9. cine; 10. la cine / la ce.

Task 9   Astăzi la ora 8:30 am oră la dentist *apoi* fac cumpărături. La ora 12:00 iau masa cu d-na Ionescu şi *după aceea* merg la coafor. La ora 14:30 vorbesc la telefon cu soţul meu, *apoi* fac lecţiile cu fiul meu. *Imediat ce* soţul meu ajunge acasă, mergem la aeroport să-l luăm pe Andrei, care vine cu avionul de ora 17:45.

Task 14   **Crossword** *Orizontal* – 1. sfat; 2. metrou; 3. gară; 4. ţigară; 5. bicicletă; 6. troleibuz; 7. drumul către; 8. aeroport; 9. cu maşina; 10. autocar; 11. tren; 12. port; 13. barcă; 14. cu vaporul; 15. cenzori. *Vertical* – staţie de autobuz.

Lesson Six

Task 12   1. cea mai bună; 2. mai înalt; 3. cel mai mult; 4. mai în vârstă; 5. cea mai lungă; 6. cea mai scurtă.

Task 16   roşii coapte; castraveţi muraţi; ouă fierte; fructe acre; mâncare proaspătă; femei tinere; copil fericit; îngheţate dulci; pepene mic.

Task 19   **Crossword** *Orizontal* – 1. salată verde; 2. curcan; 3. pui; 4. mazăre; 5. andive; 6. clătite cu brânză; 7. fasole verde; 8. pateu; 9. îngheţată; 10. ou fiert; 11. homar; 12. peşte. *Vertical* – supă de legume.

Lesson Seven

Task 2   1. convorbirea; 2. telefonul; 3. prefixul; 4. cartea; 5. firul; 6. abonatul; 7. informaţiile; 8. tonul; 9. taxa; 10. factura; 11. centralista; 12. receptorul; 13. abonamentul; 14. interiorul.

Task 3   1. abonatul; factura; 2. abonamentul; 3. centrala; 4. centralista; 5. prefixul; 6. telefonul; 7. numărul; centrala; 8. directorul; 9. compania; 10. numele.

Task 4   1. Nişte secretare vorbesc la telefon. 2. Nişte bărbaţi vorbesc cu fiii mei. 3. În vaze sunt nişte lalele. 4. Lângă dulapuri sunt cadourile mele. 5. Tablourile sunt pe pereţi. 6. În staţii sunt tramvaie. 7. Nişte pachete de ţigări sunt în buzunare. 8. Nişte ciocolate sunt în sacoşe. 9. Chiorchinii de struguri sunt pe farfurii. 10. Nişte perechi de ochelari sunt pe masă.

TASK 6	1. va; 2. va; 3. va; 4. vom; 5. voi; 6. va; va; 7. veţi; 8. voi; 9. va; 10. vor; vom; 11. veţi; 12. va; 13. va; 14. voi; 15. vom; 16. veţi; 17. va; 18. va; 19. vei; 20. veţi; 21. va; 22. va; 23. va; 24. vom; 25. va.
TASK 7	1. El; 2. Noi; 3. el; 4. Eu; 5. Voi; 6. noi; 7. Tu; 8. Eu.
TASK 11	*A:* Vom pleca la munte în acest weekend. Vom merge la Poiana Braşov. / *B:* Cu ce veţi merge la Poiana Braşov? / *A:* Cred că vom merge cu trenul, nu cu maşina. / *B:* Cu ce tren veţi pleca? / *A:* Vom pleca cu trenul de 6:15. / *B:* La ce oră veţi ajunge la Poiana Braşov? / *A:* Vom ajunge înainte de prânz. / *B:* La ce hotel veţi sta? / *A:* Vom sta la Hotel Sport. / *B:* Când vă veţi întoarce? / *A:* Ne vom întoarce duminică seara. / *B:* Cu ce tren? / *A:* Cu trenul de 18:30, dacă nu va fi foarte aglomerat.
TASK 13	**Crossword** *Orizontal* – 1. scaun; 2. prefix; 3. centralistă; 4. poimâine; 5. deranjamente; 6. viitor; 7. tablouri; 8. floarea; 9. femeile. *Vertical* – săptămâna viitoare.

Lesson Eight

TASK 3	1. nişte capse; 2. un plic; 3. nişte (coli de) hârtie; 4. filtre; 5. nişte scaune; 6. rafturi de birou; 7. o bibliotecă; 8. un ventilator; 9. o măsuţă; 10. dischete; 11. creioane; 12. nişte pixuri; 13. nişte bani; 14. agrafe de birou; 15. chei; 16. nişte markere; 17. planşete; 18. o cerere de achiziţionare; 19. birou; 20. calorifere; 21. capsatoare; 22. capse; 23. cafetieră; 24. hârtie.
TASK 5	1. nici; nici; 2. fie; fie; 3. şi de; 4. nici; nici; 5. nici; nici.
TASK 7	1. aceasta; 2. aceia; 3. aceea; 4. acelea; 5. acesta / acela; aceasta / aceea; 6. aceea; 7. acestea / acelea; 8. aceştia / aceia; 9. aceasta; 10. aceea.
TASK 11	1. Acestea sunt imprimante. 2. Acestea nu sunt probleme. 3. Acelea sunt biblioteci. 4. Acestea sunt pixuri sau stilouri? 5. Acestea sunt poveşti interesante. 6. Acele uşi sunt închise sau deschise? 7. Acelea nu sunt dosare. 8. Acestea nu sunt idei bune. 9. Acestea nu sunt birourile mele? 10. Acestea sunt ventilatoarele tale? 11. Acestea sunt bucătăriile? 12. Care sunt dormitoarele? 13. Unde sunt camerele de oaspeţi? 14. Care sunt numerele de telefon? 15. Ai cărţi de telefon? 16. Unde sunt agendele? 17. Prietenii aceştia locuiesc în Bucureşti sau în provincie? 18. Facturile sunt în sertare. 19. Profesoarele au cărţile acestea? 20. Unde sunt cheile?
TASK 15	1. Este biroul său. 2. Este agenda mea. 3. Sunt capsele sale. 4. Sunt banii noştri. 5. Sunt scrisorile voastre. 6. Sunt cărţile lor. 7. Sunt creioanele lor. 8. Este discheta mea.

Task 16

„Sunt om de afaceri şi am *nevoie de un birou* spaţios şi de multe materiale consumabile. Am două sau trei *şedinţe* în fiecare zi şi trebuie să întocmesc multe *rapoarte* pentru patronul *companiei*. Am multe obiecte în biroul meu. Pe masa de lucru sunt: un calculator, o imprimantă, o agendă, un capsator, un perforator, o cutie de capse, *o cutie de agrafe de birou*, două pixuri, un stilou *roşu*, şi un caiet. Lângă calculator este *un telefon*. Am şi un telefon mobil. *Am nevoie de* acest telefon mobil pentru a comunica foarte rapid cu *partenerii de afaceri*. Pe măsuţa de lângă birou se află un copiator Cannon. Este un copiator foarte bun. Acest *copiator* poate face 200 de copii pe minut. Este un copiator performant, nu-i aşa?"

Task 18

Crossword *Orizontal* - 1. şerveţele; 2. agendă; 3. imprimantă; 4. cafetieră; 5. dischetă; 6. sală de conferinţe; 7. calculator; 8. proiector; 9. copiator; 10. scrisoare; 11. dosar; 12. sertar.
Vertical – ventilatoare.

Lesson Nine

Task 5

1. îmi; 2. îi; 3. îţi; 4. vă; 5. îmi; 6. îi; 7. îţi; 8. îi; 9. ne; 10. –ţi; 11. –ţi; 12. îţi; 13. ne; 14. îmi; 15. îţi; 16. îi; 17. le; 18. vă; 19. îmi; 20. îi.

Task 6

1. cartofii prăjiţi; piureul de cartofi; 2. vermutul cu lămâie; vermutul cu apă minerală; 3. conopida cu unt; conopida cu brânză; 4. îngheţata de cireşe; îngheţata de căpşuni; 5. inelele de aur; inelele de argint; 6. salata de legume cu leuştean; salata de legume cu pătrunjel; 7. îmi spune; 8. clătitele; 9. ţelina; 10 andivele.

Task 9

un; două mii patru sute; două; două; o; una; douăzeci şi opt de mii două sute; două sute; două mii.

Task 12

Crossword *Orizontal* – 1. colier; 2. ceasornicărie; 3. agenţia loto; 4. croitorie; 5. tutungerie; 6. porumb; 7. dovleac; 8. ardei verde; 9. piersici; 10. mere; 11. caise; 12. struguri; 13. orez; 14. secară; 15. ridichi; 16. ţelină; 17. vinete; 18. cereale; 19. varză; 20. usturoi; 21. fasole.
Vertical – raionul de marochinerie.

Lesson Ten

Task 6

1. raportul contabilului; 2. numele vânzătoarei / vânzătoarelor; 3. activitatea inginerelor; 4. atribuţiile asistentelor; 5. fişele bibliotecarilor; 6. diplomele economiştilor; 7. salariul profesorului; 8. cursul studentei; 9. mamele prietenelor; 10. birourile companiei.

Task 7

1. Din cauza ninsorii nu mai plecăm la munte. 2. În jurul directorului se află câţiva colaboratori. 3. Andrei Ionescu se află în fruntea sindicatului din compania noastră. 4. Ea lucrează în locul centralistei bolnave. 5. Compania ABC se află în urma companiei „Carpaţi". 6. Au loc mari schimbări în societate de-a lungul anilor.

TASK 10	1. Camerele sunt ale noastre. 2. Calculatorul este al său. 3. Bancnotele sunt ale lor. 4. Abonamentul este al meu. 5. Banii sunt ai săi. 6. Telefonul este al său. 7. Cartea de telefon este a mea. 8. Stiloul roşu este al meu. 9. Proiectorul este al său. 10. Cererea de achiziţionare este a sa. 11. Ventilatorul este al meu. 12. Scrisoarea este a sa.
TASK 11	1. a treia; 2. întâi; al patrulea; 3. a şaptesprezecea; 4. a opta; 5. al douăzeci şi treilea; 6. a unsprezecea; 7. a treia; 8. primul; 9. a noua.
TASK 13	**Crossword** *Orizontal* – 1. vara; 2. toamna; 3. cadouri; 4. petrecere frumoasă!; 5. primăvara; 6. La mulţi ani!; 7. Vacanţă plăcută!; 8. al tău; 9. iarna; 10. Paşte fericit! *Vertical*: anotimpuri.

Lesson Eleven

TASK 2	anunţ; anunţi; anunţă; anunţăm; anunţaţi; anunţă; consult; consulţi; consultă; consultăm; consultaţi; consultă; răspund; răspunzi; răspunde; răspundem; răspundeţi; răspund; transmit; transmiţi; transmite; transmitem; transmiteţi; transmit; trimit; trimiţi; trimite; trimitem; trimiteţi; trimit; tuşesc; tuşeşti; tuşeşte; tuşim, tuşiţi, tuşesc.
TASK 3	1. *Cinci pacienţi au* febră mare de câteva zile; 2. *Noi tuşim* de cinci zile. 3. *Victor trebuie să consulte* un doctor. 4. Ce simptome *au copiii din salon*? 5. *Părinţii* fetiţei *sunt* foarte *îngrijoraţi*; 6. *Asistentele vor veni* imediat!
TASK 5	1. Mă doare o măsea. 2. Am o durere de ficat. 3. Mă dor rinichii. 4. Mă doare un genunchi. 5. Mă doare / Mă supără o gleznă. 6. Mă doare braţul drept. 7. Mă doare gâtul. 8. Mă doare / supără inima. 9. Am o durere de spate.
TASK 6	1. Spune totdeauna adevărul! 2. Deschide uşa! 3. Mai rămâneţi aici o oră! 4. Du-te la birou mai devreme! 5. Du-te la doctor! 6. Nu mai vorbi aşa de mult! 7. Vorbeşte! 8. Termină raportul la timp! 9. Hai la şedinţă! 10. Nu staţi la uşă!
TASK 10	1. Îl vreau. 2. Îl cunosc. 3. Îl întocmim. 4. Le urmărim. 5. Îl aştept. 6. Îl vindem. 7. Le ducem în biroul alăturat. 8. Îl comentează. 9. Îl vizităm. 10. Angela îl vrea.
TASK 12	**Crossword** *Orizontal* – 1. spital; 2. măsea 3. gleznă 4. rană; 5. deget; 6. dinte; 7. cap; 8. bronşită; 9. prim ajutor; 10. creier; 11. pleoape; 12. pacient; 13. spate; 14. ureche; 15. frunte. *Vertical* – sală de aşteptare.

Task 4

1. Am aşteptat cu nerăbdare vacanţa de vară. 2. Mircea nu a mers la birou ieri. 3. Cine a gătit ieri? 4. Contabilul a întocmit bilanţul săptămâna trecută. A fost foarte ocupat. 5. Voi aţi avut putere deplină de decizie până acum. 6. Compania „Carpaţi" a avut relaţii de afaceri numai cu parteneri serioşi. 7. Cred că dumneavoastră aţi făcut aluzie la întâlnirea de ieri. 8. Doamna Popescu a avut grijă de Mihăiţă acum câţiva ani.

Task 6

1. Alaltăieri am fost obosiţi. Nu am avut chef de lucru. 2. Directorul ne-a vorbit luna trecută despre planul de investiţii. 3. Echipa managerială a fost formată anul trecut din opt directori. 4. Cum a stat Mihai cu sănătatea în clasa a şaptea? 5. Despre ce ai vorbit la şedinţa de săptămâna trecută? 6. El nu a avut o slujbă serioasă acum trei ani. 7. Jarl a vorbit întotdeauna deschis. 8. Pe 17 ianuarie la ora 16:00 am participat la o şedinţă foarte importantă. 9. Eu am luat cina cu familia ieri seară. 10. Marţea trecută ai luat trenul de Constanţa la ora 17:16. 11. Acum trei luni am luat un credit de la bancă. 12. El a stat pe scaun acum trei minute. 13. Andrei nu a avut astâmpăr ieri după-amiază. 14. Dan a vorbit aiurea la întâlnirea de săptămâna trecută. 15. Tu nu ai stat pe roze niciodată. 16. Aţi stat la taifas cu maiştrii câteva ore, ieri. 17. Cred că am vorbit în vânt la ora de română de săptămâna trecută. 18. Joia trecută la ora 18:30 am fost la teatru.

Task 9

Eu am băut Coca-Cola. Eu am citit o carte bună. Tu ai coborât scările. Voi nu aţi cumpărat fructe. Prietenul meu a dat un telefon. Copilul nu a deschis uşa. Elevii au făcut gălăgie. Ea a fost fericită. El a fugit de răspundere. Englezii nu au fumat. Noi am ieşit în oraş. Ploaia a început. Voi aţi încercat. Mama a închis geamul. Directorul a intrat în birou. Eu am întrebat despre proiect. Noi toţi am înţeles. Studenţii au luat notiţe. Toţi copiii au mâncat prăjituri. Noi nu am mers la gară pe jos. Soţia mea a pus masa. Noi am rămas singuri. Preşedintele a răspuns la întrebări. Contabilul a rezolvat o problemă. Voi v-aţi schimbat hainele. Ei au scris o scrisoare. Nimeni nu a spus adevărul. Publicul a tăcut. Secretarele au terminat de scris. Noi am tradus un text. Călătorii au urcat în tren. Ele nu au venit la timp. Ele vorbesc mult întotdeauna.

Task 13

1. Maria mi-a spus o poveste amuzantă zilele trecute. 2. I-am adus (ei) nişte flori. 3. Ne-au spus că au terminat raportul. 4. (Ea) Ne-a adus un cadou. 5. Alexandru mi-a dat trei trandafiri minunaţi. 6. Le-am trimis un fax la începutul anului. 7. Cine ţi-a dat ideea aceasta nemaipomenită? 8. Nimeni nu ne-a spus adevărul.

Task 15

Crossword *Orizontal* 1. renume; 2. sold; 3. negociere; 4. ipotecă; 5. debitor; 6. plată; 7. cont de depozit; 8. datornic; 9. acţionar; 10. comision 11. bilanţ contabil; 12. an fiscal; 13. active fixe; 14. cheltuială; 15. scadenţă.
Vertical – monedă naţională.

TASK 4
I. Ce aţi dori?; Ce preţ au?; Achit aici sau la casă? II. Pantaloni bărbăteşti aveţi? M-ar interesa nişte pantaloni şi pentru fiul meu. Acolo sunt şi articole pentru copii?

TASK 7
1. ne-; 2. le-; 3. părinţilor; 4. mi-; 5. studenţilor; 6. muncitorilor; 7. angajaţilor.

TASK 8
1. Pot să pun o întrebare *unui director / unor directori*? 2. Cui *i-a dat* Carmen dicţionarul Român–Englez? 3. Cine *i-a înmânat* secretarei lista cu necesarul de materiale? 4. *Le-am cerut* doctorilor un sfat. 5. *Le-am dat* copiilor trei îngheţate. 6. Andrei *le-a oferit* colegilor şampanie de ziua lui de naştere. 7. *I-am cumpărat soţului* meu o cravată modernă. 8. Cine *ne aduce* nouă corespondenţa?

TASK 9
1. De obicei eu urmăresc jocurile de fotbal în week-end. 2. Săptămâna trecută voi aţi mers la pescuit. 3. Ele ştiu să joace tenis? 4. Ea ştie să meargă cu bicicleta? 5. Când au fost prietenii tăi ultima dată la un meci de fotbal? 6. Care fotbalişti au marcat în meciul cu Steaua Bucureşti? 7. Alpinismul este sportul meu preferat. 8. Ei ştiu să joace baschet?

TASK 11
1. am mers; 2. a câştigat; 3. am făcut o vizită prietenilor noştri; 4. ne-am întors; 5. ai mers; 6. ai fost / aţi fost; 7. ai stat / aţi stat; 8. ai / aţi văzut / vizitat; 9. ai / aţi întârziat vreodată; 10. ai / aţi fost la cumpărături; 11. ai / aţi făcut cumpărături; 12. ai / aţi absolvit; 13. ai / aţi venit; 14. ai / aţi aşteptat.

TASK 16
Crossword *Orizontal* – 1. mânecă; 2. cravată; 3. subţire; 4. tricouri; 5. manşetă; 6. mănuşi; 7. sandale; 8. ghete; 9. papuci; 10. eşarfă; 11. prosop; 12. bluze; 13. mătase.
Vertical – cabină de probă.

English – Romanian Vocabulary / Vocabular englez – român

a / an *indef. art.*	o *(f.)*, un *(m., n.)*	**ambulance** *n.*	ambulanţă *f.n.*
about *prep.*	despre / asupra *(+ Gen.)*	**Ambulance Service**	Salvarea
		amethyst *n.*	ametist *n.n.*
about / approxima- **tely** *adv.*	cam	**among** *prep.*	printre
		amount *n.*	sumă *f.n.*
above *prep.*	deasupra *(+ Gen.)*	**analysis** *n.*	analiză *f.n.*
above *adv.*	sus	**analyst** *n.*	analist *m.n.*
account *n.*	cont *n.n.*	**ancient** *adj.*	vechi
accountant *n.*	contabil *m.n.*	**and** *conj.*	şi
accounting office	contabilitate *f.n.*	**angry** *adj.*	supărat
accuse *v.*	a acuza	**ankle** *n.*	gleznă *f.n.*
ache *v.*	a durea / a avea dureri de	**anniversary** *n.*	aniversare *f.n.*
		announce *v.*	a anunţa
ache *n.*	durere *f.n.*	**answer** *v.*	a răspunde
acquire *v.*	a achiziţiona	**any** *adj., pron.*	orice, oricare
activity *n.*	activitate *f.n.*	**anyhow / anyway** *adv.*	oricum
actor, actress *n.*	actor *m.n.*, actriţă *f.n.*	**anything** *pron.*	orice
actually / in fact *adv.*	de fapt	**appeal (to)** *v.*	a face apel (la)
additional calls	convorbiri adiţionale	**apple** *n.*	măr *n.n.*
additional charges	speze suplimentare	**apply / ask for a loan**	a solicita un credit
advice *n.*	sfat *n.n.*	**appointment** *n.*	întâlnire, şedinţă *f.n.*
advisable *adj.*	recomandabil	**approach** *n.*	demers *n.n.*
advise *v.*	a sfătui	**apricot** *n.*	caisă *f.n.*
after *prep.*	după	**April** *n.*	aprilie *m.n.*
again *adv.*	iar	**archaeologist** *n.*	arheolog *m.n.*
against *prep.*	contra *(+ Gen.)*; împotriva *(+ Gen.)*	**architect** *n.*	arhitect *m.n.*
		arm *n.*	braţ *n.n.*
age *n.*	vârstă *f.n.*	**armchair** *n.*	fotoliu *n.n.*
aged *adj.*	în vârstă	**(a)round (the)** *prep.*	în jurul *(+ Gen.)*
ahead *adv.*	înainte	**arrive** *v.*	a ajunge
airport *n.*	aeroport *n.n.*	**as soon as**	de îndată ce / imediat ce
(pale) ale *n.*	bere blondă		
all *adj., pron.*	tot, toată *(sg.)*; toţi, toate *(pl.)*	**as soon as possible**	cât de curând
		as well as...	precum şi...
all right / well *adv.*	bine	**ask** *v.*	a întreba
all the time	tot timpul	**ask / to beg** *v.*	a ruga
allocate *v.*	a aloca	**ask / demand** *v.*	a cere
allow *v.*	a permite	**asparagus** *n.*	sparanghel *m.n.*
allude (to) *v.*	a face aluzie (la)	**aspirin** *n.*	aspirină *f.n.*
alone *adj.*	singur	**assistant** *n.*	asistent *m.n.*
along / over *prep.*	de-a lungul *(+ Gen.)*	**assorted** *adj.*	asortat
already *adv.*	deja	**astronomer** *n.*	astronom *m.n.*
always *adv.*	întotdeauna	**at** *prep.*	la
amazing *adj.*	uimitor	**at the head of**	în fruntea *(+ Gen.)*

athletics *n.*   atletism *n.n.*
audience *n.*   public *n.n.*
auditor *n.*   cenzor *m.n.*
August *n.*   august *m.n.*
aunt *n.*   mătuşă *f.n.*
autumn *n.*   toamnă *f.n.*
available *adj.*   disponibil
avenue *n.*   bulevard *n.n.*
awful *adj.*   îngrozitor
bachelor flat *n.*   garsonieră *f.n.*
back *adv.*   înapoi
back *n.*   spate *n.n.*
back entrance   intrare de serviciu
backbone *n.*   coloană vertebrală
bad *adj.*   rău
bag *n.*   sacoşă *f.n.*; sac *m.n.*; pungă *f.n.*
bake *v.*   a face prăjituri
baker's *n.*   brutărie *f.n.*
balance *n.*   bilanţ *n.n.*
balance of payment   balanţă de plăţi
balance sheet   bilanţ contabil
ball *n.*   minge *f.n.*
ballpen *n.*   pix *n.n.*
banana *n.*   banană *f.n.*
bank *n.*   bancă *f.n.*
bank note *n.*   bancnotă *f.n.*
bankruptcy *n.*   faliment *n.n.*
bar *n.*   bar *n.n.*
barber's *n.*   frizerie *f.n.*
basement *n.*   subsol *n.n.*
bathroom *n.*   baie *f.n.*
bath-tub *n.*   cadă de baie
be *v.*   a fi / a se afla
be allowed   a avea voie
be covered   a avea acoperire
begin *v.*   a începe
be happy   a se bucura
be in the mood (for)   a avea chef (de)
be in the pink   a sta pe roze
beard *n.*   barbă *f.n.*
beautiful *adj.*   frumos
beauty parlour   salon de cosmetică
because *conj.*   fiindcă / pentru că
because of *prep.*   din cauza (+ *Gen.*)
bed *n.*   pat *n.n.*
bedroom *n.*   dormitor *n.n.*
bedside table *n.*   noptieră *f.n.*

beefsteak *n.*   biftec *n.n.*
before *prep.*   înaintea (+ *Gen.*)
begin *v.*   a începe
beginning *n.*   început *n.n.*
behind *prep.*   în spatele / urma (+ *Gen.*)
believe *v.*   a crede
belly *n.*   pântece *n.n.*
below *adv.*   dedesubt
beside *prep.*   pe lângă
better *adv.*   mai bine
between *prep.*   între
bid *n.*   ofertă de cumpărare
big *adj.*   mare
bike *n.*   bicicletă *f.n.*
bill *n.*   notă de plată / factură *f.n.*
bill of fare   meniu *n.n.*
birthday *n.*   zi de naştere
bit *n.*   bucăţică *f.n.*
black *adj.*   negru
blackberries *n.*   mure *f.n.pl.*
block-of-flats *n.*   bloc *n.n.*
blood analysis / test   analiză de sânge
blouse *n.*   bluză *f.n.*
blue *adj.*   albastru
board of directors   consiliu de administraţie
boat *n.*   barcă *f.n.*
body *n.*   corp / trup *n.n.*
body-spray *n.*   deodorant *n.n.*
boiled *adj.*   fiert
boiled fish   rasol de peşte
boiled meat   carne rasol
book *n.*   carte *f.n.*
book-case *n.*   bibliotecă *f.n.*
boot *n.*   gheată *f.n.*
boring *adj.*   plictisitor
borrow *v.*   a lua cu împrumut
borrower *n.*   debitor *m.n.*
both *pron.*   amândoi
bottle *n.*   sticlă *f.n.*
bowl *n.*   vas *n.n.*
box *n.*   cutie *f.n.*
box of matches   cutie de chibrituri
boy *n.*   băiat *m.n.*
bracelet *n.*   brăţară *f.n.*
brain *n.*   creier *n.n.*
bread *n.*   pâine *f.n.*

break even *n.*	prag de rentabilitate	**cash** *n*	numerar *n.n.*
break even *phr. v.*	a atinge pragul de rentabilitate	**cashier desk**	casă / casierie *f.n.*
		cassette recorder	casetofon *n.n.*
breakfast *n.*	micul dejun	**catch a cold**	a răci
breast *n.*	sân *m.n.*	**catching /**	contagios
briefcase *n.*	servietă *f.n.*	**contagious** *adj.*	
brilliant *adj.*	strălucitor	**cauliflower** *n.*	conopidă *f.n.*
bring *v.*	a aduce	**celebrate** *v.*	a sărbători
British *n.*	britanic *m.n.*	**celery** *n.*	ţelină *f.n.*
bronchitis *n.*	bronşită *f.n.*	**cellar** *n.*	pivniţă *f.n.*
brooch *n.*	broşă *f.n.*	**central bank**	bancă centrală
brother *n.*	frate *m.n.*	**central heating**	încălzire centrală
brother-in-law *n.*	cumnat *m.n.*	**centre** *n.*	centru *n.n.*
brown *adj.*	cafeniu / maro	**cereals** *n.*	cereale *f.n.*
builder *n.*	constructor *m.n.*	**chain** *n.*	lanţ *n.n.*
(electric) bulb *n.*	bec *n.n.*	**chair** *n.*	scaun *n.n.*
bunch *n.*	buchet *n.n.*	**chalet** *n.*	cabană *f.n.*
bus *n.*	autobuz *n.n.*	**change** *n.*	schimbare *f.n.*
bus stop /station	staţie de autobuz	**change** *v.*	a schimba
business *n.*	afacere *f.n.*	**charge** *v.*	a percepe
business meeting	întâlnire de afaceri	**chat** *v.*	a sta la taifas
business partner	partener de afaceri	**cheap** *adj.*	ieftin
business trip	delegaţie *f.n.*	**check up** *phr. v.*	a verifica
but *conj.*	dar / însă	**cheek** *n.*	obraz *m.n.*
butter *n.*	unt *n.n.*	**cheese** *n.*	brânză *f.n.*
buy *v.*	a cumpăra / achiziţiona	**chemist's** *n.*	farmacie *f.n.*
		cheque *n.*	cec *n.n.*
by *prep.*	de către	**cherry** *n.*	cireaşă *f.n.*
by all	negreşit	**chest** *n.*	piept *n.n.*
means *adv. phr.*		**chest of drawers**	comodă *f.n.*
by chance *adv. phr.*	cumva	**chicken** *n.*	pui (de găină) *m.n.*
cabbage *n.*	varză *f.n.*	**chief** *n.*	şef *m.n.*
cake *n.*	prăjitură *f.n.* / chec *n.n.*	**child** *n.*	copil *m.n.*
		chin *n.*	bărbie *f.n.*
calendar *n.*	calendar *n.n.*	**chocolate** *n.*	ciocolată *f.n.*
call *n.*	convorbire telefonică	**choice** *n.*	alegere *f.n.*
call / ring up *v.*	a da un telefon / suna	**Christmas** *n.*	Crăciun *n.n.*
Call Services	Servicii telefonice	**cigarette** *n.*	ţigară *f.n.*
calling *n.*	chemare *f.n.*	**cinema** *n.*	cinematograf *n.n.*
camera *n.*	aparat de fotografiat	**claim** *v.*	a revendica
can *v.*	a putea	**class** *n.*	oră (de curs) *f.n.*
Canadian *n.*	canadian *m.n.*	**clean** *adj.*	curat
car *n.*	maşină *f.n.*	**clerk** *n.*	funcţionar *m.n.*
(motor) car *n.*	autoturism *n.n.*	**client** *n.*	client *m.n.*
(telephone) card *n.*	cartelă (telefonică) *f.n.*	**climb up** *phr. v.*	a urca
cards *n.*	cărţi de joc	**clinic** *n.*	clinică *f.n.*
carpet *n.*	covor *n.n.*	**close** *v.*	a închide
carrier *n.*	carieră *f.n.*	**closed** *adj.*	închis
carrot *n.*	morcov *m.n.*		

cloud *n.*	nor *m.n.*	cough *n.*	tuse *f.n.*
clumsy *adj.*	neîndemânatic	counsellor *n.*	consilier *m.n.*
coach *n.*	autocar *n.n.*	counter *n.*	ghişeu *n.n.*
coat *n.*	haină *f.n.*	country *n.*	ţară *f.n.*
coffee *n.*	cafea *f.n.*	county *n.*	judeţ *n.n.*
coffee filter	filtru de cafea	course *n.*	curs *n.n.*
coffee maker	cafetieră *f.n.*	cousin *n.*	văr *m.n.*
coin *n.*	monedă *f.n.*	co-worker *n.*	colaborator *m.n.*
cold *adj.*	rece	credit *n.*	credit *n.n.*
colleague *n.*	coleg *m.n.*	cross (the street) *v.*	a traversa
college *n.*	colegiu *n.n.*	crossroad *n.*	intersecţie *f.n.*
colour *n.*	culoare *f.n.*	crowded *adj.*	aglomerat
column *n.*	coloană *f.n.*	cucumber *n.*	castravete *m.n.*
come *v.*	a veni	cup *n.*	ceaşcă *f.n.*
come back *phr. v.*	a reveni / a se întoarce	cupboard *n.*	dulap (de bucătărie) *n.n.*
come due	a deveni scadent / ajunge la scadenţă	currency *n.*	valută *f.n.*
comfortable *adj.*	confortabil	current account	cont curent
Come in!	Intraţi!	curtain *n.*	perdea *f.n.*
comma *n.*	virgulă *f.n.*	customs *n.*	vamă *f.n.*
comment *v.*	a comenta	cut *n.*	tăietură *f.n.*
commercial bank	bancă comercială	daily *adv.*	zilnic *adv.*
commercial director	director comercial	dairy (counter) *n.*	(raion de) lactate *f.n.pl.*
commission *n.*	comision *n.n.*		
communicate *v.*	a comunica	Dane *n.*	danez *m.n.*
company *n.*	companie *f.n.*	dates (fruit) *n.*	curmale *f.n.pl.*
computer *n.*	calculator *n.n.*	date / day *n.*	dată *f.n.*
confectionery *n.*	cofetărie *f.n.*; dulciuri *n.n.pl.*	date / time *n.*	oară *f.n.*
		daughter *n.*	fiică *f.n.*
conference room	sală de conferinţe	daughter-in-law *n.*	noră *f.n.*
confused *adj.*	contrariat	day *n.*	zi *f.n.*
congratulations *n.*	felicitări *f.n.pl.*	the day after tomorrow	poimâine
consonant *n.*	consoană *f.n.*		
consulting room *n.*	cabinet medical	the day before yesterday	alaltăieri
consumables *n.*	materiale consumabile	day-off *n.*	zi liberă
conversation *n.*	conversaţie *f.n.*	... days ago	acum ... zile
cook *n.*	bucătar *m.n.*	dear *adj.*	drag
cook *v.*	a face mâncare / a găti	debtor *n.*	datornic *m.n.*
		December *n.*	decembrie
cooker *n.*	aragaz *n.n.*	decide *v.*	a hotărî
copy *n.*	copie *f.n.*	decision *n.*	hotărâre *f.n.*
copy mashine *n.*	copiator *n.n.*	decrease *v.*	a scădea
copy-book *n.*	caiet *n.n.*	deep *adj.*	adânc
corn flakes	fulgi de porumb	degree *n.*	grad *n.n.*
corner *n.*	colţ *n.n.*	delicious *adj.*	delicios
corridor *n.*	coridor; hol *n.n.*	delighted *adj.*	încântat
cost *v.*	a costa	demand *n.*	cerere *f.n.*
cotton *n.*	bumbac *n.n.*	demanding *adj.*	exigent

dentist *n.*	dentist *m.n.*	ment *n.*	
department / counter *n.*	raion *n.n.*	dry-cleaner's *n.*	curăţătorie *f.n.*
		duck *n.*	raţă *f.n.*
department store	magazin universal	during *prep.*	în timpul *(+ Gen.)*
depend *v.*	a depinde	Dutch *n.*	olandez *m.n.*
deposit *v.*	a depune	dwell *v.*	a locui
deposit account	cont de depozit	ear *n.*	ureche *f.n.*
dessert *n.*	desert *n.n.*	early *adv.*	devreme
detective *n.*	detectiv *m.n.*	earnings *n.*	venituri / câştiguri *n.n.pl.*
diagnosis *n.*	diagnostic *n.n.*		
dial *v.*	a forma un număr de telefon	ear-rings *n.*	cercei *m.n.pl.*
		Easter *n.*	Paşte *n.n.*
dictionary *n.*	dicţionar *n.n.*	eat *v.*	a mânca
difference *n.*	diferenţă *f.n.*	economist *n.*	economist *m.n.*
dill *n.*	mărar *n.sg.*	egg *n.*	ou *n.n.*
dining-room *n.*	sufragerie *f.n.*	eggplant *n.*	vânătă *f.n.*
diploma *n.*	diplomă *f.n.*	eight *num.*	opt
direct debit	transfer automat în cont	either... or *conj.*	fie... fie
		elbow *n.*	cot *n.n.*
director / manager *n.*	director *m.n.*	electric light	lumină electrică
disc *n.*	disc *n.n.*	electrician *n.*	electrician *m.n.*
discount house	casă de scont	elevator *n.*	ascensor / lift *n.n.*
discount market	piaţă de scont	embassy *n.*	ambasadă *f.n.*
discuss *v.*	a discuta	employee *n.*	angajat; salariat *m.n.*
dislike *v.*	a displăcea	employer *n.*	patron *m.n.*
district *n.*	cartier *n.n.*	engagement *n.*	logodnă *f.n.*
do *v.*	a face	engineer *n.*	inginer *m.n.*
do business	a face afaceri	Englishman *n.*	englez *m.n.*
do the lessons	a face lecţiile	enough *adj.*	destul
dog *n.*	câine *m.n.*	enter *v.*	a intra
dollar *n.*	dolar *m.n.*	entrance *n.*	intrare *f.n.*
dollop *n.*	tranşă de împrumut	entrance hall *n.*	hol *n.n.*
door *n.*	uşă *f.n.*	envelope *n.*	plic *n.n.*
dough-nut *n.*	gogoaşă *f.n.*	establish *v.*	a stabili
draft / draw up *v.*	a întocmi	even *adv.*	chiar
drapery *n.*	stofe *f.n.pl.*	evening *n.*	seară *f.n.*
draw *v.*	a desena	ever *adv.*	vreodată
draw up the balance sheet	a face bilanţul contabil	everybody *pron.*	fiecare
		exactly / precisely *adv.*	exact
drawer *n.*	sertar *n.n.*		
drawing *n.*	desen *n.n.*	examine *v.*	a examina
dress *n.*	rochie *f.n.*	exception *n.*	excepţie *f.n.*
dress *v.*	a îmbrăca	exchange *v.*	a schimba
dressmaker's *n.*	croitorie *f.n.*	exchange market	piaţă valutară
drink *v.*	a bea	exchange office	birou de schimb valutar
drinks *n.*	băuturi *f.n.pl.*		
drive *v.*	a conduce	exchange rate	rată de schimb
drop a hint	a face o aluzie	Excuse me!	Scuzaţi-mă!
drug / medica-	medicament *n.n.*	exercise *n.*	exerciţiu *n.n.*

expenditure *n.*	cheltuieli *f.n.pl.*	fiscal year	an fiscal
expensive *adj.*	scump	fish *n.*	peşte *m.n.*
expert *n.*	expert *m.n.*	fish counter	(raion de) pescărie *f.n.*
explain *v.*	a explica	fishing *n.*	pescuit *n.n.*
extension	interior *n.n.*	fit *v.*	a se potrivi
(telephone) *n.*		fitting-room *n.*	cabină de probă
extraordinary *adj.*	extraordinar	five *num.*	cinci
extremely *adj.*	extrem (de)	fixed assets	active fixe
eye *n.*	ochi *m.n.*	flag *n.*	drapel *n.n.*
eyebrows *n.*	sprâncene *f.n.pl.*	flat *n.*	apartament *n.n.*
eyelashes *n.*	gene *f.n.pl.*	floor *n.*	podea *f.n.* / etaj *n.n.*
eyelids *n.*	pleoape *f.n.pl.*	floppy disk *n.*	dischetă *f.n.*
face *n.*	faţă *f.n.*	florist's *n*	florărie *f.n.*
factory *n.*	fabrică *f.n.*	flour *n.*	făină *f.n.*
false *adj.*	fals	flower *n.*	floare *f.n.*
family *n.*	familie *f.n.*	flu *n.*	gripă *f.n.*
famous *adj.*	renumit	follow *v.*	a urmări
fan *n.*	ventilator *n.n.*	food *n.*	mâncare *f.n.*
far (away) *adv.*	departe	food store	magazin alimentar
fare *n.*	cost / taxă *n.n.*	foot *n.*	laba piciorului
fashionable *adj.*	elegant	football *n.*	fotbal *n.n.*
father *n.*	tată *m.n.*	football player *n.*	fotbalist *m.n.*
father-in-law *n.*	socru *m.n.*	footwear *n.*	încălţăminte *f.n.*
February *n.*	februarie *m.n.*	for *prep.*	pentru
feel *v.*	a (se) simţi	for ... hours	timp de ... ore
fever *n.*	febră *f.n.*	For how long…?	Cât timp…?
a few / some (+ pl.)	câţiva, câteva	forehead *n.*	frunte *f.n.*
adj., pron.		foreign exchange	dealer valutar
a few *adj., pron.*	puţini, puţine	dealer	
fidget *v.*	a nu avea astâmpăr	foreman *n.*	maistru *m.n.*
figure / number *n.*	cifră *f.n.*	forget *v.*	a uita
file *n.*	dosar *n.n.*	fork *n.*	furculiţă *f.n.*
file cabinet	cartotecă *f.n.*	fortunately *adv.*	din fericire
film / movie *n.*	film *n.n.*	fountain-pen *n.*	stilou *n.n.*
financial de-	departament	four *num.*	patru
partment	financiar	frame *n.*	cadru / chenar *n.n.*
financial director	director financiar	franc *n.*	franc *m.n.*
financial office	serviciu financiar	free *adj.*	liber
financing needs	necesar de finanţare	Frenchman *n.*	francez *m.n.*
find *v.*	a găsi	fresh *adj.*	proaspăt
finger *n.*	deget *n.n.*	Friday *n.*	vineri *f.n.*
finish *v.*	a finaliza / termina	fried *adj.*	prăjit
Finn *n.*	finlandez *m.n.*	friend *n.*	prieten *m.n.*
first aid	prim ajutor	from *prep.*	de la / din
first of all *adv. phr.*	mai întâi	fruit *n.*	fruct,-e *n.n.*
the first *num.*	primul *(m.,n.),*	full powers	puteri depline
	prima *(f.)*	funny *adj.*	amuzant
the first time	(prima) oară	furniture *n.*	mobilă *f.n.*

game *n.*	joc *n.n.*	graduate *n.*	absolvent *m.n.*
garbage *n.*	gunoi *n.n.*	grand-daughter *n.*	nepoată *f.n.*
garlic *n.*	usturoi *m.n.*	grandfather *n.*	bunic *m.n.*
garret *n.*	pod *n.n.*	grandmother *n.*	bunică *f.n.*
gate *n.*	poartă *f.n.*	grandson *n.*	nepot *m.n.*
gear box *n.*	cutie de viteze	grant *v.*	a acorda
generally *adv.*	în general	grapes *n.*	struguri *m.n.*
Germany *n.*	Germania	graph *n.*	grafic *n.n.*
get *v.*	a primi	grass *n.*	iarbă *f.n.*
get dressed	a se îmbrăca	green *adj.*	verde *adj.*
get ill	a se îmbolnăvi	green beans *n.*	fasole verde
get off / get out of *phr. v.*	a coborî	green pepper *n.*	ardei gras
		green stuff *n.*	verdeaţă, verdeţuri *f.n.*
get on / into *phr. v.*	a urca în		
get out *phr. v.*	a ieşi	greet *v.*	a saluta
get rid (of) *phr. v.*	a scăpa (de)	grey *adj.*	cenuşiu / gri
get the wrong number	a greşi numărul	grill *n.*	grătar *n.n.*
		grocer's *n.*	băcănie *f.n.*
get up *phr. v.*	a se ridica; a se scula	guest *n.*	invitat *m.n.*
get well *phr. v.*	a se însănătoşi	guilder *n.*	gulden *m.n.*
giddiness *n.*	ameţeală	gymnastics *n.*	gimnastică *f.n.*
gift *n.*	cadou, dar *n.n.*	haberdashery *n.*	mercerie *f.n.*
gifted *adj.*	dotat	hair *n.*	păr *m.n.*
girl *n.*	fată *f.n.*	hairdresser *n.*	coafor *m.n.*
give *v.*	a da	half *n.*	jumătate *f.n.*
glass *n.*	pahar *n.n.*	hall *n.*	sală *f.n.*; hol *n.n.*
glass jar *n.*	borcan *n.n.*	ham *n.*	şuncă *f.n.*
glass-case *n.*	vitrină *f.n.*	ham and eggs	omletă cu şuncă
glasses / spectacles *n.*	ochelari *n.n.pl.*	ham-and-beef counter	raion de mezeluri
go *v.*	a merge / a se duce	hand *n.*	mână *f.n.*
go bankrupt	a da faliment	handbook *n.*	manual *n.n.*
go by train	a lua trenul	handicraft *n.*	artizanat *n.n.*
go shopping	a face cumpărături	handkerchief *n.*	batistă *f.n.*
goal keeper *n.*	portar *m.n.*	happen *v.*	a se întâmpla
gold *n.*	aur *n.n.*	happy *adj.*	fericit
good *adj.*	bun	harbour *n.*	port *n.n.*
Good afternoon!	Bună ziua!	hardly ever *adv. phr.*	aproape niciodată
Good appetite!	Poftă bună!	haricot beans *n.*	fasole boabe
good bargain	chilipir *n.n.*	hat *n.*	pălărie *f.n.*
Good-bye!	La revedere!	hatred *n.*	ură *f.n.*
Good evening!	Bună seara!	have *v.*	a avea
Good morning!	Bună dimineaţa!	Have a good time!	Petrecere frumoasă!
Good night!	Noapte bună!	have a meal	a lua masa
good wishes	urări de bine	have fun	a se distra
goods *n.*	marfă, mărfuri *f.n.*	have supper	a lua cina
good-will *n.*	renume *n.n.*	have work to do	a avea de lucru
goose *n.*	gâscă *f.n.*	hazel-nuts *n.*	alune *f.n.pl.*
governmental debt	datorie publică		

he *pron.*	el	hundred *num.*	sută
he *(pronoun of politeness)*	dumnealui	hunting *n.*	vânătoare *f.n.*
		hurried *adj.*	grăbit
head *n.*	cap *n.n.*	hurry *v.*	a se grăbi
headache *n.*	durere de cap	Hurry up!	Grăbeşte-te!
health *n.*	sănătate *f.n.*	husband *n.*	soţ *m.n.*
hear *v.*	a auzi	I *pron.*	eu
heart *n.*	inimă *f.n.*	I am happy / delighted.	Imi pare bine.
heaven *n.*	rai *n.n.*		
heel *n.*	călcâi *n.n.*	I am hungry.	Mi-e foame.
Hello!	Salut!	I am thirsty.	Mi-e sete.
Hello! / Good luck!	Noroc!	I don't know.	Nu ştiu.
help *n.*	ajutor *n.n.*	I don't like…	Nu îmi place…
hen *n.*	găină *f.n.*	I like…	Îmi place…
her *adj.*	său / sa / săi / sale	I'm fine!	Bine! *(I.R.)*
here *adv.*	aici	I'm fine, thank you!	Bine, mulţumesc!
Here they are!	Iată-i / le!	I'm sorry.	Îmi pare rău.
high *adv.*	sus	ice *n.*	gheaţă *f.n.*
hill *n.*	deal *n.n.*	ice-cream *n.*	îngheţată *f.n.*
his *adj.*	său / sa / săi / sale	idea n.	idee *f.n.*
history *n.*	istorie *f.n.*	idle *n., adj.*	leneş
holiday *n.*	sărbătoare *f.n.*	if *conj.*	dacă
holidays / vacation	concediu *n.n.*/ vacanţă *f.n.*	ill *adj.*	bolnav
		ill luck *n.*	ghinion *n.n.*
(at) home *adv.*	acasă	illness / disease *n.*	boală *f.n.*
hook *n.*	furcă (a telefonului) *f.n.*	in / into *prep.*	în
		in a	într-o + *f.n.*
hors d'oeuvres *n.*	aperitive *n.n.pl.*	in a	într-un + *m.n.* or *n.n.*
horse *n.*	cal *m.n.*	in due time *adv. phr.*	la timp
hosiery *n.*	galanterie *f.n.*	in front of *prep.*	în faţa *(+ Gen.)*
hospitable *adj.*	ospitalier	in the middle of *prep.*	în mijlocul *(+ Gen.)*
hospital *n.*	spital *n.n.*		
hot *adj.*	fierbinte	income *n.*	venit *n.n.*
hot pepper *n.*	ardei iute	increase *n.*	mărire *f.n.*
hour *n.*	oră *f.n.* / ceas *n.n.*	increase *v.*	a creşte / mări / spori
house / home *n.*	casă *f.n.*	information *n.*	ştiri / informaţii *f.n.pl.*
household goods	articole de menaj	inhabitant *n.*	locuitor *m.n.*
housewife *n.*	casnică *f.n.*	injection *n.*	injecţie *f.n.*
how *adv.*	cum	injury *n.*	leziune / rană *f.n.*
How are you?	Ce mai faci? *(I.R.)*	Inquiries *n.*	Informaţii *f.n.pl.*
How do you do?	Ce mai faceţi?	insert *v.*	a introduce
How long...?	Cât timp...?	inside / in *adv.*	înăuntru
How many…?	Câţi *(m.)*? Câte *(f., n.)*?	insolvency *n.*	insolvabilitate *f.n.*
How many times…?	De câte ori…?	instead of *prep.*	în locul *(+ Gen.)*
How much…?	Cât *(m., n.)*? Câtă *(f.)*?	intend *v.*	a intenţiona
How much is...?	Cât costă…?	interesting *adj.*	interesant
How old are you?	Ce vârstă aveţi?	interpreter *n.*	interpret *m.n.*
human *adj.*	omenesc	introduce *v.*	a prezenta

investment project	proiect de investiţii	leaving *n.*	plecare *f.n.*
invite *v.*	a invita	ledger *n.*	registru contabil
Isn't it?	Nu-i aşa?	left *adj.*	stâng
It means that...	Înseamnă că...	leg *n.*	picior *n.n.*
It would be a good thing to...	Ar fi cazul să...	lemon *n.*	lămâie *f.n.*
		lend *v.*	a da cu împrumut
jacket *n.*	jachetă *f.n.*	lender *n.*	creditor *m.n.*
jam *n.*	dulceaţă *f.n.*	let *v.*	a da cu chirie
January *n.*	ianuarie	Let's go!	Hai să mergem!
jeweller *n.*	bijutier *m.n.*	letter *n.*	literă / scrisoare *f.n.*
job *n.*	slujbă *f.n.*	letter box	cutie de scrisori
joke *v.*	a glumi	librarian *n.*	bibliotecar *m.n.*
journey *n.*	călătorie *f.n.*	lie *n.*	minciună *f.n.*
July *n.*	iulie	like *v.*	a plăcea
June *n.*	iunie	limb *n.*	membru *n.n.*
just *adv.*	tocmai	lime *n.*	tei *m.n.*
key *n.*	cheie *f.n.*	line *n.*	fir *n.n.*
kidney *n.*	rinichi *m.n.*	lips *n.*	buze *f.n.pl.*
kilo *n.*	kilogram *n.n.*	liquidity requirements	necesar de lichiditate
king *n.*	rege *m.n.*	lira *n.*	liră *f.n.*
kitchen *n.*	bucătărie *f.n.*	list *n.*	listă *f.n.*
knee *n.*	genunchi *n.n.*	listen *v.*	a asculta
knife *n.*	cuţit *n.n.*	a little *adj.*	puţin
know *v.*	a şti	little *adj.*	mic
known *adj.*	cunoscut	live *v.*	a trăi / locui
krone *n.*	coroană *f.n.*	liver *n.*	ficat *m.n.*
lamb cutlet	cotlet de miel	living-room *n.*	cameră de zi
lamp *n.*	lampă *f.n.*	loaf *n.*	pâine *f.n.*
landing *n.*	palier *n.n.*	loan *n.*	împrumut / credit *n.n.*
language *n.*	limbă *f.n.*	local call	convorbire locală
large *adj.*	spaţios	locksmith *n.*	lăcătuş *m.n.*
last *adj.*	ultim	long *adj.*	lung
last time *adv. phr.*	data trecută	long distance call	convorbire interurbană
late *adv.*	târziu		
lately *adv.*	în ultima vreme	look *v.*	a se uita
later (on) *adv.*	mai târziu	look after (smb.) *phr. v.*	a avea grijă de
lathe *n.*	strung *n.n.*		
laundry *n.*	rufe / spălătorie *f.n.*	look forward to *phr. v.*	a aştepta cu nerăbdare
law suit	urmărire penală		
lay the table	a pune masa	Look!	Iată!
lead *v.*	a conduce	loose *adj.*	larg
learn *v.*	a învăţa	lottery agency	agenţie loto
learning *n.*	învăţătură *f.n.*	lovely *adj.*	drăguţ
leather goods	marochinărie *f.n.*	luggage *n.*	bagaj *n.n.*
leave *v.*	a pleca (de la)	lunch / dinner *n.*	prânz *n.n.*
leave / convey a message	a lăsa un mesaj	lung *n.*	plămân *m.n.*
		luxation *n.*	luxaţie *f.n.*
leave for *phr. v.*	a pleca (la)	luxurious *adj.*	luxos

mail *n.*	corespondenţă *f.n.*	mincemeat balls *n.*	chifteluţe *f.n.pl.*
main entrance	intrare principală	mineral water *n.*	apă minerală
Maintenance Department	Deranjamente	minute *n.*	minut *n.n.*
		mirror *n.*	oglindă *f.n.*
maize / corn *n.*	porumb *m.n.*	misinform *v.*	a dezinforma
make *v.*	a face	mission *n.*	sarcină *f.n.*
make a speech	a ţine un discurs	mistake *n.*	greşeală *f.n.*
make up *phr. v.*	a alcătui / forma	mobile telephone *n.*	telefon mobil
make-up kit	trusă de machiaj	Monday *n.*	luni *f.n.*
male / man's *adj.*	bărbătesc	money *n.*	bani *m.n.*
man *n.*	bărbat *m.n.*	money matters *n.*	chestiuni financiare
manager *n.*	director *m.n.*	money supply *n.*	masă monetară
managerial team	echipă managerială	month *n.*	lună *f.n.*
managing director	director general	monthly *adv.*	lunar
many *pron., adj.*	mulţi, multe	more... than	mai... decât
Many happy returns!	La mulţi ani!	morning *n.*	dimineaţă *f.n.*
map *n.*	hartă *f.n.*	mortgage *n.*	ipotecă *f.n.*
March *n.*	martie	mother *n.*	mamă *f.n.*
mark (currency) *n.*	marcă *f.n.*	mountain *n.*	munte *m.n.*
(school) mark *n.*	notă *f.n.*	mouth *n.*	gură *f.n.*
market *n.*	piaţă *f.n.*	move *v.*	a se muta
marketing department	departament de marketing	Mr ...	domnul ...
		Mrs ...	doamna ...
marketing director	director de marketing	much *adj., pron.*	mult, multă
married *adj.*	căsătorit	muffin *n.*	brioşă *f.n.*
massage *n.*	masaj *n.n.*	mug *n.*	halbă *f.n.*
(friction) match *n.*	chibrit *n.n.*	museum *n.*	muzeu *n.n.*
match *(sport) n.*	meci *n.n.*	mushroom *n.*	ciupercă *f.n.*
mate *n.*	coleg *m.n.*	music *n.*	muzică *f.n.*
materials needed	necesar de materiale	must *v.*	a trebui *v.*
matress *n.*	saltea *f.n.*	mutton chop *n.*	cotlet de berbec
matter *n.*	problemă *f.n.*	nail *n.*	cui *n.n.* / unghie *f.n.*
maturity / date of payment *n.*	scadenţă *f.n.*	name *n.*	nume *n.n.*
		national / domestic currency	monedă naţională
mauve *adj.*	mov		
May *n.*	mai *n.*	national day	zi naţională
May I help you?	Te pot ajuta cu ceva?	near *prep.*	aproape de
meal *n.*	masă / mâncare *f.n.*	nearly *adv.*	aproape
the meals of the day	mesele zilei	neck *n.*	gât *n.n.*
means of transport	mijloace de transport	necklace *n.*	colier *n.n.*
meat *n.*	carne *f.n.*	need *v.*	a avea nevoie
medical card	fişă medicală	negotiation *n.*	negociere *f.n.*
medical certificate	certificat medical	neighbouring *adj.*	alăturat
meet *v.*	a întâlni	neither of them *pron.*	nici unul
meeting *n.*	şedinţă / întâlnire *f.n.*	neither... nor *conj.*	nici de... nici de
mellow *adj.*	copt	nephew *n.*	nepot *m.n.*
melon *n.*	pepene galben	never *adv.*	niciodată
milk *n.*	lapte *n.n.*	new *adj.*	nou
million *num.*	milion		

New Year's Eve *n.*	Revelion *n.n.*	order *v.*	a comanda / ordona
news *n.*	ştiri; informaţii *f.n.pl.*	other *adj.*	alt, altă; alţi, alte
news bulletin *n.*	buletin informativ	the other,-s	celălalt, cealaltă;
news stall *n.*	chioşc de ziare	*adj., pron.*	ceilalţi, celelalte
newspaper *n.*	ziar *n.n.*	the other	zilele trecute
next time *adv. phr.*	data viitoare	day *adv. phr.*	
next to / near *prep.*	lângă	our *adj.*	nostru, noastră;
next year *adv. phr.*	la anul		noştri, noastre
nice *adj.*	drăguţ		
niece *n.*	nepoată *f.n.*	out of fashion *adj.*	demodat
night *n.*	noapte *f.n.*	out of order	deranjat / defect
nine *num.*	nouă	outfit *n.*	echipament *n.n.*
no *adv.*	nu	outside / out *adv.*	afară
nobody *pron.*	nimeni	over *prep.*	peste
noise *n.*	gălăgie *f.n.*	owner *n.*	proprietar *m.n.*
Norwegian *n.*	norvegian *m.n.*	pack *v.*	a împacheta
nose *n.*	nas *n.n.*	packet *n.*	pachet *n.n.*
nostril *n.*	nară *f.n.*	padlock *n.*	lacăt *n.n.*
notes *n.*	notiţe *f.n.pl.*	page *n.*	pagină *f.n.*
November *n.*	noiembrie	pain *n.*	durere *f.n.*
now *adv.*	acum	painting *n.*	tablou *n.n.*
nurse *n.*	infirmieră *f.n.*	pair *n.*	pereche *f.n.*
nut *n.*	nucă *f.n.*	pair of compasses *n.*	compas *n.n.*
object *n.*	obiect *n.n.*	pair of glasses *n.*	pereche de ochelari
occasion *n.*	ocazie *f.n.*	pair of scissors *n.*	foarfece *n.n.*
occasionally *adv.*	foarte rar	pair of shoes *n.*	pereche de pantofi
occupation *n.*	ocupaţie / profesie *f.n.*	palace *n.*	palat *n.n.*
October *n.*	octombrie	palm *n.*	palmă *f.n.*
of course *adv.*	bineînţeles / desigur	pan *n.*	cratiţă *f.n.*
offer *v.*	a oferi	pancake *n.*	clătită *f.n.*
office *n.*	serviciu / birou *n.n.*	pantry *n.*	cămară *f.n.*
official ceremony	ceremonie oficială	paper *n.*	hârtie *f.n.*
often *adv.*	adesea / (a)deseori	paper basket	coş de hârtii
old *adj.*	bătrân	paper clip	agrafă de birou
olive *n.*	măslină *f.n.*	parcel up *phr. v.*	a face pachet
on *prep.*	pe / asupra *(+ Gen.)*	parent *n.*	părinte *m.n.*
on foot *adv. phr.*	pe jos	park / garden *n.*	parc *n.n.*
one *num.*	unu	parking lot *n.*	loc de parcare
onion *n.*	ceapă *f.n.*	parsley *n.*	pătrunjel *m.n.*
only *adv.*	numai	participate *v.*	a participa
open *adj.*	deschis	partner *n.*	partener *m.n.*
open *v.*	a deschide	party *n.*	petrecere *f.n.*
operator *n.*	centralistă *f.n.*	pass *v.*	a trece
opposite (to) *prep.*	vizavi de	passage *n.*	culoar *n.n.*
optician *n.*	optician *m.n.*	patient *n.*	pacient *m.n.*
option *n.*	opţiune *f.n.*	pattern *n.*	model *n.n.*
or *conj.*	sau	pay *v.*	a achita / plăti
orange *adj.*	portocaliu	pay-day *n.*	zi de salariu
		payment *n.*	plată *f.n.*
		peach *n.*	piersică *f.n.*

peanuts *n.*	arahide / alune *f.n.pl.*
pear *n.*	pară *f.n.*
peas *n.*	mazăre *f.n.*
pencil *n.*	creion *n.n.*
penny / money *n.*	ban,-i *m.n.*
pentioner *n.*	pensionar *m.n.*
people *n.*	popor *n.n.*
performance *n.*	performanţă *f.n.*
perfume *n.*	parfum *n.n.*
perfumery *n.*	parfumerie *f.n.*
person *n.*	persoană *f.n.*
peseta *n.*	peseta *f.n.*
petrol *n.*	benzină *f.n.*
pharmacy *n.*	farmacie *f.n.*
photo *n.*	fotografie *f.n.*
photographer *n.*	fotograf *m.n.*
physician *n.*	medic / doctor *m.n.*
pick up *phr. v.*	a ridica
pickles *n.*	murături *f.n.pl.*
pie *n.*	pateu *n.n.* / plăcintă *f.n.*
piece *n.*	bucată *f.n.*
pill *n.*	pastilă *f.n.*
pillar *n.*	coloană *f.n.*
pineapple *n.*	ananas *m.n.*
pink *adj.*	roz
placed *adj.*	amplasat
plan *n.*	plan *n.n.*
plane *n.*	avion *n.n.*
plated *adj.*	placat
play *v.*	a (se) juca
Please…	Vă rog…
pleasure *n.*	plăcere *f.n.*
plumber *n.*	instalator *m.n.*
pocket *n.*	buzunar *n.n.*
pocket book / agenda *n.*	agendă *f.n.*
Pole *n.*	polonez *m.n.*
politeness *n.*	politeţe *f.n.*
poor *adj.*	biet, biată
pork cutlet	cotlet de porc
portfolio *n.*	mapă *f.n.*
postpone *v.*	a amâna
potato *n.*	cartof *m.n.*
pound sterling	liră sterlină
powder milk	lapte praf
power *n.*	putere *f.n.*
prefer *v.*	a prefera
preparation *n.*	pregătire *f.n.*
prepare *v.*	a pregăti
prerogative *n.*	atribuţie *f.n.*
present *n.*	dar / cadou *n.n.*
president *n.*	preşedinte *m.n.*
pressed cheese *n.*	caşcaval *n.n.*
pressing iron *n.*	fier de călcat
printer *n.*	imprimantă *f.n.*
problem *n.*	problemă *f.n.*
product *n.*	produs *n.n.*
programme *n.*	program *n.n.*
project / plan *n.*	proiect / plan *n.n.*
projector *n.*	proiector *n.n.*
province *n.*	provincie *f.n.*
pub *n.*	cârciumă *f.n.*
pudding *n.*	budincă *f.n.*
pumpkin *n.*	dovleac *m.n.*
puncher *n.*	perforator *n.n.*
pupil *n.*	elev *m.n.*
purchase requisition	cerere de achiziţionare
purchasing power	putere de cumpărare
purveyor *n.*	furnizor *m.n.*
push *v.*	a împinge
put *v.*	a pune
put the shoes on	a se încălţa
put through *phr. v.*	a face legătura
pyjamas *n.*	pijama *f.n.*
quarter *n.*	sfert / cartier *n.n.*
question *n.*	întrebare *f.n.*
quick *adj.*	rapid
quince *n.*	gutuie *f.n.*
quite often *adv.*	destul de des
race *n.*	alergare *f.n.*
radiator *n.*	calorifer *n.n.*
radio set *n.*	aparat de radio
radiography *n.*	radiografie *f.n.*
radish *n.*	ridiche *f.n.*
railway station *n.*	gară *f.n.*
rain *n.*	ploaie *f.n.*
raspberry *n.*	zmeură *f.n.*
raw *adj.*	crud
reach *v.*	a ajunge
read *v.*	a citi
reading *n.*	citire / lectură *f.n.*
ready	gata *adv.*
ready-made clothes *n.*	confecţii *f.n.pl.*

receiver *n.*	receptor *n.n.*	run *v.*	a alerga / fugi
recently *adv.*	de curând	rye *n.*	secară *f.n.*
recommend *v.*	a recomanda	safe *n.*	seif *n.n.*
recover *v.*	a-şi reveni	saint *n.*	sfânt *m.n.*
red *adj.*	roşu	Saint Nicholas	Moş Nicolae
red pepper *n.*	gogoşar *m.n.*	sales revenue	venituri din vânzări
refer (to) *v.*	a avea în vedere	salt *n.*	sare *f.n.*
refrigerator *n.*	frigider *n.n.*	salted *adj.*	sărat
rely (on) *v.*	a se baza (pe)	same *adj., pron.*	acelaşi, aceeaşi;
remain *v.*	a rămâne		aceiaşi, aceleaşi
rent *n.*	chirie *f.n.*	sandals *n.*	sandale *f.n.*
rent *v.*	a lua cu chirie	sandwich *n.*	sandviş *n.n.*
repair *v.*	a repara	Santa Claus	Moş Crăciun
repay *v.*	a rambursa	Saturday *n.*	sâmbătă *f.n.*
repayment *n.*	rambursare *f.n.*	sausages *n.*	cârnaţi *m.n.pl.*
repeat *v.*	a repeta	say *v.*	a spune
replace *v.*	a înlocui	scarf *n.*	eşarfă *f.n.*
report *n.*	raport *n.n.*	schedule *v.*	a eşalona
require *v.*	a solicita	schnitzel *n.*	şniţel *n.n.*
reschedule *v.*	a reeşalona	scholarship *n.*	bursă *f.n.*
responsibility *n.*	răspundere *f.n.*	school *n.*	şcoală *f.n.*
restaurant *n.*	restaurant *n.n.*	seaside *n.*	litoral *n.n.*
retail *n.*	vânzare cu	season *n.*	anotimp *n.n.*
	amănuntul	season ticket *n.*	abonament *n.n.*
retired *adj.*	pensionat	secretariat *n.*	secretariat *n.n.*
revenue *n.*	venit	secretary *n.*	secretar *m.n.*
review *n.*	revistă *f.n.*	section /	secţie *f.n.*
rice *n.*	orez *n.n.*	department *n.*	
rich *adj.*	bogat	see *v.*	a vedea
right *adj.*	drept	See you soon!	Pe curând!
Right away!	Imediat!	See you tomorrow!	Pe mâine!
ring *n.*	inel *n.n.*	seldom *adv.*	rar / rareori
ring book / file *n.*	biblioraft *n.n.*	sell *v.*	a vinde
ripe *adj.*	copt	send *v.*	a trimite
rise *v.*	a creşte / mări / spori	September *n.*	septembrie
river *n.*	râu *n.n.*	service *n.*	slujbă *f.n.*
roasted *adj.*	fript	seven *num.*	şapte
roasted meat *n.*	friptură *f.n.*	shade *n.*	nuanţă *f.n.*
ROL (romanian	leu, lei *m.n.*	shareholder *n.*	acţionar *m.n.*
currency)		shave *v.*	a rade
Romanian *n.*	român *m.n.*	she *pron.*	ea
romanian *adj.*	românesc	she *(pronoun*	dumneaei
roof *n.*	acoperiş *n.n.*	*of politeness)*	
room *n.*	cameră *f.n.*	sheet (of paper) *n.*	coală (de hârtie) *f.n.*
rose *n.*	trandafir *m.n.*	shelf *n.*	etajeră *f.n.*; raft *n.n.*
rubber *n.*	gumă *f.n.*	ship *n.*	vapor *n.n.*
ruby *n.*	rubin *n.n.*	shirt *n.*	cămaşă *f.n.*
rule *v.*	a conduce	shoe *n.*	pantof *m.n.*
		shoemaker's *n.*	cizmărie *f.n.*

shop n.	magazin n.n.	solve v.	a rezolva
shop-assistant n.	vânzător m.n.	some (+ sg.) adj.	câtva (m., n.), câtăva (f.), ceva (m., f., n.)
shopping n.	cumpărături f.n.pl.		
shop-window n.	vitrină f.n.	some (affirm.) / any (neg.) indef. art. pl.	nişte
short adj.	scurt		
shoulder n.	umăr m.n.	some other time adv. phr.	altădată
shower n.	duş n.n.		
shut v.	a închide	somebody pron.	cineva
shut adj.	închis	something pron.	ceva
Shut up!	Să taci!	sometimes adv.	câteodată
sick adj.	bolnav	sometimes adv.	uneori
sideboard n.	bufet n.n.	son n.	fiu m.n.
sign v.	a semna	son-in-law n.	ginere m.n.
signature n.	semnătură f.n.	soon adv.	curând
silk n.	mătase f.n.	soothing effect n.	efect calmant
silver n.	argint n.n.	soup n.	supă f.n.
simple adj.	simplu	sour adj.	acru
since ... o'clock	de la ora ...	sour cherry n.	vişină f.n.
sink n.	chiuvetă de bucătărie	sour cream n.	smântână f.n.
sister n.	soră f.n.	sour milk n.	lapte acru (bătut)
sister-in-law n.	cumnată f.n.	sour soup n.	ciorbă f.n.
sit v.	a sta pe scaun	Spaniard n.	spaniol m.n.
sit down phr. v.	a se aşeza	spare room n.	cameră de oaspeţi
Sit down! / Take a seat!	Luaţi loc!	speak v.	a vorbi
		speak nonsense	a vorbi aiurea
six num.	şase	speak off-hand	a vorbi liber
size n.	mărime / număr	speak one's mind	a vorbi deschis
skate v.	a patina	specify v.	a preciza
ski v.	a schia v.	speed n.	viteză f.n.
skilled adj.	priceput	spend v.	a petrece
skirt n.	fustă f.n.	spice n.	condiment n.n.
sky n.	cer n.n.	spicy adj.	iute
sleep v.	a dormi	spinach n.	spanac n.n.
slice n.	felie f.n.	spoon n.	lingură f.n.
slip (of paper) n.	fişă f.n.	spring n.	primăvară f.n.
small change n.	mărunţiş n.n.	square n.	piaţă f.n.
small table n.	măsuţă f.n.	stairs n.	scară f.n.
smoke v.	a fuma	(market) stall n.	tarabă f.n.
snack n.	gustare f.n.	stand v.	a sta în picioare
snowfall n.	ninsoare f.n.	stand in a queue / line up phr. v.	a sta la rând
so adv.	aşa		
so far adv.	până acum	standing order	ordin permanent de plată
So many?	Aşa de multe?		
so much adv.	atât	staple n.	capsă f.n.
society n.	societate f.n.	stapler n.	capsator n.n.
sofa n.	canapea f.n.	start v.	a începe
soft drinks n.	răcoritoare f.n.pl.	state power n.	putere de stat
sole n.	talpă f.n.	station n.	staţie f.n.
		stationer's n.	papetărie f.n.

stay *v.*	a sta (pe loc)	tailor's *n.*	croitorie *f.n.*
steak *n.*	antricot *n.n.*	take *v.*	a lua
stewed fruit *n.*	compot *n.n.*	take a bath	a face baie
stock *n.*	pachet de acţiuni	take a rest	a se odihni
stockbroker *n.*	agent de vânzări mobiliare	Take a seat!	Luaţi loc!
stockings *n.*	ciorapi *m.n.pl.*	take part into	a lua parte la
stomach *n.*	stomac *n.n.*	take place	a avea loc
stop *v.*	a (se) opri	talk to	a sta de vorbă cu
storey *n.*	etaj *n.n.*	tall *adj.*	înalt
story *n.*	poveste *f.n.*	tap *n.*	robinet *n.n.*
stout *n.*	bere neagră	task *n.*	sarcină *f.n.*
straight ahead *adv. phr.*	drept înainte	taste *n.*	gust *n.n.*
		tax *n.*	impozit *n.n.*
strawberry *n.*	căpşună *f.n.*	taxi rank *n.*	staţie de taxi
street *n.*	stradă *f.n.*	teacher *n.*	profesor *m.n.*
strength *n.*	putere *f.n.*	teaching board *n.*	consiliu profesoral
stretcher *n.*	targă *f.n.*	team *n.*	echipă *f.n.*
student *n.*	student *m.n.*	team-mate *n.*	coechipier *m.n.*
study *v.*	a învăţa / studia	teaspoon *n.*	linguriţă *f.n.*
stylist *n.*	stilist *m.n.*	telephone *n.*	telefon *n.n.*
subscriber *n.*	abonat *m.n.*	telephone booth / box *n.*	cabină telefonică
subscription *n.*	abonament *n.n.*		
subscription charge	taxă de abonament	telephone directory *n.*	carte de telefon
suddenly *adv.*	deodată	telephone subscription *n.*	abonament telefonic
sue *v.*	a da în judecată		
sugar *n.*	zahăr *n.n.*	tell *v.*	a spune
suggest *v.*	a recomanda	tell / narrate *v.*	povesti *v.*
suit (of clothes) *n.*	costum (de haine) *n.n.*	Tell me...	Spune-mi...
		temperature *n.*	temperatură *f.n.*
summer *n.*	vară *f.n.*	ten *num.*	zece
summer holidays *n.*	vacanţă de vară	terms *n.*	condiţii *f.n.pl.*
sun *n.*	soare *m.n.*	terrace *n.*	terasă *f.n.*
Sunday *n.*	duminică *f.n.*	thank *v.*	a mulţumi *v.*
supper *n.*	cină *f.n.*	Thank you.	Mulţumesc.
sure *adj.*	sigur	that *pron.*	acela, aceea
surgeon *n.*	chirurg *m.n.*	that *conj.*	că
surgery *n.*	chirurgie; cabinet medical	theatre hall *n.*	teatru / sală de teatru
		then *adv.*	apoi; atunci
Swede *n.*	suedez *m.n.*	there /over there *adv.*	acolo
sweet *adj.*	dulce		
swim *v.*	a înota	There you are!	Poftiţi!
swimming *n.*	înot *n.n.*	therefore *conj.*	deci
swimming pool *n.*	bazin de înot	these *pron.*	aceştia, acestea
Swiss *n.*	elveţian *m.n.*	they *pron.*	ei *(m.)*; ele *(f., n.)*
swiss cheese *n.*	şvaiţer *n.n.*	they (pronoun of politeness)	dumnealor
switchboard *n.*	centrală telefonică		
symptom *n.*	simptom *n.n.*	thick *adj.*	gros
table *n.*	masă *f.n.*	thing *n.*	lucru *n.n.*

think *v.*	a gândi / crede	trial balance *n.*	balanţă de verificare
thinking *n.*	gândire *f.n.*	trip *n.*	excursie *f.n.*
this *pron.*	acesta, aceasta	trolley bus *n.*	troleibuz *n.n.*
this *(I.R.) pron.*	ăsta, asta	trousers *n.*	pantaloni *m.n.*
this time *adv. phr.*	(de) data aceasta	trout *n.*	păstrăv *m.n.*
those *pron.*	aceia, acelea	truck *n.*	camion *n.n.*
thousand *num.*	mie	true *adj.*	adevărat
three *num.*	trei	trust *v.*	a avea încredere
throat *n.*	gât *n.n.*	truth *n.*	adevăr *n.n.*
thumb *n.*	deget mare	try *v.*	a încerca
Thursday *n.*	joi *f.n.*	try on *phr. v.*	a proba
ticket *n.*	bilet *n.n.*	tube *n.*	metrou *n.n.*
tie *n.*	cravată *f.n.*	tube station *n.*	staţie de metrou
time *n.*	timp *n.n.*	Tuesday *n.*	marţi *f.n.*
tin *n.*	cutie de conserve	tulip *n.*	lalea *f.n.*
tired *adj.*	obosit	Turk *n.*	turc *m.n.*
title deed *n.*	titlu de proprietate	turkey *n.*	curcan *m.n.*
to *prep.*	la / spre	turner n.	strungar *m.n.*
to the left *adv. phr.*	la stânga	turnover n.	cifră de afaceri
to the right *adv. phr.*	la dreapta	TV-set *n.*	televizor *n.n.*
tobacconist's *n.*	tutungerie *f.n.*	twins *n.*	gemeni *m.n.pl.*
today *adv.*	astăzi / azi	two *num.*	doi *(m.)*, două *(f., n.)*
toe *n.*	deget de la picior	typewriter *n.*	maşină de scris
toilet-basin *n.*	bazin de toaletă	uncle *n.*	unchi *m.n.*
tomato *n.*	roşie *f.n.*	under *prep.*	sub / dedesubtul (+ Gen.)
tomato juice *n.*	suc de roşii		
tomorrow *adv.*	mâine	understand *v.*	a înţelege
tone *n.*	ton *n.n.*	undress *v.*	a se dezbrăca
tongue *n.*	limbă *f.n.*	unfortunately *adv.*	din nefericire
tonight *adv.*	astă seară	unhappy *adj.*	nefericit
too *adv.*	prea	until *prep.*	până
tool *n.*	unealtă *f.n.*	upset *adj.*	supărat
tooth *n.*	dinte *m.n.*	urgently *adv.*	urgent
touch *v.*	a atinge *v.*	use *v.*	a utiliza / folosi
towel *n.*	prosop *n.n.*	useful	folositor; util *adj.*
town *n.*	oraş *n.n.*	usually *adv.*	de obicei
toy *n.*	jucărie *f.n.*	vacuum cleaner *n.*	aspirator *n.n.*
(trade-)union *n.*	sindicat *n.n.*	vase *n.*	vază *f.n.*
train *n.*	tren *n.n.*	veal cutlet *n.*	cotlet de viţel
training *n.*	antrenament *n.n.*	vegetable *n.*	legumă *f.n.*
tram *n.*	tramvai *n.n.*	vegetable marrow *n.*	dovlecel *m.n.*
tranche *n.*	tranşă de împrumut	velvet *n.*	catifea *f.n.*
travel / journey *v.*	călători *v.*	vermouth *n.*	vermut *n.n.*
travel agency *n.*	agenţie de turism	very *adv.*	foarte
travellers' cheque *n.*	cec de călătorie	villa *n.*	vilă *f.n.*
treasury bill *n.*	bon de tezaur	violet *adj.*	violet
treatment *n.*	tratament *n.n.*	visit *v.*	a vizita
tree *n.*	arbore / copac *m.n.*	vowel *n.*	vocală *f.n.*

wage *n.*	salariu *n.n.*	white *adj.*	alb
wait *v.*	a aştepta	whiteboard *n.*	tablă *f.n.*
waiter *n.*	chelner / ospătar *m.n.*	who *pron.*	cine / care
waiting-room *n.*	sală de aşteptare	Who is that speaking?	Cine este la telefon?
waitress *n.*	chelneriţă *f.n.*		
wake up *phr. v.*	a se trezi	wholesale *n.*	vânzare en gros
walk *v.*	a merge (pe jos)	Whom...? *(Acc.)*	Pe cine...?
wall *n.*	perete *m.n.*	Whom? *(Dative)*	Cui?
want *v.*	a vrea	Why?	De ce?
wardrobe *n.*	şifonier / dulap de haine *n.n.*	wife *n.*	soţie *f.n.*
		wild strawberries *n.*	fragi *f.n.pl.*
warm *adj.*	cald	will *n.*	voinţă *f.n.*
warm running water	apă caldă curentă	win *v.*	a învinge
wash *v.*	a (se) spăla	window *n.*	fereastră *f.n.*
wash-hand basin *n.*	chiuvetă de baie	window pane *n.*	geam *n.n.*
washing machine *n.*	maşină de spălat	wine *n.*	vin *n.n.*
waste one's breath	a vorbi în vânt	winter *n.*	iarnă *f.n.*
watch *n.*	ceas *n.n.*	wish *n.*	dorinţă *f.n.*
watchmaker's *n.*	ceasornicărie *f.n.*	wish *v.*	a dori
water *n.*	apă *f.n.*	with *prep.*	cu
water melon *n.*	pepene verde	With whom...?	Cu cine...?
way *n.*	drum *n.n.*	woman *n.*	femeie *f.n.*
we *pron.*	noi	wool *n.*	lână *f.n.*
wear *v.*	a purta	word *n.*	cuvânt *n.n.*
wedding *n.*	căsătorie *f.n.*	work *v.*	a lucra
wedding ring *n.*	verighetă *f.n.*	work / job *n.*	muncă *f.n.*
Wednesday *n.*	miercuri *f.n.*	worker *n.*	muncitor *m.n.*
week *n.*	săptămână *f.n.*	workshop chief *n.*	şef de secţie
welder *n.*	sudor *m.n.*	worried *adj.*	îngrijorat
Well...	Păi...	worry *v.*	a se îngrijora
what *pron.*	ce	wrist *n.*	încheietura mâinii
What are you?	Cu ce vă ocupaţi?	write *v.*	a scrie
What time is it?	Cât este ceasul?	year *n.*	an *m.n.*
What time...?	La ce oră...?	yellow *adj.*	galben
What's his /her name?	Cum îl / o cheamă?	yen *n.*	yen *m.n.*
		yes *adv.*	da
What... with / by?	Cu ce...?	yesterday *adv.*	ieri
wheat *n.*	grâu *m.n.*	yet *adv.*	încă
when *adv.*	când	yogurt *n.*	iaurt *n.n.*
whenever *adv.*	ori de câte ori	you *pron.*	tu *(sg.)*, voi *(pl.)*
where *adv.*	unde	you *(pronoun of politeness)*	dumneavoastră
Where...from?	De unde...?		
Where are you from?	De unde sunteţi?	young *adj.*	tânăr
Where is.. ?	Unde este.. ?	You're welcome!	Cu plăcere!
which *pron.*	care	zero	zero

Romanian –English Vocabulary / Vocabular român – englez

Abbreviations

*adj.** = adjective
adv. = adverb
adv. phr. = adverbial phrase
affirm. = affirmative
art. = article
conj. = conjunction
f.n. = feminine noun
Gen. = Genitive
indef. = indefinite
I.R. = Informal Romanian
m.n. = masculine noun

n. = noun
neg. = negative
n.n. = neuter noun
num. = numeral
phr. v. = phrasal verb
pl. = plural
prep. = preposition
pron. = pronoun
r.v. = reflexive verb
sg. = singular
v. = verb

*all forms of the adjectives are given, in the following order:
masc. and neuter sg., fem.sg.; masc.pl., fem. and neuter pl.

abonament,-e *n.n.*	season ticket,-s / subscription,-s
abonament telefonic	telephone subscription
abonat,-ţi *m.n.*	subscriber,-s
absolvent,-ţi *m.n.*	graduate,-s
acasă *adv.*	(at) home
aceia, acelea *pron.*	those
acelaşi, aceeaşi; aceiaşi, aceleaşi *adj., pron.*	same
acela, aceea *pron.*	that
acesta, aceasta *pron.*	this
aceştia, acestea *pron.*	these
achita *v.*	to pay
achiziţiona *v.*	to acquire
acolo *adv.*	there /over there
acoperiş,-uri *n.n.*	roof,-s
acorda *v.*	to grant
acru, acră; acri, acre *adj.*	sour
active fixe	fixed assets
activitate, activităţi *f.n.*	activity,-ies
actor,-i *m.n.*	actor,-s
actriţă,-e *f.n.*	actress,-es
acţionar,-i *m.n.*	shareholder,-s
acum *adv.*	now
acum ... zile	... days ago
acuza *v.*	to accuse
adânc,-ă; adânci *adj.*	deep
adesea / adeseori *adv.*	often
adevăr *n.n.*	truth
adevărat,-ă; adevăraţi,-te *adj.*	true
aduce *v.*	to bring
aeroport,-uri *n.n.*	airport,-s
afacere,-i *f.n.*	business
afară *adv.*	outside / out
afla (se) *r.v.*	to be / exist
agendă,-e *f.n.*	pocket book,-s / agenda,-s
agenţie de turism	travel agency
agenţie loto	lottery agency
agent de vânzări mobiliare	stockbroker
aglomerat,-ă; aglomeraţi,-te *adj.*	crowded

agrafă de birou	paper clip
aici *adv.*	here
ajunge *v.*	to reach / arrive
ajutor *n.n.*	help / aid
alaltăieri *adv.*	the day before yesterday
alăturat,-ă; alăturaţi,-te *adj.*	neighbouring
alb,-ă; albi,-e *adj.*	white
albastru,-ă; albaştri, albastre *adj.*	blue
alcătui *v.*	to make up
alegere *f.n.*	choice
alerga *v.*	to run
alergare, alergări *f.n.*	race,-s / chase,-s
aloca *v.*	to allocate
alt, altă; alţi, alte *adj.*	other
altădată *adv.*	some other time
alună,-e *f.n.*	hazel-nut,-s / peanut,-s
amâna *v.*	to postpone
amândoi, amândouă *pron.*	both
ambasadă,-e *f.n.*	embassy,-ies
ambulanţă,-e *f.n.*	ambulance,-s
ametist *n.n.*	amethyst
ameţeală *f.n.*	giddiness
amplasat,-ă; amplasaţi,-te *adj.*	placed
amuzant,-ă; amuzanţi,-te *adj.*	funny
an,-i *m.n.*	year,-s
an fiscal	fiscal year
analist,-şti *m.n.*	analist,-s
analiză de sânge	blood analysis / test
ananas, ananaşi *m.n.*	pineapple,-s
angajat,-ţi *m.n.*	employee,-s
aniversare, aniversări *f.n.*	anniversary,-ies
anotimp,-uri *n.n.*	season,-s
antrenament,-e *n.n.*	training,-s
antricot, antricoate *n.n.*	steak,-s
anunţa *v.*	to announce

apă *f.n.*	water
apă caldă curentă	warm running water
apă minerală	mineral water
aparat,-e de fotografiat	camera,-s
aparat,-e de radio	radio set,-s
apartament,-e *n.n.*	flat,-s
aperitive *n.n.pl.*	hors d'oeuvres
apoi *adv.*	then
aprilie *m.n.*	April
aproape *adv.*	nearly
aproape de *prep.*	near
aproape niciodată	hardly ever
aragaz,-uri *n.n.*	cooker,-s
arahidă,-e *f.n.*	peanut,-s
arbore,-i *m.n.*	tree,-s
ardei gras, ardei graşi *m.n.*	green pepper,-s
ardei iute, ardei iuţi *m.n.*	hot pepper,-s
Ar fi cazul să...	It would be a good thing to...
argint *n.n.*	silver
arheolog,-i *m.n.*	archaeologist,-s
arhitect,-ţi *m.n.*	architect,-s
articole de menaj	household goods
artizanat *n.n.*	handicraft
ascensor,-oare *n.n.*	elevator,-s / lift,-s
asculta *v.*	to listen
asistent,-ţi *m.n.*	assistant,-s
asortat,-ă; asortaţi,-te *adj.*	assorted
aspirator,-oare *n.n.*	vacuum cleaner,-s
aspirină,-e *f.n.*	aspirin,-s
astă seară *adv. phr.*	tonight
astăzi *adv.*	today
astronom,-i *m.n.*	astronomer,-s
asupra *(+Gen.) prep.*	on / about / concerning
aşa *adv.*	so
Aşa de mulţi?	So many?
aşeza (se) *r.v.*	to sit down
aştepta *v.*	to wait
aştepta cu nerăbdare	to look forward to
atât *adv.*	so much
atinge *v.*	to touch / to reach

atinge pragul de rentabilitate	to break even	bărbat,-ţi *m.n.*	man, men
atletism *n.n.*	athletics	bărbătesc,-ească; bărbăteşti *adj.*	male / man's
atribuţie,-i *f.n.*	prerogative,-s / competence,-s	bărbie, bărbii *f.n.*	chin,-s
		bătrân,-ă; bătrâni,-e *adj.*	old
atunci *adv.*	then		
august *m.n.*	August	băuturi *f.n.pl.*	drinks
aur *n.n.*	gold	bea *v.*	to drink
autobuz,-e *n.n.*	bus,-es	bec,-uri *n.n.*	(electric) bulb,-s
autocar,-e *n.n.*	coach,-es	benzină *f.n.*	petrol
autoturism,-e *n.n.*	(motor) car,-s	bere blondă	(pale) ale
auzi *v.*	to hear	bere neagră	stout
avea *v.*	to have	biblioraft,-uri *n.n.*	ring book,-s / file,-s
avea acoperire	to be covered	bibliotecă,-i *f.n.*	book-case,-s
avea chef de	to be in the mood for	bibliotecar,-i *m.n.*	librarian,-s
avea de lucru	to have work to do	bicicletă,-e *f.n.*	bike,-s
avea grijă de	to look after (smb.)	biet, biată; bieţi, biete *adj.*	poor / unfortunate
avea în vedere	to refer (to)		
avea încredere	to trust	biftec,-uri *n.n.*	beefsteak,-s
avea loc	to take place	bijutier,-i *m.n.*	jeweller,-s
avea nevoie	to need	bilanţ,-uri *n.n.*	balance,-s
avea voie	to be allowed	bilanţ contabil	balance sheet
nu avea astâmpăr	to fidget	bilet,-e *n.n.*	ticket,-s
avion, avioane *n.n.*	plane,-s	bine *adv.*	all right / well
azi *adv.*	today	Bine! *(I.R.)*	I'm fine!
ăsta, asta *pron. (I.R.)*	this	Bine, mulţumesc!	I'm fine, thank you!
bagaj,-e *n.n.*	luggage	bineînţeles *adv.*	of course
baie, băi *f.n.*	bathroom,-s	birou,-ri *n.n.*	office,-s / writing-desk,-s
balanţă de verificare	trial balance		
balanţă de plăţi	balance of payment	birou de schimb valutar	exchange office
ban,-i *m.n.*	penny / money		
banană,-e *f.n.*	banana,-s	bloc,-uri *n.n.*	block/,-s/-of-flats
bancă, bănci *f.n.*	bank,-s	bluză,-e *f.n.*	blouse,-s
bancă centrală	central bank	boală, boli *f.n.*	illness / disease
bancă comercială	commercial bank	bogat,-ă; bogaţi,-te *adj.*	rich
bancnotă,-e *f.n.*	bank note,-s		
bar,-uri *n.n.*	bar,-s	bolnav,-ă; bolnavi,-e *adj.*	ill / sick
barbă, bărbi *f.n.*	beard,-s		
barcă, bărci *f.n.*	boat,-s	bon,-uri de tezaur	treasury bill,-s
batistă,-e *f.n.*	handkerchief,-s	borcan,-e *n.n.*	glass jar,-s
baza (se) *r.v.*	to rely	braţ,-e *n.n.*	arm,-s
bazin de înot	swimming pool	brăţară, brăţări *f.n.*	bracelet,-s
bazin de toaletă	toilet-basin	brânză *f.n.*	cheese
băcănie,-i *f.n.*	grocer's	brioşă,-e *f.n.*	muffin,-s
băiat, băieţi *m.n.*	boy,-s	britanic,-ă; -i, -e *adj.*	British
		bronşită *f.n.*	bronchitis

broşă,-e *f.n.*	brooch,-s	cameră de oaspeţi	room for guests / spare room
brutărie,-i *f.n.*	baker's	cameră de zi	living-room
bucată, bucăţi *f.n.*	piece,-s	camion, c amioane *n.n.*	truck,-s
bucăţică, bucăţele *f.n.*	bit,-s	canadian, canadieni *m.n.*	Canadian,-s
bucătar,-i *m.n.*	cook,-s	canapea, canapele *f.n.*	sofa,-s
bucătărie,-i *f.n.*	kitchen,-s	cap,-ete *n.n.*	head,-s
buchet,-e *n.n.*	bunch,-es	capsă,-e *f.n.*	staple,-s
bucura (se) *r.v.*	to be happy	capsator,-oare *n.n.*	stapler,-s
budincă,-i *f.n.*	pudding,-s	care *pron.*	who / which / that
bufet,-uri *n.n.*	sideboard,-s	carieră,-e *f.n.*	carrier,-s
buletin informativ	news bulletin	carne *f.n.*	meat
bulevard,-e *n.n.*	avenue,-s	carne rasol	boiled meat
bumbac *n.n.*	cotton	carte, cărţi *f.n.*	book,-s
bun,-ă; buni,-e *adj.*	good	carte de telefon	telephone directory
Bună dimineaţa!	Good morning!	cartelă,-e (telefonică) *f.n.*	(telephone) card,-s
Bună seara!	Good evening!	cartier,-e *n.n.*	quarter,-s / district,-s
Bună ziua!	Good afternoon!	cartof,-i *m.n.*	potato,-s
bunic,-i *m.n.*	grandfather,-s	cartotecă,-i *f.n.*	file cabinet,-s
bunică,-i *f.n.*	grandmother,-s	casă,-e *f.n.*	home,-s / house,-s
bursă,-e *f.n.*	scholarship,-s	casă de scont	discount house
buză,-e *f.n.*	lip,-s	casă / casierie *f.n.*	cashier desk
buzunar,-e *n.n.*	pocket,-s	casetofon,-oane *n.n.*	cassette recorder,-s
cabană,-e *f.n.*	chalet,-s	casnică,-e *f.n.*	housewife,-s
cabină,-e de probă	fitting-room,-s	castravete,-ţi *m.n.*	cucumber,-s
cabină telefonică	telephone booth / box	caşcaval *n.n.*	pressed cheese
cabinet medical	surgery /consulting room	catifea *f.n.*	velvet
		că *conj.*	that
cadă, căzi de baie	bath-tub,-s	călători *v.*	to travel / journey
cadou,-ri *n.n.*	present,-s / gift,-s	călătorie,-i *f.n.*	journey,-s / trip,-s
cadru, cadre *n.n.*	frame,-s	călcâi,-e *n.n.*	heel,-s
cafea, cafele *f.n.*	coffee,-s	cămaşă, cămăşi *f.n.*	shirt,-s
cafeniu, cafenie; cafenii *adj.*	brown	cămară, cămări *f.n.*	pantry,-ies
cafetieră,-e *f.n.*	coffee maker,-s	căpşună,-i *f.n.*	strawberry,-ies
caiet,-e *n.n.*	copy-book,-s	cărţi de joc	cards
caisă,-e *f.n.*	apricot,-s	căsătorie,-i *f.n.*	wedding,-s
cal, cai *m.n.*	horse,-s	căsătorit,-ă; căsătoriţi,-te *adj.*	married
calculator,-oare *n.n.*	computer,-s	câine,-i *m.n.*	dog,-s
cald,-ă; calzi, calde *adj.*	warm	când *adv.*	when
calendar,-e *n.n.*	calendar,-s	cârciumă,-i *f.n.*	pub,-s / tavern,-s
calorifer,-e *n.n.*	radiator,-s		
cam *adv.*	about /approximately		
cameră,-e *f.n.*	room,-s		

cârnaţi *m.n.pl.*	sausages	**chelneriţă,-e** *f.n.*	waitress,-es
Cât *(m., n.)*? **Câtă** *(f.)*? How much…?		**cheltuială,** **cheltuieli** *f.n.*	expenditure
Cât costă…?	How much is…?		
Cât este ceasul?	What time is it?	**chemare,** **chemări** *f.n.*	calling,-s
Cât timp…?	How long…?		
cât de **curând** *adv. phr.*	as soon as possible	**chenar,-e** *n.n.*	frame,-s
		chestiuni financiare	money matters
câteodată *adv.*	sometimes	**chiar** *adv.*	even
câtva *(m., n.),* **câtâva** *(f.)*	some (+ sg.)	**chibrit,-uri** *n.n.*	(friction) match,-es
		chifteluţe *f.n.pl.*	mincemeat balls
Câţi *(m.)*? **Câte** *(f., n.)*? How many…?		**chilipir** *n.n.*	good bargain
câţiva *(m.),* **câteva** *(f., n.)*	a few / some (+ pl.)	**chioşc de ziare**	news stall
		chirie,-i *f.n.*	rent,-s
ce *pron.*	what	**chirurg,-i** *m.n.*	surgeon,-s
Ce mai faci? *(I.R.)*	How are you?	**chirurgie** *f.n.*	surgery
Ce mai faceţi?	How do you do?	**chiuvetă de baie**	wash-hand basin
Ce vârstă aveţi?	How old are you?	**chiuvetă de** **bucătărie**	sink
ceaşcă, ceşti *f.n.*	cup,-s		
ceapă, cepe *f.n.*	onion,-s	**cifră,-e** *f.n.*	figure,-s / number,-s
ceas,-uri *n.n.*	watch,-es / hour,-s	**cifră de afaceri**	turnover
ceasornicărie *f.n.*	watchmaker's	**cină,-e** *f.n.*	supper,-s
cec,-uri *n.n.*	cheque,-s	**cinci** *num.*	five
cec de călătorie	travellers' cheque	**cine** *pron.*	who
celălalt, cealaltă; **ceilalţi,** **celelalte** *adj., pron.*	(the) other,-s	**cinematograf,-e** *n.n.*	cinema-hall,-s
		cineva *pron.*	somebody
		ciocolată,-e *f.n.*	chocolate,-s
centrală telefonică	switchboard	**ciorap,-i** *m.n.*	stocking,-s
centralistă,-e *f.n.*	operator,-s	**ciorbă,-e** *f.n.*	sour soup,-s
centru,-e *n.n.*	centre,-s	**cireaşă, cireşe** *f.n.*	cherry,-ies
cenuşiu, cenuşie; **cenuşii** *adj.*	grey	**citi** *v.*	to read
		citire,-i *f.n.*	reading,-s
cenzor,-i *m.n.*	auditor,-s	**ciupercă,-i** *f.n.*	mushroom,-s
cer *n.n.*	sky	**cizmărie,-i** *f.n.*	shoemaker's
cercei *m.n.pl.*	ear-rings	**clătită,-e** *f.n.*	pancake,-s
cere *v.*	to ask /demand	**client,-ţi** *m.n.*	client,-s / customer,-s
cereale *f.n.pl.*	cereals	**clinică,-i** *f.n.*	clinic,-s
ceremonie oficială	official ceremony	**coafor** *m.n.*	hairdresser
cerere,-i *f.n.*	demand,-s	**coală, coli** **(de hârtie)** *f.n.*	sheet,-s (of paper)
cerere de **achiziţionare**	purchase requisition		
		coborî *v.*	to get off / get out of
certificat medical	medical certificate	**coechipier,-i** *m.n.*	team-mate,-s
ceva *pron.*	some / a little / something	**cofetărie,-i** *f.n.*	confectionery,-ies
		colaborator,-i *m.n.*	co-worker,-s
chec,-uri *n.n.*	cake,-s	**coleg,-i** *m.n.*	mate,-s / colleague,-s
cheie, chei *f.n.*	key,-s	**colegiu,-i** *n.n.*	college,-s
chelner,-i *m.n.*	waiter,-s	**colier,-e** *n.n.*	necklace,-s

coloană,-e *f.n.*	pillar,-s / column,-s
coloană vertebrală	backbone
colţ,-uri *n.n.*	corner,-s
comanda *v.*	to order
comenta *v.*	to comment
comercial,-ă;	commercial
comerciali,-e *adj.*	
comision,-oane *n.n.*	commission,-s / fee,-s
comodă,-e *f.n.*	chest,-s of drawers
companie,-i *f.n.*	company,-ies
compas,-uri *n.n.*	pair of compasses
compot,-uri *n.n.*	stewed fruit
comunica *v.*	to communicate
concediu,-i *n.n.*	holidays / vacation
condiment,-e *n.n.*	spice,-s
condiţii *f.n.pl.*	terms
conduce *v.*	to lead / rule / drive
confecţii *f.n.pl.*	ready-made clothes
confortabil,-ă;	comfortable
-i, -e *adj.*	
conopidă,-e *f.n.*	cauliflower,-s
conservă,-e *f.n.*	tin,-s / can,-s
consilier,-i *m.n.*	counsellor,-s
consiliu de	board of directors
administraţie	
consiliu profesoral	teaching board
consoană,-e *f.n.*	consonant,-s
constructor,-i *m.n.*	builder,-s
cont,-uri *n.n.*	account,-s
cont curent	current account
cont de depozit	deposit account
contabil,-i *m.n.*	accountant,-s
contabilitate *f.n.*	accounting office
contagios,-oasă;	catching/contagious
contagioşi,-oase *adj.*	
contra *(+ Gen.) prep.*	against
contrariat,-ă;	confused
contrariaţi,-te *adj.*	
conversaţie,-i *f.n.*	conversation,-s
convorbire	long distance call
interurbană	
convorbire locală	local call
convorbire telefonică	call
convorbiri adiţionale	additional calls
copac,-i *m.n.*	tree,-s

copiator,-oare *n.n.*	copy mashine,-s
copie, copii *f.n.*	copy,-ies
copil, copii *m.n.*	child, children
copt, coaptă;	ripe / mellow
copţi, coapte *adj.*	
corespondenţă *f.n.*	mail
coridor,-oare *n.n.*	corridor,-s
coroană,-e *f.n.*	krone,-s
corp,-uri *n.n.*	body,-ies
cost,-uri *n.n.*	fare,-s
costa *v.*	to cost
costum,-e	suit,-s (of clothes)
(de haine) *n.n.*	
coş de hârtii	paper basket
cot, coate *n.n.*	elbow,-s
cotlet de berbec	mutton chop
cotlet de miel	lamb cutlet
cotlet de porc	pork cutlet
cotlet de viţel	veal cutlet
covor,-oare *n.n.*	carpet,-s
cratiţă,-e *f.n.*	pan,-s
cravată,-e *f.n.*	tie,-s
Crăciun *n.n.*	Christmas
crede *v.*	to believe / think
credit,-e *n.n.*	credit,-s / loan,-s
creditor,-i *m.n.*	lender,-s
creier,-e *n.n.*	brain,-s
creion,-oane *n.n*	pencil,-s
creşte *v.*	to rise / increase
croitorie,-i *f.n.*	tailor's /dressmaker's
crud,-ă; cruzi,	raw
crude *adj.*	
cu *prep.*	with
Cu ce...?	What... with / by?
Cu ce vă ocupaţi?	What are you?
Cu cine...?	With whom...?
Cu plăcere!	You're welcome!
cui,-e *n.n.*	nail,-s
Cui?	Whom? *(Dative)*
culoar,-e *n.n.*	passage,-s
culoare, culori *f.n.*	colour,-s
cum *adv.*	how
Cum îl / o cheamă?	What's his /her name?
cumnat,-ţi *m.n.*	brother/,-s/ -in-law
cumpăra *v.*	to buy

226

cumpărături *f.n.pl.*	shopping	de la *prep.*	from
cumva *adv.*	by chance	de la ora ...	since ... o'clock
cunoscut,-ă;	known	de obicei *adv. phr.*	usually
cunoscuţi,-te *adj.*		De unde...?	Where...from?
curat,-ă;	clean	De unde sunteţi?	Where are you from?
curaţi,-te *adj.*		de-a lungul	along / over
curăţătorie,-i *f.n.*	dry-cleaner's	(+ Gen.) *prep.*	
curând *adv.*	soon	deal,-uri *n.n.*	hill,-s
curcan,-i *m.n.*	turkey	dealer valutar	foreign exchange
curmală,-e *f.n.*	date,-s (fruit)		dealer
curs,-uri *n.n.*	course,-s / class,-es	deasupra	above
cutie,-i *f.n.*	box,-es	(+ Gen.) *prep.*	
cutie de chibrituri	box of matches	debitor,-i *m.n.*	borrower,-s
cutie de conserve	tin	decembrie	December
cutie de scrisori	letter box	deci *conj.*	therefore
cutie de viteze	gear box	dedesubt *adv.*	below
cuţit,-e *n.n.*	knife,-s	dedesubtul	under
cuvânt, cuvinte *n.n.*	word,-s	(+ Gen.) *prep.*	
da *adv.*	yes	defect,-ă;	out of order
da *v.*	to give	defecţi,-te *adj.*	
da cu chirie	to let	deget,-e *n.n.*	finger,-s
da cu împrumut	to lend	deget mare	thumb
da faliment	to go bankrupt	deget de la picior	toe
da în judecată	to sue	deja *adv.*	already
da un telefon	to call / ring up	delegaţie,-i *f.n.*	business trip,-s
dacă *conj.*	if	delicios,-oasă;	delicious
danez,-i *m.n.*	Dane,-s	delicioşi,-oase *adj.*	
dar *conj.*	but	demers,-uri *n.n.*	approach,-es
dar,-uri *n.n.*	present,-s	demodat,-ă;	out of fashion
dată,-e *f.n.*	date,-s / day,-s	demodaţi,-te *adj.*	
(de) data	this time	dentist, dentişti *m.n.*	dentist,-s
aceasta *adv. phr.*		de ... ori (pe zi)	... times (a day)
data	last time	deodată *adv.*	suddenly
trecută *adv. phr.*		deodorant,-e *n.n.*	body-spray,-s
data	next time	departament de	marketing
viitoare *adv. phr.*		marketing	department
datorie publică	governmental debt	departament	financial department
datornic,-i *m.n.*	debtor,-s	financiar	
de către *prep.*	by	departe *adv.*	far (away)
De câte ori...?	How many times...?	depinde *v.*	to depend
De ce?	Why?	depune *v.*	to deposit
de curând *adv. phr.*	recently	Deranjamente	Maintenance
de fapt *adv. phr.*	actually / in fact		Department
de îndată	as soon as	deranjat,-ă;	out of order
ce *adv. phr.*		deranjaţi,-te *adj.*	

deschide *v.*	to open	doamna...	Mrs. ...
deschis,-ă; deschişi,-se *adj.*	open	doi *(m.)*, două *(f., n.) num.*	two
desen,-e *n.n.*	drawing,-s	dolar,-i *m.n.*	dollar,-s
desena *v.*	to draw	domnul...	Mr. ...
deseori *adv.*	often	dori *v.*	to wish
desert *n.n.*	dessert	dorinţă,-e *f.n.*	wish,-es
desigur *adv.*	of course	dormi *v.*	to sleep
despre *prep.*	about	dormitor,-oare *n.n.*	bedroom,-s
destul,-ă; destui,-le *adj.*	enough	dosar,-e *n.n.*	file,-s
destul de des *adv. phr.*	quite often	dotat,-ă; dotaţi,-te *adj.*	gifted
detectiv,-i *m.n.*	detective,-s	dovleac, dovleci *m.n.*	pumpkin,-s
deveni scadent / a ajunge la scadenţă	to come due	dovlecel, dovlecei *m.n.*	vegetable marrow,-s
devreme *adv.*	early	drag,-ă; dragi,-e *adj.*	dear
dezbrăca (se) *v. ; r.v.*	to undress	drapel,-e *n.n.*	flag,-s
dezinforma *v.*	to misinform	drăguţ,-ă; drăguţi,-e *adj.*	nice / lovely
diagnostic *n.n.*	diagnosis		
dicţionar,-e *n.n.*	dictionary,-ies	drept, dreaptă; drepţi,-te *adj.*	right
diferenţă,-e *f.n.*	difference,-s		
dimineaţă, dimineţi *f.n.*	morning,-s	drept înainte *adv. phr.*	straight ahead
din *prep.*	from	drum,-uri *n.n.*	way,-s
din cauza (+ *Gen.*) *prep.*	because of	duce (se) *r.v.*	to go
		dulap,-uri (de bucătărie) *n.n.*	cupboard,-s
din fericire *adv. phr.*	fortunately	dulap de haine	wardrobe,-s
din nefericire *adv. phr.*	unfortunately	dulce; dulci *adj.*	sweet
		dulceaţă *f.n.*	jam
dinte, dinţi *m.n.*	tooth, teeth	dulciuri *n.n.pl.*	sweets
diplomă,-e *f.n.*	diploma,-s	duminică *f.n.*	Sunday
director,-i *m.n.*	manager,-s / director,-s	dumneaei *pron.*	she *(pronoun of politeness)*
director comercial	commercial director	dumnealor *pron.*	they *(pronoun of politeness)*
director de marketing	marketing director	dumnealui *pron.*	he *(pronoun of politeness)*
director financiar	financial director		
director general	managing director	dumneavoastră *pron.*	you *(pronoun of politeness)*
disc,-uri *n.n.*	disc,-s		
dischetă,-e *f.n.*	floppy disk,-s	după *prep.*	after
discuta *v.*	to discuss	durea / avea dureri de *v.*	to ache
displăcea *v.*	to dislike		
disponibil,-ă; -i, -e *adj.*	available	durere,-i *f.n.*	ache,-s / pain,-s
		durere de cap	headache
distra (se) *r.v.*	to have fun	duş,-uri *n.n.*	shower,-s

ea *pron.*	she	face pachet	to parcel up
echipament,-e *n.n.*	outfit,-s / equipment,-s	face prăjituri	to bake
echipă,-e *f.n.*	team,-s	factură,-i (telefonică,-e) *f.n.*	(telephone) bill,-s
echipă managerială	managerial team	faliment,-e *n.n.*	bankruptcy,-ies
economist,-şti *m.n.*	economist,-s	fals,-ă; falşi, false *adj.*	false
efect calmant	soothing effect		
ei *pron.*	they *(masc.)*	familie,-i *f.n.*	family,-ies
el *pron.*	he	farmacie,-i *f.n.*	chemist's / pharmacy
ele *pron.*	they *(fem.)*	fasole boabe	haricot beans
electrician,-eni *m.n.*	electrician,-s	fasole verde	green beans
elegant,-ă; eleganţi,-te *adj.*	fashionable	fată, fete *f.n.*	girl,-s
		faţă, feţe *f.n.*	face,-s
elev,-i *m.n.*	pupil,-s / student,-s	făină *f.n.*	flour
elveţian,-eni *m.n.*	Swiss,-es	febră *f.n.*	fever
englez,-i *m.n.*	Englishman,-men	februarie *m.n.*	February
eşalona *v.*	to schedule	felicitări *f.n.pl.*	congratulations
eşarfă,-e *f.n.*	scarf,-s	felie,-i *f.n.*	slice,-s
etaj,-e *n.n.*	storey,-s / floor,-s	femeie, femei *f.n.*	woman, women
etajeră,-e *f.n.*	shelf,-s	fereastră, ferestre *f.n.*	window,-s
eu *pron.*	I		
exact *adv.*	exactly / precisely	fericit,-ă; fericiţi,-te *adj.*	happy
examina *v.*	to examine		
excepţie,-i *f.n.*	exception,-s	fi *v.*	to be
excursie,-i *f.n.*	trip,-s	ficat *m.n.*	liver
exerciţiu,-i *n.n.*	exercise,-s	fie... fie *conj.*	either... or
exigent,-ă; exigenţi,-te *adj.*	demanding	fiecare *pron.*	everybody
		fier de călcat	pressing iron
expert,-ţi *m.n.*	expert,-s	fierbinte; fierbinţi *adj.*	hot
explica *v.*	to explain		
extraordinar,-ă; -i, -e *adj.*	extraordinary	fiert, fiartă; fierţi, fierte *adj.*	boiled
extrem (de) *adj.*	extremely	fiică,-e *f.n.*	daughter,-s
fabrică,-i *f.n.*	factory,-ies	fiindcă *conj.*	because
face *v.*	to make / do	film,-e *n.n.*	film,-s / movie,-s
face afaceri	to do business	filtru de cafea	coffee filter
face aluzie la	to allude to	finaliza *v.*	to finish
face apel la	to appeal to	finlandez,-i *m.n.*	Finn,-s
face baie	to take a bath	fir,-e *n.n.*	line,-s
face bilanţul contabil	to draw up the balance sheet	fişă,-e *f.n.*	slip,-s (of paper)
		fişă medicală	medical card
face cumpărături	to go shopping	fiu, fii *m.n.*	son,-s
face lecţiile	to do the lessons	floare, flori *f.n.*	flower,-s
face legătura	to put through	florărie,-i *f.n.*	florist's
face mâncare	to cook	foarfece, foarfece *n.n.*	pair,-s of scissors
face o aluzie	to drop a hint		

foarte *adv.*	very	**gât,-uri** *n.n.*	neck,-s / throat,-s
foarte rar *adv. phr.*	occasionally	**geam,-uri** *n.n.*	window pane,-s
folosi *v.*	to use	**geană, gene** *f.n.*	eyelash,-es
folositor,-oare;	useful	**gemeni** *m.n.pl.*	twins
-i,-oare *adj.*		**genunchi,**	knee,-s
forma *v.*	to make up / form	**genunchi** *n.n.*	
forma un număr	to dial	**Germania**	Germany
de telefon		**gheaţă** *f.n.*	ice
fotbal *n.n.*	football	**gheată, ghete** *f.n.*	boot,-s
fotbalist,-şti *m.n.*	football player,-s	**ghinion** *n.n*	ill luck
fotograf,-i *m.n.*	photographer,-s	**ghişeu, ghişee** *n.n.*	counter,-s
fotografie,-i *f.n.*	photo,-s	**gimnastică** *f.n.*	gymnastics
fotoliu,-i *n.n.*	armchair,-s	**ginere,-i** *m.n.*	son/,-s/-in-law
fragă,-i *f.n.*	wild strawberry,-ies	**gleznă,-e** *f.n.*	ankle,-s
franc,-i *m.n.*	franc,-s	**glumi** *v.*	to joke
francez,-i *m.n.*	Frenchman,-men	**gogoaşă, gogoşi** *f.n.*	dough-nut,-s
frate, fraţi *m.n.*	brother,-s	**gogoşar,-i** *m.n.*	red pepper,-s
frigider,-e *n.n.*	refrigerator,-s	**Grăbeşte-te!**	Hurry up!
fript,-ă; fripţi,-te *adj.*	roasted	**grad,-e** *n.n.*	degree,-s
friptură,-i *f.n.*	roasted meat	**grafic,-e** *n.n.*	graph,-s
frizerie,-i *f.n.*	barber's	**grăbi (se)** *r.v.*	to hurry
fruct,-e *n.n.*	fruit	**grăbit,-ă;**	hurried
frumos,-oasă;	beautiful	**grăbiţi,-te** *adj.*	
frumoşi,-oase *adj.*		**grătar,-e** *n.n.*	grill,-s
frunte, frunţi *f.n.*	forehead,-s	**grâu** *m.n.*	wheat
fugi *v.*	to run	**greşeală, greşeli** *f.n.*	mistake,-s
fulgi de porumb	corn flakes	**greşi numărul**	to get the wrong
fuma *v.*	to smoke		number
funcţionar,-i *m.n.*	clerk,-s	**gri; gri** *adj.*	grey
furcă (a	hook / cradle	**gripă** *f.n.*	flu
telefonului) *f.n.*		**gros, groasă;**	thick
furculiţă,-e *f.n.*	fork,-s	**groşi, groase** *adj.*	
furnizor,-i *m.n.*	purveyor,-s	**gulden,-i** *m.n.*	guilder,-s
fustă,-e *f.n.*	skirt,-s	**gumă,-e** *f.n.*	rubber,-s
galben,-ă;	yellow	**gunoi** *n.n.*	garbage
galbeni,-e *adj.*		**gură,-i** *f.n.*	mouth,-s
gară, gări *f.n.*	railway station,-s	**gust** *n.n.*	taste
garsonieră,-e *f.n.*	bachelor flat,-s	**gustare, gustări** *f.n.*	snack,-s
gata *adv.*	ready	**gutuie, gutui** *f.n.*	quince,-s
găină,-i *f.n.*	hen,-s	**Hai să mergem!**	Let's go!
gălăgie *f.n.*	noise	**haină,-e** *f.n.*	coat,-s
găsi *v.*	to find	**halbă,-e** *f.n.*	mug,-s
găti *v.*	to cook	**hartă, hărţi** *f.n.*	map,-s
gândi *v.*	to think	**hârtie,-i** *f.n.*	paper
gândire *f.n.*	thinking	**hol,-uri** *n.n.*	entrance hall,-s
gâscă, gâşte *f.n.*	goose, geese	**hotărî** *v.*	to decide

hotărâre,-i *f.n.*	decision,-s	**iute; iuţi** *adj*	spicy / hot
ianuarie	January	**îmbolnăvi (se)** *r.v.*	to get ill
iar *adv.*	again	**îmbrăca** *v.*	to dress
iarbă *f.n.*	grass	**îmbrăca (se)** *r.v.*	to get dressed
iarnă, ierni *f.n.*	winter,-s	**Îmi pare bine.**	I am happy / delighted.
Iată!	Look!		
Iată-i / le!	Here they are!	**Îmi pare rău.**	I'm sorry.
iaurt *n.n.*	yogurt	**Îmi place...**	I like...
idee, idei *f.n.*	idea,-s	**împacheta** *v.*	to pack
ieftin,-ă;	cheap	**împinge** *v.*	to push
ieftini,-e *adj.*		**împotriva**	against
ieri *adv.*	yesterday	**(+ Gen.) prep.**	
ieşi *v.*	to get out	**împrumut,-uri** *n.n.*	loan,-s
Imediat!	Right away!	**împrumuta** *v.*	to lend
imediat ce *adv. phr.*	as soon as	**în** *prep.*	in / into
impozit,-e *n.n.*	tax,-es	**în faţa** *(+ Gen.) prep.*	in front of
imprimantă,-e *f.n.*	printer,-s	**în fruntea**	at the head of
inel,-e *n.n.*	ring,-s	**(+ Gen.) prep.**	
infirmieră,-e *f.n.*	nurse,-s	**în general** *adv. phr.*	generally
informaţie *f.n.sg.*	piece of information	**în jurul**	(a)round (the)
informaţii *f.n.pl.*	inquiries / information	**(+ Gen.) prep.**	
		în locul	instead of
inginer,-i *m.n.*	engineer,-s	**(+ Gen.) prep.**	
inimă,-i *f.n.*	heart,-s	**în mijlocul**	in the middle of
injecţie,-i *f.n.*	injection,-s	**(+ Gen.) prep.**	
insolvabilitate *f.n.*	insolvency	**în spatele / urma**	behind / at the back of
instalator,-i *m.n.*	plumber,-s	**(+ Gen.) prep.**	
intenţiona *v.*	to intend	**în timpul**	during
interesant,-ă;	interesting	**(+ Gen.) prep.**	
interesanţi,-te *adj.*		**în ultima**	lately
interior *n.n.*	extension (telephone)	**vreme** *adv. phr.*	
		în vârstă *adj. phr.*	aged
interpret,-ţi *m.n.*	interpreter,-s	**înainte** *adv.*	ahead
intersecţie,-i *f.n.*	crossroad,-s	**înaintea**	before
intra *v.*	to enter	**(+ Gen.) prep.**	
intrare, intrări *f.n.*	entrance,-s	**înalt,-ă; înalţi,-te** *adj.*	high / tall
intrare de serviciu	back entrance	**înapoi** *adv.*	back
intrare principală	main entrance	**înăuntru** *adv.*	in / inside
Intraţi!	Come in!	**încă** *adv.*	yet
introduce *v.*	to insert	**încălţa (se)** *r.v.*	to put the shoes on
invita *v.*	to invite	**încălţăminte** *f.n.*	footwear
invitat,-ţi *m.n.*	guest,-s	**încălzire centrală**	central heating
ipotecă *f.n.*	mortgage	**încântat,-ă;**	delighted
istorie *f.n.*	history	**încântaţi,-te** *adj.*	
iulie	July	**începe** *v.*	to start / begin
iunie	June	**început,-uri** *n.n.*	beginning,-s

încerca *v.*	to try	la dreapta *adv. phr.*	to the right
încheietura mâinii	wrist	La mulţi ani!	Many happy returns!
închide *v.*	to shut / close	La revedere!	Good-bye!
închis,-ă; închişi,-se *adj.*	shut / closed	la stânga *adv. phr.*	to the left
		la timp *adv. phr.*	in due time
îngheţată,-e *f.n.*	ice-cream,-s	laba piciorului	foot
îngrijora (se) *r.v.*	to worry	lacăt,-e *n.n.*	padlock,-s
îngrijorat,-ă; îngrijoraţi,-te *adj.*	worried	(raion de) lactate *f.n.pl.*	dairy (counter)
îngrozitor,-oare; -i, -oare *adj.*	awful	lalea, lalele *f.n.*	tulip,-s
		lampă, lămpi *f.n.*	lamp,-s
înlocui *v.*	to replace	lanţ,-uri *n.n.*	chain,-s
înot *n.n.*	swimming	lapte *n.n.*	milk
înota *v.*	to swim	lapte acru (bătut)	sour milk
însănătoşi (se) *r.v.*	to get well	lapte praf	powder milk
Înseamnă că...	It means that...	larg,-ă; largi *adj.*	loose
întâlni *v.*	to meet	lăcătuş,-i *m.n.*	locksmith,-s
întâlnire,-i *f.n.*	meeting,-s / appointment,-s	lămâie, lămâi *f.n.*	lemon,-s
		lăsa un mesaj	to leave / convey a message
întâlnire de afaceri	business meeting		
întâmpla (se) *r.v.*	to happen	lână *f.n.*	wool
întoarce (se) *r.v.*	to return / come back	lângă *prep.*	next to / near
întocmi *v.*	to draft / draw up	lectură,-i *f.n.*	reading,-s
întotdeauna *adv.*	always	legumă,-e *f.n.*	vegetable,-s
între *prep.*	between	leneş,-ă; leneşi,-e *n., adj.*	idle / lazy
întrebare, întrebări *f.n.*	question,-s		
		leu, lei *m.n.*	ROL (romanian currency)
întreba *v.*	to ask		
într-o + *f.n.*	in a	leziune,-i *f.n.*	injury,-ies
într-un + *m. or n.n.*	in a	liber,-ă; liberi,-e *adj.*	free
înţelege *v.*	to understand	limbă,-i *f.n.*	language,-s / tongue,-s
învăţa *v.*	to learn / study		
învăţătură *f.n.*	learning	lingură,-i *f.n.*	spoon,-s
învinge *v.*	to win	linguriţă,-e *f.n.*	teaspoon,-s
jachetă,-e *f.n.*	jacket,-s	liră,-e *f.n.*	lira,-s
joc,-uri *n.n.*	game,-s	liră sterlină	pound sterling
joi *f.n.*	Thursday	listă,-e *f.n.*	list,-s
juca (se) *v., r.v.*	to play	literă,-e *f.n.*	letter,-s
jucărie,-i *f.n.*	toy,-s	litoral *n.n.*	seaside
judeţ,-e *n.n.*	county,-ies	loc de parcare	parking lot
jumătate, jumătăţi *f.n.*	half,-s	locui *v.*	to live / dwell
		locuitor,-i *m.n.*	inhabitant,-s
kilogram,-e *n.n.*	kilo,-s	logodnă,-e *f.n.*	engagement,-s
la *prep.*	at / to	lua *v.*	to take
la anul *adv. phr.*	next year	lua cina	to have supper
La ce oră...?	What time...?	lua cu împrumut	to borrow

lua cu chirie	to rent	măr, mere *n.n.*	apple,-s
lua masa	to have a meal	mărar *n.sg.*	dill
lua parte la	to take part into	mări *v.*	to rise / increase
lua trenul	to go by train	mărime / număr	size
Luaţi loc!	Sit down! / Take a seat!	mărire,-i *f.n.*	increase,-s
		mărunţiş *n.n.*	small change
lucra *v.*	to work	măslină,-e *f.n.*	olive,-s
lucru,-ri *n.n.*	thing,-s	măsuţă,-e *f.n.*	small table,-s
lumină electrică	electric light	mătase *f.n.*	silk
lunar *adv.*	monthly	mătuşă,-i *f.n.*	aunt,-s
lună,-i *f.n.*	month,-s	mâine *adv.*	tomorrow
lung,-ă; lungi *adj.*	long	mână, mâini *f.n.*	hand,-s
luni *f.n.*	Monday	mânca *v.*	to eat
luxaţie,-i *f.n.*	luxation,-s	mâncare,	food,-s / meal,-s
luxos,-oasă; luxoşi,-oase *adj.*	luxurious	mâncări *f.n.*	
		meci,-uri *n.n.*	match,-es *(sport)*
magazin,-e *n.n.*	shop,-s	medic,-i *m.n.*	physician,-s / doctor,-s
magazin alimentar	food store		
magazin universal	department store	medicament,-e *n.n.*	medicament,-s / drug,-s
mai	May		
mai bine *adv. phr.*	better	membru,	limb,-s
mai întâi *adv. phr.*	first of all	membre *n.n.*	
mai târziu *adv. phr.*	later (on)	meniu,-ri *n.n.*	bill,-s of fare
mai... decât	more... than	mercerie,-i *f.n.*	haberdashery,-ies
maistru, maiştri *m.n.*	foreman,-men	merge *v.*	to go
mamă,-e *f.n.*	mother,-s	merge (pe jos) *v.*	to walk
manual,-e *n.n.*	handbook,-s	mesele zilei	the meals of the day
mapă,-e *f.n.*	portfolio,-es	metrou,-ri *n.n.*	tube,-s
marţi *f.n.*	Tuesday	mic,-ă; mici *adj.*	little / small
marcă, mărci *f.n.*	mark,-s (currency)	micul dejun	breakfast
mare; mari *adj.*	big	Mi-e foame.	I am hungry.
marfă, mărfuri *f.n.*	goods	Mi-e sete.	I am thirsty.
maro *adj.*	brown	mie *num.*	thousand
marochinărie *f.n.*	leather goods	miercuri *f.n.*	Wednesday
martie	March	mijloace de	means of transport
masă, mese *f.n.*	table	transport	
masă / mâncare	meal	minciună,-i *f.n.*	lie,-s
masă monetară	money supply	minge,-i *f.n.*	ball,-s
masaj,-e *n.n.*	massage,-s	minut,-e *n.n.*	minute,-s
maşină,-i *f.n.*	car,-s / machine,-s	mobilă,-e *f.n.*	furniture
maşină de scris	typewriter	model,-e *n.n.*	model,-s / pattern,-s
maşină de spălat	washing-machine	monedă,-e *f.n.*	coin,-s
materiale consumabile	consumables	monedă naţională	national / domestic currency
mazăre *f.n.*	peas	morcov,-i *m.n.*	carrot,-s
		Moş Crăciun	Santa Claus

Moş Nicolae	Saint Nicholas
mov *adj.*	mauve
mult,-ă *adj., pron.*	much
mulţi,	many
multe *adj., pron.*	
Mulţumesc.	Thank you.
mulţumi *v.*	to thank
muncă,-i *f.n.*	work,-s / job,-s
muncitor,-i *m.n.*	worker,-s
munte, munţi *m.n.*	mountain,-s
murături *f.n.pl.*	pickles
mură,-e *f.n.*	blackberry,-ies
muta (se) *r.v.*	to move
muzeu,-e *n.n.*	museum,-s
muzică *f.n.*	music
nară, nări *f.n.*	nostril,-s
nas,-uri *n.n.*	nose,-s
necesar de finanţare	financing needs
necesar de	liquidity
lichiditate	requirements
necesar de materiale	materials needed
nefericit,-ă;	unhappy
nefericiţi,-te *adj.*	
negociere,-i *f.n.*	negotiation,-s
negreşit *adv.*	by all means / of course
negru, neagră;	black
negri,-e *adj.*	
nepoată,-e *f.n.*	grand-daughter,-s / niece,-s
nepot,-ţi *m.n.*	grandson,-s / nephew,-s
nici de... nici de	neither... nor
nici unul	neither of them
niciodată *adv.*	never
nimeni *pron.*	nobody
ninsoare, ninsori *f.n.*	snowfall,-s
nişte *indef. art. pl.*	some *(affirm.)* / any *(neg.)*
noapte, nopţi *f.n.*	night,-s
Noapte bună!	Good night!
noi *pron.*	we
noiembrie	November
noptieră,-e *f.n.*	bedside table,-s
nor,-i *m.n.*	cloud,-s
noră, nurori *f.n.*	daughter/,-s/-in-law
Noroc!	Hello! / Good luck!
norvegian,	Norwegian,-s
norvegieni *m.n.*	
nostru, noastră;	our
noştri, noastre *adj.*	
notă de plată /	bill
factură	
notă,-e *f.n.*	(school) mark,-s
notiţe *f.n.pl.*	notes
nou,-ă; noi *adj.*	new
nouă *num.*	nine
nu *adv.*	no
Nu-i aşa?	Isn't it?
Nu îmi place...	I don't like...
Nu ştiu.	I don't know.
nuanţă,-e *f.n.*	shade,-s
nucă,-i *f.n.*	nut,-s
numai *adv.*	only
nume, nume *n.n.*	name,-s
numerar *n.n.*	cash
o *indef. art. fem.*	a / an
oară, ori *f.n.*	date,-s / time,-s
(prima) oară	the first time
obiect,-e *n.n.*	object,-s / thing,-s
obosit,-ă;	tired
obosiţi,-te *adj.*	
obraz, obraji *m.n.*	cheek,-s
ocazie,-i *f.n.*	occasion,-s
ochelari *n.n.*	glasses / spectacles
ochi, ochi *m.n.*	eye,-s
octombrie *n.*	October
ocupaţie,-i *f.n.*	occupation,-s
odihni (se) *r.v.*	to take a rest
oferi *v.*	to offer
ofertă de cumpărare	bid
oglindă, oglinzi *f.n.*	mirror,-s
olandez,-i *m.n.*	Dutch,-es
omenesc,-ească;	human
omeneşti *adj.*	
omletă cu şuncă	ham and eggs
opri *v.*	to stop
opţiune,-i *f.n.*	option,-s
opt *num.*	eight
optician,	optician,-s
opticieni *m.n.*	
oraş,-e *n.n.*	town,-s

oră (de curs) *f.n.*	class	pătrunjel *m.n.*	parsley
oră, ore *f.n.*	hour,-s	pâine,-i *f.n.*	bread / loaf,-s
ordin permanent de plată	standing order	până *prep.*	until
		până acum *adv. phr.*	so far
ordona *v.*	to order	pântece, pântece *n.n.*	belly,-ies
orez *n.n.*	rice		
ori de câte ori *adv. phr.*	whenever	pe *prep.*	on
		pe cine *pron.*	whom
oricare, orice *adj., pron.*	any	Pe curând!	See you soon!
		pe jos *adv. phr.*	on foot
orice *pron.*	anything	pe lângă *prep.*	beside
oricum *adv.*	anyhow / anyway	Pe mâine!	See you tomorrow!
ospătar,-i *m.n.*	waiter,-s	pensionar,-i *m.n.*	pentioner,-s
ospitalier,-ă; -i, -e *adj.*	hospitable	pensionat,-ă; pensionați,-te *adj.*	retired
ou, ouă *n.n.*	egg,-s	pentru *prep.*	for
pachet,-e *n.n.*	packet,-s	pentru că *conj.*	because
pachet de acțiuni	stock	pepene galben	melon
pacient,-ți *m.n.*	patient,-s	pepene verde	water melon
pagină,-i *f.n.*	page,-s	percepe *v.*	to charge
pahar,-e *n.n.*	glass,-es	perdea, perdele *f.n.*	curtain,-s
palat,-e *n.n.*	palace,-s	pereche,-i *f.n.*	pair,-s
palier,-e *n.n.*	landing,-s	pereche de ochelari	pair of glasses
palmă,-e *f.n.*	palm,-s	pereche de pantofi	pair of shoes
pantaloni *m.n.*	trousers	perete, pereți *m.n.*	wall,-s
pantof,-i *m.n.*	shoe,-s	perforator,-oare *n.n.*	puncher,-s
papetărie *f.n.*	stationer's	performanță,-e *f.n.*	performance,-s
pară, pere *f.n.*	pear,-s	permite *v.*	to allow
parc,-uri *n.n.*	park,-s / garden,-s	persoană,-e *f.n.*	person,-s
parfum *n.n.*	perfume	pescărie,-i *f.n.*	fish counter,-s
parfumerie,-i *f.n.*	perfumery	pescuit *n.n.*	fishing
partener,-i *m.n.*	partner,-s	peseta,-e *f.n.*	peseta,-s
partener de afaceri	business partner	peste *prep.*	over
participa *v.*	to participate	pește,-i *m.n.*	fish,-es
pastilă,-e *f.n.*	pill,-s	petrece *v.*	to spend
Paște *n.n.*	Easter	petrecere,-i *f.n.*	party,-ies
pat,-uri *n.n.*	bed,-s	piață, piețe *f.n.*	market,-s / square,-s
pateu,-ri *n.n.*	pie,-s	piață de scont	discount market
patina *v.*	to skate	piață valutară	exchange market
patron,-i *m.n.*	employer,-s	picior,-oare *n.n.*	leg,-s
patru *num.*	four	piept,-uri *n.n.*	chest,-s
Păi...	Well...	piersică,-i *f.n.*	peach,-es
pălărie,-i *f.n.*	hat,-s	pijama *f.n.*	pyjamas
păr *m.n.*	hair	pivniță,-e *f.n.*	cellar,-s
părinte, părinți *m.n.*	parent,-s	pix,-uri *n.n.*	ballpen,-s
păstrăv,-i *m.n.*	trout,-s		

placat,-ă; placaţi, -te *adj.*	plated
plan,-uri *n.n.*	plan,-s
plată, plăţi *f.n.*	payment,-s
plăcea *v.*	to like
plăcere,-i *f.n.*	pleasure,-s
plăcintă,-e *f.n*	pie,-s
plămân,-i *m.n.*	lung,-s
plăti *v.*	to pay
pleca (de la) *v.*	to leave
pleca (la) *v.*	to leave for
plecare, plecări *f.n.*	leaving
pleoapă,-e *f.n.*	eyelid,-s
plic,-uri *n.n.*	envelope,-s
plictisitor,-oare; -i, -oare *adj.*	boring
ploaie, ploi *f.n.*	rain,-s
poartă, porţi *f.n.*	gate,-s
pod,-uri *n.n.*	garret,-s
podea, podele *f.n.*	floor,-s
Poftă bună!	Good appetite!
Poftiţi!	There you are!
poimâine *adv.*	the day after tomorrow
politeţe *f.n.*	politeness
polonez,-i *m.n.*	Pole,-s
popor, popoare *n.n.*	people,-s
port,-uri *n.n.*	harbour,-s / port,-s
portar,-i *m.n.*	goal keeper,-s
portocaliu,-e; -i *adj.*	orange
porumb *m.n.*	maize / corn
potrivi (se) *r.v.*	fit
poveste, poveşti *f.n.*	story,-ies
povesti *v.*	to tell / narrate
prag de rentabilitate	break even
prăjit,-ă; prăjiţi, -te *adj.*	fried
prăjitură,-i *f.n.*	cake,-s
prânz,-uri *n.n.*	lunch,-es / dinner,-s
prea *adv.*	too
prea (mulţi)	too (many)
preciza *v.*	to specify
precum şi... *prep.*	as well as...
prefera *v.*	to prefer
pregăti *v.*	to prepare
pregătire,-i *f.n.*	preparation,-s

preşedinte, preşedinţi *m.n.*	president,-s
prezenta *v.*	to introduce
priceput,-ă; priceputi,-te *adj.*	skilled
prieten,-i *m.n.*	friend,-s
prim ajutor	first aid
primăvară, primăveri *f.n.*	spring,-s
primi *v.*	to get
primul *(m.,n.),* **prima** *(f.) num.*	the first
printre *prep.*	among
proaspăt,-ă; proaspeţi,-te *adj.*	fresh
proba *v.*	to try on
problemă,-e *f.n.*	problem,-s / matter,-s
produs,-e *n.n.*	product,-s
profesie,-i *f.n.*	occupation,-s
profesor,-i *m.n.*	teacher,-s
program,-e *n.n.*	programme,-s
proiect,-e *n.n.*	project,-s / plan,-s
proiect de investiţii	investment project
proiector,-oare *n.n.*	projector,-s
proprietar,-i *m.n.*	owner,-s
prosop, prosoape *n.n.*	towel,-s
provincie,-i *f.n.*	province,-s
public *n.n.*	audience
pui, pui (de găină) *m.n.*	chicken
pune *v.*	to put
pune masa	to lay the table
pungă,-i *f.n.*	bag,-s / purse,-s
purta *v.*	to wear
putea *v.*	can / to be able
putere,-i *f.n.*	power,-s / strength,-s
putere de cumpărare	purchasing power
putere de stat	state power
puteri depline	full powers
puţin, puţină *adj., pron.*	a little
puţini, puţine *adj., pron.*	a few
rade *v.*	to shave
radiografie,-i *f.n.*	radiography,-ies

raft,-uri *n.n.*	shelf,(-ve)s	ridiche,-i *f.n.*	radish,-es
rai *n.n.*	heaven	rinichi, rinichi *m.n.*	kidney,-s
raion, raioane *n.n.*	department,-s / counter,-s	robinet,-e *n.n.*	tap,-s
raion de mezeluri	ham-and-beef counter	rochie,-i *f.n.*	dress,-es
		román,-i *m.n.*	Romanian,-s
rambursa *v.*	to repay	românesc,-ească;	Romanian
rambursare *f.n.*	repayment	româneşti *adj.*	
rană, răni *f.n.*	injury,-ies	roşie, roşii *f.n.*	tomato,-es
rapid,-ă; rapizi, rapide *adj.*	quick / rapid	roşu, roşie; roşii *adj.*	red
		roz *adj.*	pink
raport, rapoarte *n.n.*	report,-s	rubin,-e *n.n.*	ruby,-ies
rar / rareori *adv.*	seldom	rufă,-e *f.n.*	laundry
rasol de peşte	boiled fish	ruga *v.*	to ask / to beg
rată de schimb	exchange rate	sac,-i *m.n.*	bag,-s / sack,-s
raţă,-e *f.n.*	duck,-s	sacoşă,-e *f.n.*	bag,-s
răci *v.*	to catch a cold	salariu,-i *n.n.*	wage,-s / salary,-ies
răcoritoare *f.n.pl.*	soft drinks	sală, săli *f.n.*	hall,-s
rămâne *v.*	to remain	sală de aşteptare	waiting-room
răspunde *v.*	to answer	sală de conferinţe	conference room
răspundere,-i *f.n.*	responsibility,-ies	sală de teatru	theatre hall
rău, rea; răi, rele *adj.*	bad	salon de cosmetică	beauty parlour
râu,-ri *n.n.*	river,-s	saltea, saltele *f.n.*	matress,-es
rece; reci *adj.*	cold	Salut!	Hello!
receptor,-oare *n.n*	receiver,-s	saluta *v.*	to greet
recomanda *v.*	to recommend / suggest	Salvarea	Ambulance Service
		sandale *f.n.*	sandals
recomandabil,-ă; -i, -e *adj.*	advisable	sandviş,-uri *n.n*	sandwich,-es
		sarcină,-i *f.n.*	task,-s / mission,-s
reeşalona *v.*	to reschedule	sare *f.n.*	salt
rege,-i *m.n.*	king,-s	sau *conj.*	or
registru contabil	ledger	sănătate *f.n.*	health
renume *n.n.*	good-will	săptămână,-i *f.n.*	week,-s
renumit,-ă; renumiţi, -te *adj.*	famous	sărat,-ă; săraţi,-te *adj.*	salted
repara *v.*	to repair	sărbătoare, sărbători *f.n.*	holiday,-s / celebration,-s
repeta *v.*	to repeat		
restaurant,-e *n.n.*	restaurant,-s	sărbători *v.*	to celebrate
Revelion *n.n.*	New Year's Eve	Să taci!	Shut up!
revendica *v.*	to claim	său / sa / săi / sale *pron., adj.*	his / her
reveni *v.*	to come back		
reveni (a-şi) *r.v.*	to recover	sâmbătă *f.n.*	Saturday
revistă,-e *f.n.*	review,-s	sân,-i *m.n.*	breast,-s
rezolva *v.*	to solve	sânge *n.n.*	blood
ridica *v.*	to pick up	scadenţă *f.n.*	maturity / date of payment
ridica (se) *r.v.*	to get up	scară, scări *f.n.*	stairs

scaun,-e *n.n.*	chair,-s	soare *m.n.*	sun
scădea *v.*	to decrease	societate,	society,-ies
scăpa (de) *v.*	to get rid (of)	societăţi *f.n.*	
schia *v.*	to ski	socru,-i *m.n.*	father/,-s/-in-law
schimba *v.*	to change / exchange	solicita *v.*	to require
schimbare,	change,-s	solicita un credit	to apply / ask for a
schimbări *f.n.*			loan
scrie *v.*	to write	soră, surori *f.n.*	sister,-s
scrisoare,	letter,-s	spălătorie,-i *f.n.*	laundry
scrisori *f.n.*		spăla *v.*	to wash
scula (se) *r.v.*	to get up	spaţios,-oasă;	large
scump,-ă;	expensive	spaţioşi,-oase *adj.*	
scumpi, -e *adj.*		spanac *n.n.*	spinach
scurt,-ă;	short	spaniol,-i *m.n.*	Spaniard,-s
scurţi,-te *adj.*		sparanghel *m.n.*	asparagus
seară, seri *f.n.*	evening,-s	spate *n.n.*	back
secară *f.n.*	rye	speze suplimentare	additional charges
secretar,-i *m.n.*	secretary,-ies	spital,-e *n.n.*	hospital,-s
secretariat,-e *n.n.*	secretariat,-s	spori *v.*	to rise / increase
secţie,-i *f.n.*	section,-s /	sprânceană,	eyebrow,-s
	department,-s	sprâncene *f.n.*	
seif,-uri *n.n.*	safe,-s	spre *prep.*	to
semna *v.*	to sign	spune *v.*	to say / tell
semnătură,-i *f.n.*	signature,-s	Spune-mi...	Tell me...
septembrie	September	stâng,-ă; stângi *adj.*	left
sertar,-e *n.n.*	drawer,-s	sta (pe loc) *v.*	to stay
Servicii telefonice	Call Services	sta în picioare	to stand
serviciu,-i *n.n.*	office,-s	sta de vorbă cu...	to talk to...
serviciu financiar	financial office	sta la rând	to (stand in a) queue
servietă	briefcase		/ line up
sfat *n.n.*	advice	sta la taifas	to chat
sfătui *v.*	to advise	sta pe roze	to be in the pink
sfânt, sfinţi *m.n.*	saint,-s	sta pe scaun	to sit
sfert,-uri *n.n.*	quarter,-s	stabili *v.*	to establish
sigur,-ă; siguri,-e *adj.*	sure	staţie,-i *f.n.*	station,-s
simţi (se) *r.v.*	to feel	staţie de metrou	tube station
simplu,-ă;	simple	staţie de taxi	taxi rank
simpli,-e *adj.*		staţie de autobuz	bus station
simptom,-e *n.n.*	symptom,-s	sticlă,-e *f.n.*	bottle,-s
sindicat,-e *n.n.*	(trade-)union,-s	stilist,-şti *m.n.*	stylist,-s
singur,-ă;	alone	stilou,-ri *n.n.*	fountain-pen,-s
singuri,-e *adj.*		stofe *f.n.pl.*	drapery
slujbă,-e *f.n.*	service / job,-s	stomac,-uri *n.n.*	stomach,-s
smântână *f.n.*	sour cream	stradă, străzi *f.n.*	street,-s
soţ,-i *m.n.*	husband,-s	strălucitor,-oare;	brilliant
soţie,-i *f.n.*	wife,-s	-i, -oare *adj.*	

strugure, struguri *m.n.*	grapes	**Te pot ajuta cu ceva?**	May I help you?
strung,-uri *n.n.*	lathe,-s	**terasă,-e** *f.n.*	terrace,-s
strungar,-i *m.n.*	turner,-s	**termina** *v.*	to finish
student,-ţi *m.n.*	student,-s	**timp** *n.n.*	time
studia *v.*	to study	**timp de ... ore**	for ... hours
sub *prep.*	under	**titlu de proprietate**	title deed
subsol,-uri *n.n.*	basement,-s	**toamnă,-e** *f.n.*	autumn,-s
suc de roşii	tomato juice	**tocmai** *adv.*	just
sudor,-i *m.n.*	welder,-s	**ton** *n.n.*	tone
suedez,-i *m.n.*	Swede,-s	**tot timpul** *adv. phr.*	all the time
sufragerie,-i *f.n.*	dining-room,-s	**tot, toată; toţi, toate** *indef. pron.*	all
sumă,-e *f.n.*	amount,-s		
suna / a telefona *v.*	to call / ring up	**tramvai,-e** *n.n.*	tram,-s
supă,-e *f.n.*	soup	**trandafir,-i** *m.n.*	rose,-s
supărat,-ă *adj.*	upset / angry	**tranşă de împrumut**	dollop / tranche
sus *adv.*	high / above	**transfer automat în cont**	direct debit
şapte *num.*	seven		
şcoală, şcoli *f.n.*	school,-s	**tratament** *n.n.*	treatment
şedinţă,-e *f.n.*	meeting,-s	**traversa** *v.*	to cross (the street)
şef,-i *m.n.*	chief,-s	**trebui** *v.*	must
şef de secţie	workshop chief	**trece** *v.*	to pass
şi *conj.*	and	**trei** *num.*	three
şifonier,-e *n.n.*	wardrobe,-s	**tren,-uri** *n.n.*	train,-s
şniţel,-e *n.n.*	schnitzel	**trezi (se)** *r.v.*	to wake up
şti *v.*	to know	**trimite** *v.*	to send
ştiri *f.n.pl.*	information ; news	**troleibuz,-e** *n.n.*	trolley bus,-s
şuncă *f.n.*	ham	**trup,-uri** *n.n.*	body,-ies
şvaiţer *n.n.*	swiss cheese	**trusă de machiaj**	make-up kit
tablă,-e *f.n.*	whiteboard,-s	**tu** *pron. sg.*	you
tablou,-ri *n.n.*	painting,-s	**turc,-i** *m.n.*	Turk,-s
talpă, tălpi *f.n.*	sole,-s	**tuse** *f.n.*	cough
tarabă,-e *f.n.*	(market) stall,-s	**tutungerie,-i** *f.n.*	tobacconist's
targă, tărgi *f.n.*	stretcher,-s	**ţară, ţări** *f.n.*	country,-ies
tată, taţi *m.n.*	father,-s	**ţelină** *f.n.*	celery
taxă de abonament	subscription charge	**ţigară, ţigări** *f.n.*	cigarette,-s
tăietură,-i *f.n.*	cut,-s	**ţine un discurs**	to make a speech
tânăr,-ă; tineri,-e *n., adj.*	young	**uimitor,-oare; -i,-oare** *adj.*	amazing
târziu *adv.*	late	**uita** *v.*	to forget
teatru,-e *n.n.*	theatre hall,-s	**uita (se)**	to look
tei, tei *m.n.*	lime,-s	**ultim,-ă; ultimi,-e** *adj.*	last
telefon,-oane *n.n.*	telephone,-s		
telefon mobil	mobile telephone	**umăr, umeri** *m.n.*	shoulder,-s
televizor,-oare *n.n.*	TV-set,-s	**un** *indef. art. masc.*	a / an
temperatură *f.n.*	temperature / fever	**unchi, unchi** *m.n.*	uncle,-s
		unde *adv.*	where

Unde este.. ?	Where is.. ?	**ventilator,-oare** *n.n.*	fan,-s
unealtă, unelte *f.n.*	tool,-s	**verde; verzi** *adj.*	green
uneori *adv.*	sometimes	**verdeaţă,**	green stuff
unghie,-i *f.n.*	nail,-s	**verdeţuri** *f.n.*	
unt *n.n.*	butter	**verifica** *v.*	to check up
unu *num.*	one	**verighetă,-e** *f.n.*	wedding ring,-s
ură *f.n.*	hatred / enmity	**vermut** *n.n.*	vermouth
urări de bine	good wishes	**vişină,-e** *f.n.*	sour cherry,-ies
urca *v.*	to climb up / get into	**vilă,-e** *f.n.*	villa,-s
ureche,-i *f.n.*	ear,-s	**vin,-uri** *n.n.*	wine,-s
urgent *adv.*	urgently	**vinde** *v.*	to sell
urmări *v.*	to follow	**vineri** *f.n.*	Friday
urmărire penală	law suit	**violet,-ă;**	violet
usturoi *m.n.*	garlic	**violeţi,-te** *adj.*	
uşă, uşi *f.n.*	door,-s	**virgulă,-e** *f.n.*	comma,-s
util,-ă; utili,-e *adj.*	useful	**viteză** *f.n.*	speed
utiliza *v.*	to use	**vitrină,-e** *f.n.*	glass-case / shop-window,-s
vacanţă,-e *f.n.*	holidays / vacation		
vacanţă de vară	summer holidays	**vizavi de** *prep.*	opposite
valută *f.n.*	currency	**vizita** *v.*	to visit
vamă, vămi *f.n.*	customs	**vocală,-e** *f.n.*	vowel,-s
vapor,-oare *n.n.*	ship,-s	**voi** *pron. pl.*	you
vară, veri *f.n.*	summer,-s	**vointă** *f.n.*	will
varză, verze *f.n.*	cabbage	**vorbi** *v.*	to speak
vas,-e *n.n.*	bowl,-s	**vorbi în vânt**	to waste one's breath
vază,-e *f.n.*	vase,-s	**vorbi aiurea**	to speak nonsense
Vă rog…	Please…	**vorbi deschis**	to speak one's mind
văr, veri *m.n.*	cousin,-s	**vorbi liber**	to speak off-hand
vânătă, vinete *f.n.*	eggplant	**vrea** *v.*	to want
vânătoare *f.n.*	hunting	**vreodată** *adv.*	ever
vânzare cu	retail	**yen,-i** *m.n.*	yen,-s
amănuntul		**zahăr** *n.n.*	sugar
vânzare en gros	wholesale	**zece** *num.*	ten
vânzător,-i *m.n.*	shop-assistant,-s	**zi, zile** *f.n.*	day,-s
vârstă *f.n.*	age	**zi de naştere**	birthday
vechi, veche;	old / ancient	**zi de salariu**	pay-day
vechi *adj.*		**zi liberă**	day-off
vedea *v.*	to see	**zi naţională**	national day
veni *v.*	to come	**ziar,-e** *n.n.*	newspaper,-s
venit *n.n.*	income; revenue	**zilele trecute**	the other day
venituri /	earnings	**zilnic** *adv.*	daily
câştiguri *n.n.pl.*		**zmeură** *f.n.*	raspberry
venituri din vânzări	sales revenue		